HISTORIA
MIŁOŚCI

HISTORIA MIŁOŚCI

Nicole Krauss

Z angielskiego przełożyła
Katarzyna Malita

Świat Książki

Tytuł oryginału
HISTORY OF LOVE

Projekt okładki
Anna Kłos

Redaktor prowadzący
Ewa Niepokólczycka

Redakcja
Helena Klimek

Konsultacja jidyszystyczna
Monika Polit

Redakcja techniczna
Małgorzata Juźwik

Korekta
Elżbieta Jaroszuk

Copyright © 2005 by Nicole Krauss
All rights reserved

Copyright © for the Polish translation by Katarzyna Malita, 2006

Świat Książki
Warszawa 2006
Bertelsmann Media Sp. z o.o.
ul. Rosoła 10, 02-786 Warszawa

Skład i łamanie
Mariusz Brusiewicz

Druk i oprawa
GGP Media GmbH, Pößneck

ISBN 83-247-0065-X
Nr 5352

POŚWIĘCAM MOIM DZIADKOM,
którzy nauczyli mnie nie znikać,

i JONATHANOWI, który jest moim życiem

Kiedyś ktoś napisze mój nekrolog. Jutro. Albo pojutrze. Będą w nim słowa: *LEO GURSKY POZOSTAWIŁ PO SOBIE MIESZKANIE PEŁNE ŚMIECI*. Aż dziw, że nie zostałem pogrzebany za życia. Moje mieszkanie nie jest duże. Z trudem udaje mi się zachować przejście między łóżkiem a toaletą, toaletą a stołem kuchennym, stołem kuchennym a drzwiami wejściowymi. Jeśli chcę przejść z toalety do drzwi wejściowych, nie mogę, muszę obejść dookoła stół kuchenny. Lubię sobie wyobrażać, że łóżko jest bazą-metą, toaleta pierwszą bazą, stół kuchenny drugą, a drzwi wejściowe trzecią; kiedy leżąc w łóżku, usłyszę dzwonek, muszę obiec toaletę i stół kuchenny, żeby dotrzeć do drzwi. Jeśli to Bruno, wpuszczam go bez słowa, po czym wracam biegiem do łóżka, mając w uszach ryk niewidzialnego tłumu.

Często zastanawiam się, kto ostatni będzie mnie widział żywego. Gdybym się miał założyć, postawiłbym na dostawcę z chińskiej knajpki. Cztery razy w tygodniu zamawiam u nich kolację. Kiedy chłopiec się zjawia, urządzam pokaz szukania portfela. Stoi w drzwiach, trzymając w rękach tłustą torbę, podczas gdy ja zastanawiam się, czy tego właśnie wieczoru zjem naleśniki, położę się do łóżka i umrę we śnie na zawał serca. Zawsze staram się zrobić coś, by mnie zauważono. Czasami, kiedy wychodzę z domu, kupuję sok, choć nie chce mi się pić. Jeśli w sklepie jest tłok, posuwam się do tego, że upuszczam resztę na podłogę, a monety rozsypują się na wszystkie strony. Klękam, by je pozbierać. To dla mnie wielki wysiłek, a jeszcze większy – wstać z klęczek. A jednak. Może wyglądam jak idiota. Wchodzę do sklepu Athlete's Foot i mówię: *Jakie macie modele adidasów?* Sprzedawca patrzy na mnie jak na biednego palanta, którym jestem, i prowadzi mnie prosto do śnieżnobiałej pary butów marki Rockport. *Nie,* odpowiadam, *te już mam*, i kieruję się do półki z reebokami, wybieram coś, co nawet nie przypomina buta, i proszę o rozmiar dziewięć. Dzieciak znów na mnie patrzy, tym razem uważniej. Obrzuca mnie przeciągłym, twardym spojrzeniem. *Rozmiar dziewięć*, powtarzam, trzymając pokraczny but. Kręci głową i idzie do magazynu, a kiedy wraca, ja zdejmuję już skarpetki. Podciągam nogawki spodni i patrzę na moje żałosne stopy. Mija niezręczna minuta, aż staje się jasne, że czekam, by wsunął mi buty na nogi. Nigdy nic nie kupuję. Nie chcę tylko umrzeć w dniu, kiedy przejdę niezauważony.

Kilka miesięcy temu zobaczyłem w gazecie ogłoszenie: *POSZUKIWANY NAGI MODEL NA ZAJĘCIA Z RYSUNKU, 15 DOLARÓW ZA GODZINĘ.* To było zbyt piękne, by mogło być prawdziwe. Żeby tyle osób patrzyło. Zadzwoniłem pod podany numer. Kobieta, która podniosła słuchawkę, kazała mi przyjść w najbliższy wtorek. Próbowałem opisać siebie, ale nie była zainteresowana. *Wszystko się nada,* powiedziała.

Dni mijały powoli. Opowiedziałem o tym Brunonowi, ale źle mnie zrozumiał, pomyślał, że zapisałem się na zajęcia z rysunku, by oglądać nagie dziewczęta. Nie chciał, żebym wyprowadzał go z błędu. *Pokazują cycki?*, spytał. Wzruszyłem ramionami. *I to na dole też?*

Kiedy mieszkająca na czwartym piętrze pani Freid zmarła i znaleziono ją dopiero po trzech dniach, obaj z Brunonem przyjęliśmy zwyczaj sprawdzania się nawzajem. Wymyślaliśmy drobne powody: *Skończył mi się papier toaletowy*, mówiłem, kiedy Bruno otwierał drzwi. Mijał dzień. Rozlegało się pukanie do moich drzwi. *Zgubiłem program telewizyjny*, tłumaczył, więc szedłem, by poszukać mojego, choć doskonale wiedziałem, że jego program leży jak zwykle na kanapie. Kiedyś przyszedł do mnie w niedzielne popołudnie. *Potrzebna mi szklanka mąki*, powiedział. To było oczywiste, ale nie mogłem się powstrzymać. *Przecież nie umiesz gotować.* Zapadła cisza. Bruno spojrzał mi prosto w oczy. *Co ty możesz o tym wiedzieć*, odparł. *Piekę tort.*

Kiedy przyjechałem do Ameryki, nie znałem nikogo poza kuzynem, który był ślusarzem. Zacząłem więc u niego pracować. Gdyby był szewcem, ja też zostałbym szewcem; gdyby wybierał łopatą łajno, ja też bym je wybierał. Ale. Był ślusarzem. Nauczył mnie swojego fachu. Razem otworzyliśmy niewielki interes, a potem któregoś roku on zachorował na gruźlicę, musieli mu usunąć wątrobę, dostał wysokiej gorączki i umarł. Przejąłem interes. Posyłałem jego żonie połowę dochodów, nawet kiedy wyszła ponownie za mąż za lekarza i wyprowadziła się do Bay Side. Pracowałem jako ślusarz pięćdziesiąt lat. Nie tak wyobrażałem sobie swoje życie. A jednak. Prawdą jest, że polubiłem swoją pracę. Jednym pomagałem dostać się do domu, a innym – żeby nie dostał się do nich ten, kto nie powinien, i żeby mogli spać spokojnie.

Pewnego dnia wyglądałem przez okno. Może kontemplowałem niebo. Postawić głupca przy oknie, a stanie się Spinozą. Minęło popołudnie, zaczął zapadać zmierzch. Sięgnąłem do łańcuszka, by włączyć światło, i nagle poczułem, jakby słoń stanął mi na piersi. Osunąłem się na kolana. Pomyślałem: nie żyje się wiecznie. Minęła minuta. I druga. I jeszcze jedna. Przeczołgałem się po podłodze do telefonu. Dwadzieścia pięć procent mojego mięśnia sercowego obumarło. Długo dochodziłem do siebie i nie wróciłem już do pracy. Minął rok. Byłem świadomy upływu czasu. Wyglądałem przez okno. Patrzyłem, jak jesień przechodzi w zimę. Zima w wiosnę. Czasami przychodził Bruno, by ze mną posiedzieć. Znamy się od dziecka, chodziliśmy razem do szkoły. Był jednym z moich najlepszych przyjaciół – w okularach z grubymi szkłami, z rudawymi włosami, których nienawidził, i głosem załamującym się pod wpływem emocji. Nie wiedziałem, że żyje, aż tu nagle pewnego dnia, gdy szedłem East Broadway, usłyszałem jego głos. Odwróciłem się. Stał – plecami do mnie – przed sklepem warzywnym i pytał o cenę jakichś owoców. Pomyślałem: Słyszysz głosy, ależ z ciebie marzyciel, czy to w ogóle możliwe – twój przyjaciel z dzieciństwa? Wrosłem w chodnik. Jego już przecież pochowali, powtarzałem sobie w duchu. A ty jesteś w Stanach Zjednoczonych Ameryki, tu jest McDonald's, opanuj się. Czekałem chwilę, by się upewnić. Nie rozpoznałbym jego twarzy. Ale. Poruszał się w tak charakterystyczny sposób. Kiedy już miał mnie minąć, wyciągnąłem rękę. Nie miałem pojęcia, co robię, może wszystko tylko sobie wyobraziłem, ale chwyciłem go za rękaw. *Bruno*, powiedziałem. Zatrzymał się i odwrócił. W pierwszej chwili wyglądał na przerażonego, potem na jego twarzy pojawił się wyraz zakłopotania. *Bruno.* Spojrzał na mnie, a w jego oczach błysnęły łzy. Chwyciłem go za drugą rękę, tak że teraz trzymałem go za rękaw i rękę. *Bruno.* Zaczął drżeć. Położył mi dłoń na policzku. Staliśmy na środku chodnika, mijali nas śpieszący gdzieś ludzie, był ciepły, czerwcowy dzień. Bruno miał cienkie, siwe włosy. Upuścił kupione owoce. *Bruno.*

Kilka lat później zmarła jego żona. Nie mógł mieszkać w swoim starym mieszkaniu, wszystko mu ją tam przypominało, więc kiedy na piętrze nade mną zwolniło się mieszkanie, przeprowadził się. Często siadywaliśmy razem przy moim kuchennym stole. Czasem przez całe popołudnie nie odzywaliśmy się do siebie ani słowem. Nigdy nie rozmawialiśmy w jidysz. Słowa naszego dzieciństwa stały się dla nas obce – nie mogliśmy już używać ich w ten sam sposób, więc postanowiliśmy nie używać ich wcale. Życie wymagało nowego języka.

Bruno, mój stary, wierny przyjaciel. Nie udało mi się go odpowiednio opisać. Czy wystarczy powiedzieć, że on wymyka się opisom? Nie. Lepiej spróbować i zrobić to niedoskonale, niż wcale nie spróbować. Miękkie siwe włosy delikatnie powiewają na dole twojej czaszki jak nasionka na niekompletnym dmuchawcu. Ileż to razy, Bruno, walczyłem z pokusą, by dmuchnąć ci w głowę i wypowiedzieć życzenie. Powstrzymywały mnie przed tym resztki przyzwoitości. A może powinienem zacząć od twojego wzrostu, który jest dość mizerny. W dobre dni ledwo sięgasz mi piersi. A może powinienem zacząć od okularów, które wydobyłeś z pudełka i uznałeś za swoje; od ogromnych okrągłych szkieł, które powiększają ci oczy, tak że stale mają wyraz czterech i pół w skali Richtera? To damskie okulary, Bruno! Ale nigdy nie miałem serca, żeby ci o tym powiedzieć. Próbowałem wiele razy. I jeszcze coś. Kiedy byliśmy bardzo młodzi, to ty byłeś lepszym pisarzem. Byłem zbyt dumny, by ci wtedy o tym powiedzieć. Ale. Wiedziałem. Wierz lub nie, ale wiedziałem o tym wtedy i wiem teraz. Boli mnie myśl, że nigdy ci o tym nie powiedziałem, i myśl o tym, kim mogłeś się stać. Wybacz mi, Bruno. Mój najstarszy przyjacielu. Najlepszy. Nie oddałem ci sprawiedliwości. Pod koniec życia byłeś mi tak wspaniałym towarzyszem. Ty, zwłaszcza ty, który mogłeś znaleźć właściwe słowa, by to wszystko opisać.

Pewnego dnia, dawno temu, znalazłem Bruna leżącego na środku saloniku obok pustej buteleczki po pigułkach. Miał już dość. Pragnął tylko zasnąć na zawsze. Do piersi przypiął kartkę, na której widniały trzy słowa: *ŻEGNAJCIE, MOI UKOCHANI*. Zacząłem krzyczeć. *NIE, BRUNO, NIE, NIE, NIE, NIE, NIE, NIE!* Uderzyłem go w twarz. W końcu z trudem otworzył oczy. Jego spojrzenie było tępe i zamglone. *OBUDŹ SIĘ, TY IDIOTO!*, wrzasnąłem. *SŁUCHAJ MNIE: MUSISZ SIĘ OBUDZIĆ!* Znów zamknął oczy. Wykręciłem numer pogotowia. Nalałem wody do miski i chlusnąłem mu na twarz. Przyłożyłem ucho do serca. Usłyszałem słabe bicie. Przyjechała karetka. W szpitalu zrobili mu płukanie żołądka. *Dlaczego zażył pan te wszystkie pigułki?*, zapytał lekarz. Bruno, chory, wymęczony, powoli podniósł na niego chłodny wzrok. *JAK PAN MYŚLI, DLACZEGO?*, krzyknął. W pokoju zapadła cisza, wszyscy wpatrywali się w niego w milczeniu. Bruno jęknął i odwrócił się do ściany. Tego wieczoru byłem przy nim do późna. *Bruno*, powiedziałem. *Tak mi przykro*, odparł. *To było takie egoistyczne*. Westchnąłem i skierowałem się do wyjścia. *Zostań ze mną!*, zawołał.

Nigdy o tym nie rozmawialiśmy. Tak jak nigdy nie rozmawialiśmy o naszym dzieciństwie, o wspólnych utraconych marzeniach, o wszystkim, co się wydarzyło i co się nie wydarzyło. Pewnego dnia siedzieliśmy razem w milczeniu. Nagle któryś z nas zaczął się śmiać. To było bardzo zaraźliwe. Nie mieliśmy żadnego powodu, ale zaczęliśmy razem chichotać i już po chwili zanosiliśmy się od śmiechu, a po policzkach płynęły nam łzy. Na moich spodniach w okolicy krocza pojawiła się mokra plamka i to rozśmieszyło nas jeszcze bardziej. Waliłem pięścią w stół i z trudem chwytałem powietrze. Myślałem: Może tak właśnie odejdę, śmiejąc się na cały głos – cóż może być lepszego – śmiejąc się i płacząc, śmiejąc się i śpiewając, śmiejąc się, żeby nie zapomnieć, że jestem sam, że to koniec mojego życia, że śmierć czeka na mnie tuż za progiem.

Kiedy byłem małym chłopcem, lubiłem pisać. To było jedyne, co pragnąłem w życiu robić. Wymyślałem postaci i zapełniałem zeszyty opowieściami o ich życiu. Napisałem o chłopcu, który dorastając, zrobił się tak włochaty, że ludzie polowali na niego dla futra. Musiał się ukrywać na drzewach i zakochał się w ptaszce, której wydawało się, że jest ważącym sto pięćdziesiąt kilo gorylem. Napisałem o bliźniaczkach syjamskich, z których jedna zakochała się we mnie. Uważałem, że sceny miłosne są bardzo oryginalne. A jednak. Kiedy trochę podrosłem, postanowiłem, że zostanę prawdziwym pisarzem. Próbowałem pisać o prawdziwych sprawach. Chciałem opisać świat, bo życie w nieopisanym świecie było zbyt samotne. Zanim ukończyłem dwadzieścia jeden lat, napisałem trzy książki. Kto wie, co się z nimi stało. Pierwsza opowiadała o Słonimie, miasteczku, w którym mieszkałem. Czasami należało do Polski, czasami do Rosji. Na frontyspisie umieściłem plan, na którym podpisałem wszystkie domy i sklepy; tutaj był rzeźnik Kipnis, a tam krawiec Grodzieński, tutaj mieszkał Fiszl Szapiro, który był albo wielkim cadykiem, albo idiotą, nikt nie miał pewności, a tam plac i pole, gdzie się bawiliśmy, tutaj rzeka była wąska, a tam szeroka, tutaj zaczynał się las, a tam stało drzewo, na którym powiesił się Bejla Asz, tutaj i tutaj. A jednak. Kiedy wręczyłem książkę jedynej osobie w Słonimie, na której opinii mi zależało, wzruszyła tylko ramionami i powiedziała, że woli, kiedy wymyślam różne rzeczy. Napisałem więc drugą książkę, w której wszystko wymyśliłem. Wypełniłem ją ludźmi, którym rosły skrzydła, drzewami, których korzenie sięgały nieba; ludźmi, którzy zapomnieli, jak się nazywają, i ludźmi, którzy o niczym nie mogli zapomnieć; wymyśliłem nawet nowe słowa. Kiedy książka była gotowa, popędziłem do domu jedynej osoby w Słonimie, na której opinii mi zależało. Wpadłem przez drzwi do środka, wbiegłem na schody i podałem jej książkę. Oparłem się o ścianę i obserwowałem jej twarz, gdy czytała. Za oknami zrobiło się ciemno, ale ona ciągle czytała. Mijały godziny. Osunąłem się na podłogę. Czytała i czytała. Kiedy skończyła, podniosła wzrok. Przez długi czas nie odzywała się ani słowem. Potem powiedziała, że może nie powinienem wymyślać wszystkiego, bo wtedy trudno jest uwierzyć w cokolwiek.

Ktoś inny może by się poddał. Ja zacząłem od nowa. Tym razem nie pisałem o rzeczach prawdziwych ani o wyobrażonych. Pisałem o jedynej rzeczy, jaką znałem. Strony zapełniały się jedna po drugiej. Nawet kiedy jedyna osoba, na której opinii mi zależało, wyjechała do Ameryki, ja nadal zapełniałem strony, pisząc jej imię.

Kiedy wyjechała, wszystko się rozpadło. Żaden Żyd nie mógł czuć się bezpiecznie. Pojawiły się pogłoski o strasznych, niepojętych rzeczach, a ponieważ nie potrafiliśmy ich pojąć, nie wierzyliśmy w nie, aż wreszcie nie mieliśmy wyboru i było już za późno. Pracowałem w Mińsku, ale straciłem pracę i wróciłem do Słonima. Niemcy parli na wschód. Byli coraz bliżej. Rankiem, kiedy usłyszeliśmy warkot ich czołgów, matka kazała mi ukryć się w lesie. Chciałem zabrać ze sobą mojego najmłodszego brata, miał dopiero trzynaście lat, ale matka powiedziała, że zabierze go sama. Dlaczego jej posłuchałem? Bo tak było łatwiej? Pobiegłem do lasu. Leżałem na ziemi bez ruchu. W oddali szczekały psy. Mijały godziny. A potem rozległy się strzały. Tyle strzałów. Z jakiegoś nieznanego powodu nie krzyczeli. A może to ja nie słyszałem ich krzyków. Potem zapadła cisza. Byłem jak sparaliżowany, pamiętam smak krwi w ustach. Nie mam pojęcia, ile czasu minęło. Ile dni. Nigdy tam nie wróciłem. Kiedy się podniosłem, zrzuciłem z siebie jedyną cząstkę mnie, w której kiedykolwiek postała myśl, że zdołam znaleźć słowa, by opisać najmniejszy skrawek życia.

A jednak.

Kilka miesięcy po zawale serca, pięćdziesiąt siedem lat od chwili, gdy się poddałem, znów zacząłem pisać. Zrobiłem to tylko dla siebie, dla nikogo innego, i na tym właśnie polegała różnica. Nie miało już znaczenia, czy znajdę słowa, co więcej, wiedziałem, że z pewnością nie znajdę właściwych. I ponieważ pogodziłem się z myślą, że to, co kiedyś uważałem za możliwe, jest w istocie niemożliwe, i ponieważ wiedziałem, że nigdy nikomu nie pokażę ani jednego słowa, napisałem zdanie:

Był sobie kiedyś chłopiec.

Tkwiło tam przez wiele dni, spoglądając na mnie z kartki, na której nie było nic oprócz tego zdania. Tydzień później dodałem następne. Niebawem miałem już całą stronę. Poczułem się bardzo szczęśliwy, zupełnie jak wtedy, gdy mówię do siebie, co czasem mi się zdarza.

Pewnego dnia powiedziałem do Brunona: *Zgadnij, ile stron już mam?*

Nie mam pojęcia, odparł.

Napisz liczbę na serwetce, powiedziałem, *i przesuń ją po stole w moją stronę.* Wzruszył ramionami i wyjął pióro z kieszeni. Zastanawiał się parę minut, wpatrując się w moją twarz. *No, tak orientacyjnie,* powiedziałem. Pochylił się, wypisał liczbę i odwrócił serwetkę. Ja na mojej napisałem prawdziwą liczbę, 301. Przesunęliśmy serwetki po blacie stołu. Spojrzałem na serwetkę Brunona. Z niewyjaśnionych powodów napisał 200 000. Podniósł moją serwetkę i odwrócił. Spojrzał na mnie ze zmartwiałą twarzą.

Czasami wierzyłem, że ostatnia strona mojej książki i ostatnia strona mojego życia to jedno; że kiedy skończy się moja książka, ja też stanę u kresu, wielki wiatr powieje przez moje mieszkanie, porywając ze sobą papiery, a kiedy w powietrzu przestaną się unosić białe kartki, w pokoju zapadnie cisza, a fotel, w którym przesiadywałem, będzie pusty.

Każdego ranka coś pisałem. Trzysta jeden stron to nie byle co. Kiedy skończyłem pisać, co jakiś czas chodziłem do kina. Dla mnie jest to zawsze wielkie wydarzenie. Może kupię popcorn i – jeśli obok mnie znajdą się ludzie – rozsypię go. Lubię siedzieć w pierwszych rzędach, lubię widzieć przed sobą tylko ekran, by nic mnie nie rozpraszało, nic nie zakłócało tej chwili. A potem chcę, by ta chwila trwała wiecznie. Nie potrafię wam powiedzieć, jaki jestem szczęśliwy, oglądając ją tam, w tak ogromnym powiększeniu. Można by powiedzieć: *większą niż życie,* ale nigdy nie rozumiałem tego określenia. Co jest większe niż życie? Kiedy siedzę w pierwszym rzędzie i patrzę na twarz pięknej dziewczyny wielką na dwa piętra, i czuję, jak jej głos masuje mi nogi, przypominam sobie, jaki rozmiar ma życie. Siadam więc zawsze w pierwszym rzędzie. Jeśli wychodzę ze sztywnym karkiem i wiotczejącym penisem, wiem, że to było dobre miejsce. Nie jestem nieprzyzwoity. Jestem człowiekiem, który chciał być wielki jak życie.

Są takie fragmenty mojej książki, które znam na pamięć, noszę w sercu. *Noszę w sercu.* Nie jest to określenie, którego używam ot tak. Moje serce jest słabe i nie mogę na nim polegać. Odejdę z tego świata właśnie przez serce. Jeśli spodziewam się jakiegoś silnego doznania, kieruję je gdzie indziej. Na przykład do brzucha albo do płuc, które na chwilę mogą się ścisnąć, ale jeszcze nigdy mnie nie zawiodły i zawsze biorą kolejny oddech. Kiedy mijam lustro i łapię w nim swoje odbicie albo kiedy stoję na przystanku autobusowym i grupka dzieciaków za mną mówi: *Kto czuje gówno?* – takie drobne codzienne upokorzenia – kieruję moje odczucia do wątroby. Inne przykrości odbieram innymi organami. Trzustkę rezerwuję na wspomnienia o tym, co straciłem. Wiem, że jest tego sporo, a to niewielki organ. Ale. Zdumiałoby was, ile potrafi przyjąć. Czuję tylko krótki, ostry ból i wszystko mija. Czasami wyobrażam sobie moją własną sekcję. Rozczarowanie samym sobą: prawa nerka. Rozczarowanie mną innych: lewa nerka. Osobiste niepowodzenia: kiszki. Nie chcę, by zabrzmiało to tak, jakbym stworzył z tego całą naukę. Nie jest to aż tak dobrze przemyślane. Biorę wszystko jak idzie. Zauważam tylko pewne prawidłowości. Kiedy przesuwamy wskazówki zegara do przodu i ciemność zapada, zanim jestem na nią gotowy, z niewyjaśnionych powodów czuję to w nadgarstkach. A kiedy się budzę i mam sztywne palce, niemal na pewno śniło mi się dzieciństwo. Pole, na którym się bawiliśmy, pole, na którym wszystko odkryłem i na którym wszystko było możliwe. (Biegaliśmy tak szybko, że wydawało nam się, że zaczniemy pluć krwią: dla mnie to właśnie jest odgłos dzieciństwa – ciężki oddech i szuranie butów po twardej ziemi). Sztywność palców to sen o dzieciństwie, które wróciło do mnie pod koniec życia. Muszę włożyć je pod gorącą wodę, para zasnuwa lustro, za oknem gruchają gołębie. Wczoraj widziałem, jak jakiś mężczyzna kopie psa, i poczułem to gdzieś za oczami. Nie wiem, jak nazwać to miejsce przed łzami. Ból zapomnienia: kręgosłup. Ból pamiętania: kręgosłup. Wszystkie te chwile, gdy uświadamiałem sobie nagle, że moi rodzice nie żyją, nawet teraz zdumiewa mnie, że żyję w świecie, w którym to, co mnie tworzyło, przestało istnieć: kolana. Muszę zużyć pół tubki maści Ben--Gay i włożyć duży wysiłek, by je zgiąć. Każdy moment, każda chwila, gdy budziłem się, bezpodstawnie wierząc, że ktoś śpi obok mnie: hemoroidy. Samotność: nie ma takiego organu, który mógłby przyjąć ją w całości.

Każdego ranka trochę.

Był sobie kiedyś chłopiec. Mieszkał w wiosce, która już nie istnieje, w domu, który już nie istnieje, na skraju pola, które już nie istnieje, gdzie wszystko zostało odkryte i wszystko było możliwe. Kij potrafił być mieczem. Kamyk – diamentem. Drzewo – zamkiem.

Był sobie kiedyś chłopiec, który mieszkał w domu na skraju pola, a po drugiej stronie mieszkała dziewczyna, która już nie istnieje. Razem wymyślali tysiąc zabaw. Ona była Królową, a on Królem. W jesiennym świetle jej włosy lśniły jak korona. W ich małych garstkach mieścił się świat. Kiedy niebo ciemniało, rozstawali się, mając liście we włosach.

Był sobie kiedyś chłopiec, który kochał dziewczynę, a jej śmiech był pytaniem, na które chciał odpowiadać przez całe życie. Kiedy mieli dziesięć lat, poprosił ją, by za niego wyszła. Kiedy mieli jedenaście lat, pocałował ją po raz pierwszy. Kiedy mieli trzynaście lat, pokłócili się i nie rozmawiali ze sobą trzy tygodnie. Kiedy mieli piętnaście lat, pokazała mu bliznę na lewej piersi. Ich miłość była tajemnicą, której nie wyjawili nikomu. Obiecał jej, że do końca życia nie będzie kochał żadnej innej dziewczyny. *A jeśli umrę?*, spytała. *Nawet wtedy,* odparł. Na szesnaste urodziny dał jej słownik angielski i razem uczyli się słówek. *Co to jest?*, pytał, wodząc palcem wskazującym wokół jej kostki, a ona sprawdzała w słowniku. *A to?*, pytał, całując ją w łokieć. *Elbow! A cóż to za słowo?*, pytał i zaczynał ją lizać po łokciu, a ona śmiała się głośno. *A to co?*, pytał, dotykając miękkiej skóry za jej uchem. *Nie wiem,* odparła, gasząc latarkę. Z westchnieniem przewróciła się na wznak. Kiedy mieli siedemnaście lat, kochali się po raz pierwszy, na sianie w stodole. Później – kiedy wydarzyły się rzeczy przechodzące ich wyobrażenia – napisała do niego list, a w nim: *Kiedy się nauczysz, że nie każda rzecz ma swoje słowo?*

Był sobie kiedyś chłopiec, który kochał dziewczynę, a ona miała ojca tak zapobiegliwego i mądrego, że zebrał wszystkie złote, jakie miał, i wysłał najmłodszą córkę do Ameryki. Początkowo nie chciała jechać, ale chłopiec też nalegał, przysięgając na swoje życie, że zarobi dość pieniędzy i znajdzie sposób, by tam za nią pojechać. Wyjechała więc. On zdobył pracę w najbliższym mieście. Pracował jako dozorca w szpitalu. A nocami pisał swoją książkę. Wysłał do niej list, a w nim jedenaście rozdziałów, które przepisał drobnym maczkiem. Nie miał żadnej pewności, czy list do niej dotrze. Starał się oszczędzać jak tylko mógł. Pewnego dnia zwolniono go z pracy. Nikt nie powiedział dlaczego. Wrócił do domu. Latem 1941 roku Einsatzgruppen parły na wschód, zabijając setki tysięcy Żydów. W upalny lipcowy dzień weszły do Słonima. O tej godzinie chłopiec leżał w lesie, myśląc o dziewczynie. Można powiedzieć, że ocaliła go miłość do niej. W następnych latach z chłopca wyrósł mężczyzna, który stał się niewidzialny. Dzięki temu wymknął się śmierci.

Mężczyzna, który stał się niewidzialny, przybył kiedyś do Ameryki. Wcześniej ukrywał się przez trzy i pół roku, głównie wśród drzew, lecz również w szczelinach, piwnicach i dziurach. A potem wszystko się skończyło. Wjechały rosyjskie czołgi. Przez sześć miesięcy żył w obozie dla uchodźców. Wysłał wiadomość do swojego kuzyna, który był ślusarzem w Ameryce. W myślach raz po raz powtarzał jedyne angielskie słowa, jakie znał. *Knee. Elbow. Ear.* Wreszcie nadeszły jego papiery. Pojechał pociągiem do portu, a po tygodniu dotarł do Nowego Jorku. To był chłodny, listopadowy dzień. W ręku trzymał zmiętą kartkę z adresem dziewczyny. Tamtej nocy leżał bezsennie na podłodze pokoju kuzyna. Kaloryfer syczał i stukał, ale on był wdzięczny za ciepło. Rankiem kuzyn wytłumaczył mu trzy razy, jak dotrzeć metrem do Brooklynu. Kupił bukiet róż, ale zwiędły, bo choć kuzyn tłumaczył mu trzy razy, zabłądził. W końcu znalazł właściwy adres. Dopiero kiedy stanął przed drzwiami, przyszło mu do głowy, że być może powinien wcześniej zadzwonić. Otworzyła drzwi. Na głowie miała niebieską chustkę. Przez ścianę słyszał dobiegające dźwięki transmisji meczu futbolowego.

Kobieta, którą stała się dziewczyna, wsiadła kiedyś na statek płynący do Ameryki i wymiotowała przez całą drogę nie dlatego, że cierpiała na chorobę morską, lecz dlatego, że była w ciąży. Kiedy się o tym przekonała, napisała do chłopca. Codziennie czekała na list od niego, lecz list nie przyszedł. Jej brzuch robił się coraz większy. Próbowała go ukrywać, by nie wyrzucono jej z fabryki odzieży, w której pracowała. Kilka tygodni przed urodzeniem dziecka dostała wiadomość od kogoś, kto słyszał, że w Polsce zabijają Żydów. *Gdzie?*, spytała, lecz nikt nie wiedział. Przestała chodzić do pracy. Nie potrafiła się zmusić, by wstać z łóżka. Po tygodniu odwiedził ją syn szefa. Przyniósł jej jedzenie i postawił przy łóżku bukiet kwiatów w wazonie. Kiedy się dowiedział, że jest w ciąży, wezwał akuszerkę. Na świat przyszedł chłopczyk. Pewnego dnia dziewczyna usiadła w łóżku i zobaczyła, jak syn szefa kołysze jej dziecko w promieniach słońca. Kilka miesięcy później zgodziła się za niego wyjść. Dwa lata później urodziła drugie dziecko.

Mężczyzna, który stał się niewidzialny, stał w saloniku i słuchał jej opowieści. Miał dwadzieścia pięć lat. Od czasu gdy widział ją ostatni raz, bardzo się zmienił, i teraz jakaś jego część chciała się roześmiać twardym, zimnym śmiechem. Dała mu małe zdjęcie chłopca, który miał teraz pięć lat. Jej ręka drżała. Powiedziała: *Przestałeś pisać. Myślałam, że nie żyjesz.* Spojrzał na zdjęcie chłopca, który kiedy dorośnie, będzie wyglądać zupełnie jak on, który – choć mężczyzna nie mógł tego wtedy wiedzieć – pójdzie do college'u, zakocha się, odkocha, zostanie sławnym pisarzem. *Jak ma na imię?*, spytał. *Nazwałam go Izaak,* odparła. Przez długą chwilę stali w milczeniu, a on przyglądał się fotografii. W końcu udało mu się wypowiedzieć trzy słowa: *Chodź ze mną.* Z ulicy dobiegły okrzyki bawiących się dzieci. Zacisnęła powieki. *Chodź ze mną*, powiedział, wyciągając rękę. Po jej twarzy popłynęły łzy. Prosił ją trzy razy. Pokręciła głową. *Nie mogę*, powiedziała. Spuściła wzrok. *Proszę*, powiedziała. Zrobił więc coś, co było najtrudniejsze w jego życiu: wziął kapelusz i wyszedł.

Mężczyzna, który był kiedyś chłopcem, który obiecał dziewczynie, że do końca życia nie pokocha innej, dotrzymał swojej obietnicy nie dlatego, że był uparty czy nawet lojalny. Nie mógł inaczej. Skoro ukrywał się przez trzy i pół roku, ukrywanie miłości do syna, o którego istnieniu nie wiedział, nie było dla niego niewyobrażalne. Zwłaszcza jeśli oczekiwała tego od niego jedyna kobieta, którą kochał. W końcu cóż znaczy dla człowieka, który zniknął, ukryć coś jeszcze?

WIECZOREM przed wyznaczonym terminem pozowania dla studentów rysunku byłem zdenerwowany i podekscytowany. Rozpiąłem koszulę i zdjąłem ją. Potem rozpiąłem spodnie i też je zdjąłem. Podkoszulek. Slipy. Stanąłem przed lustrem w przedpokoju tylko w skarpetkach. Słyszałem krzyki dzieci na placu zabaw po drugiej stronie ulicy. Nad głową miałem sznureczek od lampy, ale nie pociągnąłem go. Stałem, patrząc na swoje odbicie w resztkach światła. Nigdy nie uważałem się za przystojnego.

Kiedy byłem dzieckiem, matka i ciotki powtarzały mi, że jak dorosnę, *stanę się* przystojny. Zrozumiałem, że wtedy nie warto było na mnie patrzeć, ale wierzyłem gorąco, że z czasem pojawi się jakaś niewielka cząstka urody. Nie wiem, co sobie myślałem: że moje uszy, odstające pod bardzo niegodnym kątem, przykleją się do głowy, a ona urośnie i będzie w stanie je pomieścić? Że moje włosy, przypominające szczotkę do mycia toalet, z upływem czasu utracą tę dziwną właściwość i zaczną odbijać światło? Że moja twarz, w której trudno było się doszukać choćby obietnicy przyzwoitego wyglądu – powieki ciężkie jak u żaby, wąskie usta – przemieni się cudem w coś mniej żałosnego? Przez całe lata budziłem się rano i pełen nadziei biegłem do lustra. Robiłem to nawet, kiedy byłem już za stary, by mieć nadzieję. Dorastałem i wciąż nie widać było żadnej poprawy. Kiedy wszedłem w okres dojrzewania i utraciłem typowy dla dzieci wdzięk, sytuacja jeszcze się pogorszyła. W roku, w którym odbyła się moja bar micwa, spadła na mnie plaga trądziku, która prześladowała mnie całe lata. Ale ja nadal nie traciłem nadziei. Kiedy tylko pozbyłem się trądziku, zaczęły mi się sypać zakola, zupełnie jakby włosy chciały się odciąć od zażenowania, jakim napawała je moja twarz. Uszy, zadowolone z większej uwagi, jaką teraz na nie zwracano, coraz bardziej wysuwały się na pierwszy plan. Opadły mi powieki – mięśnie twarzy musiały przecież podeprzeć walczące o palmę pierwszeństwa uszy – a brwi zaczęły żyć swoim własnym życiem: przez krótki czas spełniały pokładane w nich oczekiwania, a potem dały sobie spokój i upodobniły się do brwi neandertalczyka. Wiele lat trwałem w wierze, że wszystko jeszcze inaczej się ułoży, ale nigdy, spoglądając w lustro, nie brałem tego, co widziałem, za nic innego, niż widziałem. Z czasem myślałem o tym coraz mniej. Potem prawie wcale. A jednak. Możliwe, że jakaś cząstka mnie nie poddała się – nawet teraz zdarzają się takie chwile, kiedy staję przed lustrem, z pomarszczonym *piszer** w ręku i wierzę, że moja uroda jeszcze nadejdzie.

---

* Jid. (wulg.) – ptak, siusiak, „mały". (Przypisami opatrzono tylko wyrazy i pojęcia niewystępujące w powszechnie dostępnych słownikach. – M.P).

Rankiem dziewiętnastego września, kiedy miałem iść na zajęcia, obudziłem się w stanie podniecenia. Ubrałem się i zjadłem na śniadanie batonik Metamucil, potem poszedłem do łazienki i niecierpliwie czekałem. Przez pół godziny nic, ale mój optymizm nie słabł. Potem udało mi się wydusić z siebie kilka bobków. Pełen otuchy, czekałem na więcej. Całkiem możliwe, że umrę, siedząc na sedesie ze spodniami opuszczonymi do kostek. Spędzam tam w końcu sporo czasu. A to rodzi kolejne pytanie, mianowicie: kto pierwszy znajdzie mnie martwego?

Umyłem się gąbką i ubrałem. Czas dłużył się niemiłosiernie. Kiedy już nie mogłem dłużej czekać, wsiadłem do autobusu. W kieszeni miałem złożone na czworo ogłoszenie z gazety i wyjąłem je kilka razy, żeby spojrzeć na adres, choć znałem go na pamięć. Potrzebowałem jednak trochę czasu, by znaleźć właściwy budynek. Początkowo pomyślałem, że zaszła jakaś pomyłka. Minąłem go trzy razy, aż dotarło do mnie, że to właśnie ten. To był stary magazyn. Drzwi wejściowe były zardzewiałe, przytrzymano je kartonowym pudłem. Przez chwilę wyobrażałem sobie, że zwabiono mnie tutaj, by okraść i zabić. Oczami wyobraźni zobaczyłem moje ciało leżące na podłodze w kałuży krwi.

Niebo pociemniało i zaczął padać deszcz. Poczułem wdzięczność za podmuchy wiatru smagające mi twarz i krople deszczu, myśląc, że niewiele życia mi już zostało. Stałem tam, nie mogąc zrobić ani kroku naprzód ani się cofnąć. Wreszcie usłyszałem śmiech dobiegający ze środka. Widzisz, głupi jesteś, pomyślałem. Kiedy sięgnąłem do klamki, drzwi się otworzyły. Wyszła z nich dziewczyna w za dużym swetrze. Podciągnęła rękawy. Miała chude, blade ręce. *Potrzebuje pan pomocy?*, spytała. W swetrze były małe dziurki. Sięgał jej do kolan, a pod nim miała spódnicę.

Pomimo zimna miała gołe nogi. *Szukam zajęć z rysunku. W gazecie było ogłoszenie, może pomyliłem miejsca...* Pogrzebałem w kieszeni w poszukiwaniu ogłoszenia. Uniosła rękę. *Drugie piętro, pierwsza sala na prawo. Ale zajęcia zaczynają się dopiero za godzinę.* Spojrzałem na budynek. Odparłem: *Myślałem, że trudno mi będzie znaleźć to miejsce, więc przyjechałem wcześniej.* Trzęsła się z zimna. Zdjąłem płaszcz. *Proszę go włożyć. Rozchoruje się pani.* Wzruszyła ramionami, ale nie sięgnęła po płaszcz. Trzymałem go w wyciągniętej ręce, dopóki nie stało się jasne, że nie zamierza go wziąć.

Wszystko już zostało powiedziane. Wszedłem na schody. Serce waliło mi jak oszalałe. Zastanawiałem się, czy nie zawrócić: minąć dziewczynę, wyjść na zaśmieconą ulicę, przejechać przez miasto i wrócić do domu, gdzie czekała na mnie praca. Ależ ze mnie głupiec; jak mogło mi przyjść do głowy, że nie odwrócą wzroku, kiedy zdejmę spodnie i koszulę i stanę przed nimi nagi! Jak mogłem pomyśleć, że będą się przyglądać moim nogom z popękanymi naczyńkami, owłosionym, obwisłym *knejdlach** i co – zaczną szkicować? A jednak. Nie zawróciłem. Chwyciłem mocno poręcz i wszedłem na górę. Słyszałem szum deszczu padającego na świetlik, przez który wpadało brudne światło. Na górze był korytarz. W sali po lewej stronie jakiś mężczyzna malował na wielkim płótnie. Sala po prawej była pusta. Stał tam podest przykryty czarnym aksamitem, składane krzesła w bezładnym kole i sztalugi. Wszedłem i usiadłem.

Po mniej więcej półgodzinie do sali zaczęli wchodzić ludzie. Jakaś kobieta spytała mnie, kim jestem. *Przyszedłem w związku z ogłoszeniem*, odparłem. *Dzwoniłem i rozmawiałem z kimś.* Poczułem

---

* Jid. dosł. – kluski, knedle, tu: fałdy, wałki.

ulgę, gdy okazało się, że wie, o czym mówię. Powiedziała mi, gdzie mam się rozebrać: w kącie pokoju zasłoniętym prowizoryczną kotarą. Stanąłem tam, a ona zaciągnęła zasłonę. Słyszałem jej oddalające się kroki, ale nadal stałem bez ruchu. Po minucie zdjąłem buty. Ustawiłem je równiutko. Zdjąłem skarpetki i włożyłem do butów. Rozpiąłem koszulę, zdjąłem i powiesiłem na przygotowanym wieszaku. Usłyszałem szuranie krzeseł i śmiech. Nagle przestało mi już zależeć, by ktokolwiek mnie oglądał. Bardzo chciałem złapać buty, wyślizgnąć się z sali, zbiec po schodach i uciec. A jednak. Rozpiąłem spodnie. Po chwili nagle przyszła mi do głowy myśl: Co tak naprawdę znaczy „nagi"?

Czy rzeczywiście chodziło o to, że mam zdjąć bieliznę? Zastanawiałem się nad tym przez długą chwilę. Co się stanie, jeśli chcieli mnie oglądać w bieliźnie, a ja wyjdę zza zasłony z dyndającym, no wiecie czym? Sięgnąłem do kieszeni spodni po ogłoszenie. Napisano tam: NAGI MODEL. Nie bądź idiotą, powiedziałem w duchu. To nie są amatorzy. Zsunąłem slipy do kolan, gdy kroki kobiety wróciły. *Wszystko w porządku?* Ktoś otworzył okno i rozległ się plusk wody rozpryskiwanej przez koła samochodu. *Tak, tak. Zaraz wychodzę.* Spojrzałem w dół. Na slipach była wilgotna plamka. Ten mój pęcherz. Nigdy nie przestaje mnie przerażać. Zdjąłem slipy i zwinąłem je w kulkę.

Pomyślałem: Może mimo wszystko przyszedłem tutaj, żeby umrzeć. Czyż nie jest prawdą, że nigdy przedtem nie widziałem magazynu? Może te istoty tutaj to anioły? Ta dziewczyna, którą spotkałem, no tak, jakże mogłem tego nie zauważyć, była taka blada. Stałem bez ruchu. Zaczęło mi się robić zimno. Pomyślałem: A więc tak nadchodzi śmierć. Zabiera cię nagiego w opuszczonym magazynie. Jutro Bruno zejdzie na dół, zapuka do moich drzwi i nikt nie odpowie. Wybacz mi, Bruno. Bardzo chciałbym się z tobą pożegnać. Przykro mi, że rozczarowałem cię tak niewielką liczbą stron. A potem pomyślałem: Moja książka. Kto ją znajdzie? Czy ją wyrzucą razem z resztą moich rzeczy? Bo jakkolwiek uważałem, że piszę ją tylko dla siebie, w gruncie rzeczy chciałem, żeby ktoś ją przeczytał.

Zamknąłem oczy i wziąłem głęboki oddech. Kto mnie umyje po śmierci? Kto odmówi za mnie kadysz? Pomyślałem: Ręce mojej matki. Odsunąłem zasłonę. Serce podeszło mi do gardła. Zrobiłem krok do przodu. Mrużąc oczy w świetle, stanąłem przed nimi.

Nigdy nie byłem człowiekiem o wielkich ambicjach.

Zbyt łatwo płakałem.

Nie miałem głowy do nauk ścisłych.

Słowa często mnie zawodziły.

Kiedy inni się modlili, ja tylko poruszałem ustami.

Proszę.

Kobieta, która powiedziała mi, gdzie mam się przebrać, wskazała przykryty aksamitem podest.

Proszę stanąć tam.

Przeszedłem przez salę. Na krzesłach siedziało jakieś dwanaście osób, trzymając w rękach szkicowniki. Była tam też dziewczyna w za dużym swetrze.

Proszę przyjąć jakąś wygodną pozycję.

Nie wiedziałem, w którą stronę mam się odwrócić. Siedzieli w kole, więc ktoś będzie musiał patrzeć na mój zadek, nie było wyjścia. Postanowiłem zostać tak, jak stałem. Spuściłem ręce wzdłuż boków i wbiłem wzrok w jedno miejsce na podłodze. Unieśli ołówki.

Nic się nie wydarzyło. Czułem tylko pod stopami miękkość aksamitu, unoszące się włoski na ramionach, moje palce przypominały dziesięć ciężarków. Czułem, jak pod uważnym spojrzeniem dwunastu par oczu moje ciało budzi się. Podniosłem głowę. *Proszę się starać stać nieruchomo*, powiedziała kobieta. Patrzyłem na pęknięcie w betonowej podłodze. Słyszałem, jak ich ołówki szurają po papierze. Chciałem się uśmiechnąć. Moje ciało już zaczęło się buntować, kolana drżały, a mięśnie pleców sztywniały. Ale. Nie dbałem o to. Jeśli będzie trzeba, będę tam stał cały dzień. Minęło piętnaście, dwadzieścia minut. Kobieta powiedziała: *Może zrobimy sobie krótką przerwę, a potem zmienimy pozycję.*

Siedziałem. Stałem. Obracałem się tak, żeby ci, którzy nie mieli okazji oglądać mojego zadka, teraz mogli go narysować. Szeleściły kartki. Nie wiem, jak długo to trwało. W pewnej chwili pomyślałem, że zemdleję. Raz po raz ogarniało mnie odrętwienie. W oczach pojawiły się łzy bólu.

Jakimś cudem udało mi się włożyć ubranie. Nie mogłem znaleźć slipów, a byłem zbyt zmęczony, by ich szukać. Zszedłem po schodach, trzymając się kurczowo poręczy. Kobieta wybiegła za mną, wołając: *Proszę poczekać, zapomniał pan o piętnastu dolarach.* Wziąłem pieniądze, a kiedy chowałem je do kieszeni, wyczułem zwinięte w kulkę slipy. *Dziękuję.* Mówiłem serio. Byłem wykończony. Ale szczęśliwy.

Chcę coś powiedzieć: próbowałem wybaczać. A jednak. Były takie chwile w moim życiu, całe lata nawet, kiedy gniew brał górę. Brzydota wywracała mnie na drugą stronę. Znajdowałem pewną satysfakcję w goryczy. Zalecałem się do niej. Stałem na zewnątrz i zapraszałem ją do środka. Patrzyłem na świat zagniewany. I świat odpowiadał mi równie gniewnym spojrzeniem. Byliśmy zamknięci w spojrzeniu obopólnego obrzydzenia. Zatrzaskiwałem ludziom drzwi przed nosem. Pierdziałem tam, gdzie chciałem pierdzieć. Oskarżałem kasjerki, że mnie oszukały, nie wydając kilku centów reszty, kiedy trzymałem te centy w ręku. I nagle pewnego dnia uświadomiłem sobie, że jestem na najlepszej drodze do stania się dupkiem, na którego widok padają gołębie. Ludzie przechodzili na drugą stronę ulicy, by uniknąć ze mną kontaktu. Byłem jak rak. Szczerze mówiąc, nie byłem tak naprawdę zły. Już nie. Zostawiłem gniew za sobą już dawno temu. Położyłem go na ławce w parku i odszedłem. A jednak. Trwało to tak długo, że nie znałem innego życia. Pewnego dnia obudziłem się i powiedziałem sobie: *Jeszcze nie jest za późno.* Pierwsze dni były bardzo dziwne. Musiałem ćwiczyć uśmiechy przed lustrem. Ale wszystko powoli wróciło. Zupełnie jakby ktoś zdjął z moich ramion wielki ciężar. Ja odpuściłem i to coś też. Kilka miesięcy później znalazłem Brunona.

Kiedy wróciłem do domu po zajęciach, zastałem przyklejoną do drzwi kartkę od Brunona. *GDZIE JESTEŚ?* Byłem zbyt zmęczony, by wspiąć się na schody i powiedzieć mu. W mieszkaniu było ciemno, więc włączyłem światło. Zobaczyłem w lustrze swoje odbicie. Moje włosy, a raczej ich resztki, sterczały jak grzywa fali. Twarz miałem całą w zmarszczkach, jakby za długo moczyła się w wodzie.

W ubraniu, lecz bez slipów, padłem na łóżko. Było już po północy, gdy zadzwonił telefon. Obudziłem się ze snu, w którym uczyłem mojego brata Josefa, jak sikać, by powstał łuk. Czasami miewam koszmary. Ale to nie był jeden z nich. Byliśmy w lesie, mróz szczypał nas w pośladki. Znad śniegu unosiła się para. Josef odwrócił się do mnie z uśmiechem. Był pięknym chłopcem, blondynem z szarymi oczami. Szarymi jak ocean w pochmurny dzień albo jak słoń, którego widziałem na rynku miasteczka, gdy miałem tyle lat co on. Widziałem go wyraźnie, jak stał w blasku słońca. Później nikt nie mógł sobie przypomnieć, żeby go widział, bo trudno było zrozumieć, jakim cudem słoń miałby się zjawić w Słonimie, i nikt mi nie wierzył. Ale ja go widziałem.

W oddali rozległa się syrena. Kiedy mój brat już miał coś powiedzieć, sen rozwiał się, a ja obudziłem się w ciemnej sypialni, w której szyby bębnił deszcz. Telefon nie przestawał dzwonić. To na pewno Bruno. Zignorowałbym go, gdybym się nie bał, że zawiadomi policję. Dlaczego po prostu nie postuka w kaloryfer laską, jak zawsze? Trzy stuknięcia znaczą: ŻYJESZ?, dwa: TAK, jedno: NIE. Stosujemy ten kod tylko nocą, za dnia jest dużo różnych innych hałasów, a poza tym system czasem zawodzi, bo Bruno zazwyczaj zasypia, słuchając walkmana.

Odrzuciłem pościel i chwiejnym krokiem ruszyłem przez pokój, wpadając przy okazji na nogę od stołu. *HALO?*, wrzasnąłem do słuchawki, ale połączenie przerwano. Odłożyłem słuchawkę i poszedłem do kuchni. Wyjąłem z szafki szklankę. Woda zabulgotała w rurach i bluznęła silnym strumieniem. Wypiłem kilka łyków, a potem przypomniałem sobie o moim kwiatku. Mam go już od blisko dziesięciu lat. Ciągle żyje, choć ledwo, ledwo. Jest bardziej brązowy niż zielony. Niektóre gałązki zupełnie uschły. Ale jeszcze wegetuje, przechylony lekko w lewo. Nawet kiedy go odwracam, by strona, która była wystawiona na słońce, znalazła się w cieniu, on z uporem przekręca się w lewo, poświęcając fizyczną potrzebę na rzecz aktu twórczego. Wlałem resztę wody do doniczki. Co to właściwie znaczy *rozkwitać*?

Za chwilę znów zadzwonił telefon. *OK, OK*, powiedziałem, podnosząc słuchawkę. *Nie ma potrzeby budzić całego domu.* Po drugiej stronie panowała cisza. *Bruno?*, spytałem. *Czy to pan Leopold Gursky?* Uznałem, że ktoś próbuje mi coś sprzedać. Zawsze dzwonią. Pewnego dnia powiedzieli, że jeśli wyślę im czek na dziewięćdziesiąt dziewięć dolarów, zostanę zakwalifikowany do otrzymania karty kredytowej. Odparłem na to: *Jasne, a jeśli stanę pod gołębiem, zostanę zakwalifikowany do otrzymania kupy gówna.* Mężczyzna powiedział jednak, że nie chce mi niczego sprzedać. Nie może wejść do domu. Dzwonił do informacji, by podali mu numer ślusarza. Powiedziałem mu, że jestem już na emeryturze. Mężczyzna zamilkł na chwilę. Wyglądało na to, że trudno mu uwierzyć w pecha, jaki go spotkał. Dzwonił już do trzech innych ślusarzy, lecz żaden nie podniósł słuchawki. *Tutaj leje jak z cebra*, powiedział.

Nie może pan przespać się gdzie indziej? Rano bez trudu znajdzie pan ślusarza. W mieście jest ich mnóstwo.

Nie, powiedział.

No dobrze, skoro to dla pana kłopot..., zaczął, po czym urwał, czekając, aż coś powiem. Nie powiedziałem. *W porządku.* Słyszałem rozczarowanie w jego głosie. *Przepraszam, że pana niepokoiłem.*

A jednak nie odłożył słuchawki. Ja też nie. Poczułem wyrzuty sumienia. Pomyślałem: Na co mi sen? Przyjdzie jeszcze na niego czas. Jutro. Albo pojutrze.

Dobrze, powiedziałem, choć wcale nie chciałem tego powiedzieć. Muszę znaleźć narzędzia. Choć równie dobrze mógłbym szukać igły w stogu siana albo Żyda w Polsce. *Proszę chwileczkę poczekać... wezmę długopis.*

Podał mi adres po drugiej stronie miasta. Dopiero kiedy odłożyłem słuchawkę, przypomniałem sobie, że o tej porze mogę czekać na autobus całe wieki. W szufladzie w kuchni miałem wizytówkę Goldstar Car Service, choć nigdy do nich nie dzwonię. Ale. Nigdy nic nie wiadomo. Zamówiłem samochód i zacząłem szukać narzędzi w szafie w przedpokoju. Zamiast nich znalazłem pudełko ze starymi okularami. Nie mam pojęcia, skąd się wzięło. Ktoś pewnie sprzedawał je na ulicy ze zdekompletowanym serwisem z porcelany i lalką bez głowy. Od czasu do czasu przymierzałem któreś. Pewnego dnia zrobiłem omlet, mając na nosie damskie okulary do czytania. Omlet wyszedł mi gigantyczny, sam jego widok budził we mnie strach. Pogrzebałem w pudełku i wyjąłem jedne okulary. W kwadratowej oprawce w cielistym kolorze, ze szkłami grubymi na palec. Nagle podłoga usunęła mi się spod nóg, a kiedy próbowałem zrobić krok, podskoczyła. Chwiejnym krokiem podszedłem do lustra w przedpokoju. Źle jednak obliczyłem odległość i walnąłem głową w jego taflę. Zadzwonił brzęczyk domofonu. Wszyscy zjawiają się właśnie wtedy, gdy masz spodnie spuszczone do kostek. *Zaraz schodzę!*, krzyknąłem do głośnika. Kiedy zdjąłem okulary, tuż przed nosem zauważyłem skrzynkę z narzędziami. Przesunąłem dłonią po podniszczonym wieku. Potem chwyciłem leżący na podłodze płaszcz, przygładziłem włosy i wyszedłem. Liścik Brunona nadal był przyklejony do drzwi. Zgniotłem go i włożyłem do kieszeni.

Na ulicy stała czarna limuzyna. W świetle reflektorów widać było wyraźnie strugi deszczu. Poza tym przy krawężniku stało zaparkowanych tylko kilka pustych samochodów. Już miałem wrócić do domu, kiedy kierowca limuzyny opuścił szybę i zawołał moje nazwisko. Miał na głowie fioletowy turban. Podszedłem do okna. *To na pewno jakaś pomyłka,* powiedziałem. *Zamawiałem samochód.*

OK, powiedział.

Ale to jest limuzyna, zauważyłem.

OK, powtórzył i gestem dał mi znak, żebym wsiadł.

Nie stać mnie na dodatkową opłatę.

Turban podskoczył. Kierowca powiedział: *Wsiadaj, zanim całkiem przemokniesz.*

Wskoczyłem do środka. Siedzenia były wyłożone skórą, a na półeczce stały dwie kryształowe karafki. Wnętrze było większe, niż sobie wyobrażałem. Z umieszczonych z przodu głośników dobiegała cicha egzotyczna muzyka, a w tle rozlegał się łagodny szum wycieraczek. Powoli ruszyliśmy w ciemność. Światła uliczne odbijały się w kałużach. Otworzyłem karafkę, ale była pusta. Obok niej stał mały słoiczek z miętówkami, wsunąłem całą ich garść do kieszeni. Kiedy spojrzałem w dół, zauważyłem, że mam rozpięty rozporek.

Usiadłem i odchrząknąłem.

Panie i panowie, postaram się mówić krótko, byliście wszyscy tak cierpliwi. Prawdę mówiąc, jestem wstrząśnięty, naprawdę, muszę się uszczypnąć. To zaszczyt, o jakim nie mogłem marzyć, nagroda Goldstar za całokształt osiągnięć życiowych, dosłownie odbiera mi mowę... Czy to rzeczywiście było życie? A jednak. Tak. Wszystko na to wskazuje. To było życie. I całokształt.

Jechaliśmy przez miasto. Wędrowałem po tych okolicach, z racji mojej pracy odwiedzałem wszystkie zakątki miasta. Znali mnie nawet w Brooklynie, byłem wszędzie. Otwierałem zamki dla chasydów. Dla szwarcerów*. Czasami spacerowałem dla przyjemności, mogłem to robić przez całą niedzielę. Pewnego dnia, dawno

---

* Jid. dosł. – czarnych, tu: Murzynów.

temu, stanąłem przed ogrodem botanicznym i wszedłem do środka, by zobaczyć drzewa wiśniowe. Kupiłem sobie paczkę krakersów i obserwowałem złote rybki leniwie pływające w stawie. Młoda para z gośćmi weselnymi robiła sobie zdjęcia pod jednym z obsypanych białymi kwiatami drzew, które wyglądało, jakby stało w samym środku burzy śnieżnej. Odszukałem drogę do cieplarni. Kiedy wszedłem, znalazłem się w zupełnie innym świecie: ciepłym i wilgotnym, zupełnie jakby uwięziono tam oddechy kochającej się pary. Napisałem palcem na szybie: *LEO GURSKY*. Limuzyna zatrzymała się. Przykleiłem twarz do szyby. *Który?* Kierowca wskazał jeden z budynków. Był piękny; do drzwi frontowych ozdobionych wyrzeźbionymi w kamieniu liśćmi prowadziły schody. *Siedemnaście dolarów*, powiedział kierowca. Poszukałem w kieszeni portfela. Nic. W drugiej. Liścik Brunona, zwinięte w kulkę slipy, ale ani śladu portfela. W obu kieszeniach płaszcza. Nic. Wypadłem z domu tak szybko. Potem przypomniałem sobie honorarium za pozowanie. Pogrzebałem pod miętówkami, liścikiem, slipami i wreszcie znalazłem. *Przepraszam*, powiedziałem. *Tak mi głupio. Mam tylko piętnaście.* Przyznaję, że trudno mi było się rozstać z tymi banknotami. Nie chodziło wcale o to, że ciężko na nie pracowałem, nie. To coś innego, takie słodko-gorzkie uczucie. Po chwili turban podskoczył i kierowca przyjął pieniądze.

Mężczyzna stał przy drzwiach. Oczywiście nie spodziewał się, że przyjadę limuzyną, aż tu nagle wyskoczyłem z niej niczym Pan Ślusarz wielkich gwiazd. Czułem się upokorzony, chciałem mu wszystko wytłumaczyć. *Proszę mi wierzyć, nigdy nie traktuję siebie jako kogoś wyjątkowego.* Ale lało jak z cebra i pomyślałem, że ten mężczyzna bardziej potrzebuje mnie niż wyjaśnień. Włosy miał zupełnie mokre. Trzy razy podziękował mi, że przyjechałem. *Nie ma sprawy*, odparłem. A jednak. Wiedziałem, że o mało co mu nie odmówiłem.

To był bardzo skomplikowany zamek. Mężczyzna stał przy mnie, trzymając latarkę. Strugi deszczu spływały mi po karku. Czułem, jak wiele zależy od otwarcia tego zamka. Mijały minuty. Próbowałem, ale się nie udawało. Jeszcze raz i nic. Aż wreszcie serce zaczęło mi bić gwałtownie. Przekręciłem gałkę i drzwi się otworzyły. Staliśmy w holu, ociekając wodą. Mężczyzna zdjął buty, więc ja też zdjąłem swoje. Raz jeszcze mi podziękował. Poszedł się przebrać w suche ubranie i zamówić mi samochód. Próbowałem protestować, mówiąc, że mogę pojechać autobusem albo złapać taksówkę, ale nie chciał o tym nawet słyszeć w taki deszcz. Zostawił mnie w salonie. Przeszedłem do jadalni, a stamtąd zauważyłem pokój pełen książek. Jeszcze nigdy nie widziałem tylu książek zgromadzonych w jednym miejscu, które nie było biblioteką. Wszedłem.

Ja też lubię czytać. Raz w miesiącu chodzę do pobliskiej biblioteki. Dla siebie wybieram jakąś powieść, a dla Brunona, który cierpi na kataraktę, książkę nagraną na taśmę. Pierwszy raz podszedł do tego z wielką nieufnością. *I co ja mam z tym zrobić?*, spytał, patrząc na pudełko z *Anną Kareniną*, zupełnie jakbym wręczał mu gruszkę do lewatywy. A jednak. Minął dzień czy dwa, zajmowałem się swoimi sprawami, kiedy nagle na górze ryknął głos: *WSZYSTKIE SZCZĘŚLIWE RODZINY SĄ DO SIEBIE PODOBNE*. O mało co nie dostałem szału. Potem słuchał wszystkiego, co mu przynosiłem, po czym oddawał mi taśmę bez słowa komentarza. Pewnego popołudnia wróciłem z biblioteki z *Ulissesem*. Następnego ranka byłem właśnie w łazience, kiedy z góry dobiegło mnie: *STATECZNIE GRU-BY BUCK MULLIGAN.* Słuchał tej powieści przez cały miesiąc. Nabrał zwyczaju zatrzymywania taśmy i cofania jej, kiedy coś nie do końca zrozumiał. *NIEUCHRONNA MODALNOŚĆ WIDZIALNEGO: PRZYNAJMNIEJ TO.* Zatrzymanie, przewinięcie. *NIEUCHRONNA MODALNOŚĆ WIDZIALNEGO.* Zatrzymanie, przewinięcie. *NIE-UCHRONNA MODALNOŚĆ. Zatrzymanie. NIEUCHRO.* Kiedy nadszedł dzień zwrotu kasety, poprosił, żebym mu ją przedłużył. Ale wtedy miałem już dość tego zatrzymywania i przewijania, więc kupiłem mu walkmana firmy Sony. Teraz stale chodzi z walkmanem przypiętym do paska spodni. Jak widać, bardzo mu się podoba irlandzki akcent.

Zacząłem oglądać poustawiane na półkach książki. Z przyzwyczajenia spojrzałem, czy ma coś mojego syna, Izaaka. Jasne, że miał. I to nie jedną książkę, ale wszystkie cztery. Przesunąłem palcem po grzbietach. Zatrzymałem się na *Szklanych domach* i zdjąłem je z półki. To piękna książka. Opowiadania. Nie wiem, ile razy je czytałem. Jest tam jedno – tytułowe. Wyróżnia się zdecydowanie. Jest krótkie, ale zawsze, gdy je czytam, płaczę. To historia anioła, który mieszka przy Ludlow Street. To niedaleko mnie, zaraz za Delancey. Anioł mieszka tam już tak długo, że zapomniał, dlaczego Bóg wysłał go na ziemię. Co noc rozmawia z Bogiem, a codziennie czeka na jakiś znak od niego. Aby zabić czas, spaceruje po mieście. Początkowo wszystkiemu się dziwi. Zaczyna zbierać kamienie. Uczy się matematyki. A jednak. Z każdym mijającym dniem coraz trudniej mu dostrzegać piękno otaczającego go świata. Nocami anioł leży bezsennie, słuchając kroków mieszkającej nad nim wdowy, a co rano mija na schodach staruszka, pana Grossmarka, który przez całe dnie wchodzi i schodzi po schodach, mrucząc pod nosem: *Kto tam?* To jedyne słowa, jakie wypowiada, z jednym tylko wyjątkiem. Pewnego dnia odwrócił się do mijanego na schodach anioła i spytał: *Kim jestem?* Jego słowa tak bardzo zaskoczyły anioła, który zawsze milczy i nikt się nigdy do niego zwraca, że nie odezwał się ani słowem, nie powiedział nawet: *Jesteś Grossmark, człowiek.* Im bardziej dostrzega otaczający go smutek, tym częściej zwraca się przeciwko Bogu. Zaczyna wędrować nocami po ulicach, zatrzymując się przy każdym, kto jego zdaniem potrzebuje kogoś, kto by go wysłuchał. A to, co słyszy, przerasta go. Nie może tego pojąć. Kiedy pyta Boga, dlaczego sprawił, że jego anioł jest tak bezużyteczny, głos załamuje mu się od powstrzymywanych łez gniewu. W końcu w ogóle przestaje rozmawiać z Bogiem. Pewnej nocy spotyka pod mostem mężczyznę. Piją razem wódkę, którą mężczyzna trzyma w brązowej papierowej torbie. A ponieważ anioł jest pijany, samotny i zły na Boga i ponieważ, nie zdając sobie nawet z tego sprawy, czuje znaną ludziom potrzebę zwierzenia się, wyjawia mężczyźnie całą prawdę: jest aniołem. Mężczyzna nie wierzy, lecz anioł upiera się. Mężczyzna prosi go, by mu to udowodnił. Mimo panującego zimna anioł unosi więc koszulę i pokazuje mężczyźnie idealne koło na piersiach, znak anioła. To jednak nic mężczyźnie nie mówi, nie ma pojęcia o znakach aniołów, mówi więc: *Pokaż mi coś, co może zrobić Bóg.* Anioł, naiwny jak wszystkie anioły, wskazuje palcem mężczyznę. Ten, uważając, że to kłamstwo, wymierza aniołowi cios w żołądek i zrzuca go z mola w ciemny nurt rzeki. I anioł tonie, bo wiadomo, że anioły nie umieją pływać.

Pozostawiony samemu sobie w pokoju pełnym książek, trzymałem w rękach książkę mojego syna. Był środek nocy.

A może jeszcze później. Pomyślałem: Biedny Bruno. Pewnie zadzwonił już do kostnicy z pytaniem, czy nie przywieziono tam ciała starego mężczyzny, w którego portfelu znajduje się karta identyfikacyjna z napisem: *NAZYWAM SIĘ LEO GURSKY NIE MAM RODZINY PROSZĘ ZADZWONIĆ NA CMENTARZ PINELAWN MAM TAM PRZYGOTOWANE MIEJSCE W CZĘŚCI ŻYDOWSKIEJ DZIĘKUJĘ ZA TROSKĘ.* Odwróciłem książkę syna, by spojrzeć na jego zdjęcie. Spotkaliśmy się raz. Nie tyle spotkali, co stanęli twarzą w twarz. To było na wieczorze autorskim przy Dziewięćdziesiątej Drugiej ulicy. Kupiłem bilety cztery miesiące wcześniej. Wiele razy wyobrażałem sobie, jak będzie wyglądać nasze spotkanie. Ja – jego ojciec, on – mój syn. A jednak. Wiedziałem, że nigdy do niego nie dojdzie, na pewno nie tak, jak chciałem. Pogodziłem się z myślą, że jedyne, na co mogę liczyć, to miejsce wśród publiczności. Jednak podczas spotkania coś mnie opętało. Po jego zakończeniu stanąłem w kolejce. Drżącymi rękami podałem mu kartkę, na której napisałem swoje nazwisko. Spojrzał na nią i przepisał je do książki. Próbowałem coś powiedzieć, lecz nie mogłem wydobyć żadnego dźwięku. Uśmiechnął się i podziękował. A jednak. Nie odchodziłem. *Coś jeszcze?*, spytał. Zatrzepotałem rękami. Kobieta stojąca za mną rzuciła mi zniecierpliwione spojrzenie i zaczęła się przepychać do przodu. A ja trzepotałem rękami jak idiota. Co on mógł zrobić? Podpisał książkę tej kobiety. Sytuacja stała się bardzo niezręczna dla wszystkich. Moje ręce nie przestawały tańczyć. Kolejka musiała mnie omijać. Od czasu do czasu podnosił na mnie zdumiony wzrok. Raz uśmiechnął się do mnie tak, jak się uśmiecha do idioty. Ale moje ręce walczyły, by mu wszystko powiedzieć. Przynajmniej tyle, ile mogły, zanim ochroniarz ujął mnie mocno pod łokieć i poprowadził do drzwi.

Była zima. Grube białe płatki wirowały w świetle latarni. Czekałem, aż mój syn wyjdzie, ale się nie pojawił. Może było tam jakieś tylne wyjście, nie wiem. Wróciłem do domu autobusem. Szedłem od przystanku zasypaną śniegiem ulicą. Z przyzwyczajenia odwróciłem się i spojrzałem na ślady moich stóp. Kiedy stanąłem przed drzwiami, poszukałem mojego nazwiska na domofonie. Ponieważ wiem, że czasami widzę rzeczy, których nie ma, po kolacji zadzwoniłem do informacji, by sprawdzić, czy figuruję na liście mieszkańców. Zanim poszedłem spać, otworzyłem książkę, którą położyłem na stoliku przy łóżku. *DLA LEONA GURSKY'EGO,* napisał.

Wciąż trzymałem w rękach książkę, gdy stanął za mną mężczyzna, któremu otworzyłem zamek. *Zna pan to?,* spytał. Upuściłem książkę, która z głuchym łoskotem wylądowała u moich stóp. Twarz mojego syna patrzyła na mnie. Nie wiedziałem, co robię. Próbowałem wyjaśnić. *Jestem jego ojcem,* powiedziałem. A może: *To mój syn.* Obojętne, co to było, trafiło do celu, bo mężczyzna wyglądał, jakby był wstrząśnięty, potem zaskoczony, a jeszcze później – jakby mi nie uwierzył. Co było dla mnie zrozumiałe, bo w końcu za kogo się uważałem: przyjechałem limuzyną, otworzyłem zamek, a potem oświadczyłem, że jestem ojcem sławnego pisarza.

Nagle poczułem, że jestem straszliwie zmęczony, jak nie byłem już od lat. Schyliłem się, podniosłem książkę i odstawiłem ją na półkę. Mężczyzna nie spuszczał ze mnie wzroku. W tej chwili na ulicy rozległ się klakson samochodu. I dobrze, bo jak na jeden dzień miałem już dość tego patrzenia. *No cóż,* powiedziałem, ruszając w stronę drzwi, *lepiej już sobie pójdę.* Mężczyzna sięgnął po portfel, wyjął studolarowy banknot i wręczył mi go. *Jego ojcem?,*

spytał. Schowałem pieniądze do kieszeni i wręczyłem mu miętówkę. Wsunąłem stopy w mokre buty. *Niezupełnie*, odparłem. A ponieważ nie wiedziałem, co jeszcze powiedzieć, rzuciłem: *Raczej
wujem*. To też, jak się zdaje, mocno go zdziwiło, ale ja na wszelki
wypadek dodałem: *Właściwie to nie wujem*. Mężczyzna uniósł brwi.
Wziąłem skrzynkę z narzędziami i wyszedłem w deszcz. Raz jeszcze próbował mi podziękować, ale ja już schodziłem po schodach.
Wsiadłem do samochodu. Mężczyzna nadal stał w drzwiach. Aby
mu udowodnić, że jednak jestem stuknięty, pomachałem mu jak
angielska królowa.

Do domu dotarłem o trzeciej nad ranem. Położyłem się do
łóżka. Byłem wykończony. Ale nie mogłem zasnąć. Leżałem na
wznak, słuchając deszczu. Myślałem o mojej książce. Nigdy nie
nadałem jej żadnego tytułu, bo po co książce tytuł, jeśli nikt nie
będzie jej czytał?

Wstałem i poszedłem do kuchni. Trzymam rękopis w pudełku w piekarniku. Wyjąłem pudełko, postawiłem na stole
i wkręciłem w maszynę kartkę papieru. Przez długi czas wpatry-
wałem się w białą kartkę. Dwoma palcami wystukałem tytuł:

ŚMIECH I PŁACZ

Przyglądałem mu się przez kilka minut. Nie był dobry. Dodałem jeszcze jedno słowo.

ŚMIECH I PŁACZ, I PISANIE

Potem jeszcze jedno:

ŚMIECH I PŁACZ, I PISANIE, I CZEKANIE

Zgniotłem kartkę i rzuciłem na podłogę. Włączyłem czajnik. Deszcz przestał padać. Na parapecie zagruchał gołąb. Nastroszony, maszerował tam i z powrotem, po czym odleciał. Można powiedzieć – wolny jak ptak. Wkręciłem następną kartkę do maszyny i wystukałem:

KAŻDEJ RZECZY SŁOWO

Zanim znów zdążyłem zmienić zdanie, wykręciłem kartkę, położyłem ją na wierzchu i zamknąłem pudełko. Znalazłem szary papier i zapakowałem je. Wypisałem adres mojego syna, który znam na pamięć. Czekałem, by coś się wydarzyło, ale nic się nie stało. Nie powiał wiatr i nie zabrał wszystkiego ze sobą. Nie dostałem zawału serca. W drzwiach nie stanął anioł. Była piąta rano. Minie jeszcze sporo czasu, zanim otworzą pocztę. Aby jakoś zabić czas, wyciągnąłem spod kanapy rzutnik. Robię to tylko przy specjalnych okazjach, na przykład w dniu moich urodzin. Opieram rzutnik o pudełko po butach i włączam. Na ścianę pada promień światła, w którym wirują drobinki kurzu. Slajd trzymam na półce w kuchni, w puszce. Zdmuchuję warstwę kurzu, wsuwam go do rzutnika, ustawiam ostrość. Na ścianie pojawia się obraz. Dom z żółtymi drzwiami stojący na skraju pola. Jest koniec jesieni. Pomiędzy czarnymi gałęziami drzew niebo robi się pomarańczowe, potem granatowe. Z komina unosi się smużka dymu, a przez okno niemal dostrzegam pochylającą się nad stołem moją matkę. Biegnę w stronę domu. Czuję, jak zimny wiatr smaga mi policzki. Wyciągam rękę. I ponieważ mam głowę pełną marzeń i snów, przez chwilę wierzę, że mogę otworzyć drzwi i wejść do środka.

Za oknem wstawał dzień. Na moich oczach dom mojego dzieciństwa rozpłynął się. Wyłączyłem rzutnik, zjadłem batonik Metamucil i poszedłem do łazienki. Kiedy zrobiłem wszystko, co zamierzałem zrobić, umyłem się gąbką i zacząłem przekopywać szafę w poszukiwaniu garnituru. Przy okazji znalazłem kalosze, których kiedyś szukałem, i stare radio. W końcu gdzieś na dnie znalazłem zmięty biały letni garnitur. Mógł ujść, jeśli nie zwracać uwagi na brązową plamę na przodzie. Ubrałem się. Splunąłem na dłoń i przygładziłem włosy. Już ubrany, usiadłem, trzymając na kolanach szarą paczkę. Raz po raz sprawdzałem adres. O 8.45 włożyłem płaszcz i wcisnąłem paczkę pod pachę. Po raz ostatni spojrzałem na swoje odbicie w lustrze. Potem otworzyłem drzwi i wyszedłem w ranek.

SMUTEK MOJEJ MATKI

1. NAZYWAM SIĘ ALMA SINGER

Kiedy się urodziłam, matka nadała mi imię na cześć dziewczyny, każdej dziewczyny z książki, którą podarował jej ojciec. Książka nosiła tytuł *Historia miłości*. Mojego brata nazwała Emanuel Chaim na cześć żydowskiego historyka Emanuela Ringelbluma, który w warszawskim getcie zakopał dokumenty w bańkach po mleku, i żydowskiego wiolonczelisty Emanuela Feuermanna, który był jednym z największych muzyków dwudziestego wieku. No i jeszcze genialnego żydowskiego pisarza Izaaka Emanuelowicza Babla, i jej wuja Chaima, który był wielkim żartownisiem, prawdziwym klaunem, doprowadzał wszystkich do śmiechu i został zamordowany przez hitlerowców. Mój brat nie chce reagować na żadne z nich. Kiedy ludzie pytali go, jak ma imię, coś wymyślał. Ma za sobą jakieś piętnaście czy dwadzieścia imion. Przez miesiąc mówił o sobie wyłącznie w trzeciej osobie, Pan Owoc. W swoje szóste urodziny wyskoczył z okna na piętrze, próbując latać. Złamał sobie rękę i na zawsze będzie już miał bliznę na czole, ale od tamtej pory wszyscy mówią o nim Ptak.

2. CZYM NIE JESTEM

Oboje z bratem mieliśmy zwyczaj grać w pewną grę. Wskazywałam krzesło. „TO NIE JEST KRZESŁO", mówiłam. Ptak wskazywał stół. „TO NIE JEST STÓŁ". „TO NIE JEST ŚCIANA", mówiłam ja. „TO NIE JEST SUFIT". Ciągnęliśmy to bez końca. „NIE PADA DESZCZ". „MÓJ BUT NIE JEST ROZWIĄZANY!", wrzeszczał Ptak. Wskazywałam swój łokieć. „TO NIE JEST ZADRAPANIE". Ptak podnosił kolano. „TO TEŻ NIE JEST ZADRAPANIE!". „TO NIE JEST CZAJNIK!". „NIE FILIŻANKA!". „NIE ŁYŻECZKA!". „NIE BRUDNE NACZYNIA!". Zaprzeczaliśmy pokojom, latom, pogodzie. Kiedyś wśród naszych największych krzyków, Ptak wziął głęboki oddech. Z całych sił wrzasnął: „NIE! BYŁEM! NIESZCZĘŚLIWY! PRZEZ! CA-ŁE! ŻYCIE!". „Ale masz dopiero siedem lat", powiedziałam.

3. MÓJ BRAT WIERZY W BOGA

Kiedy Ptak miał dziewięć i pół roku, znalazł niewielką czerwoną książeczkę zatytułowaną *Księga mądrości żydowskich* zadedykowaną naszemu ojcu, który dostał ją w prezencie na bar micwę. Zebrano w niej żydowskie mądrości i pogrupowano pod takimi hasłami jak: „Każdy Izraelita trzyma w dłoniach honor całego narodu", „Pod rządami Romanowów" czy „Nieśmiertelność". Tuż po tym, jak ją znalazł, Ptak zaczął nosić czarną aksamitną kipę, nie bacząc na to, że nie bardzo na niego pasuje. Wybrzusza się w tyle głowy, co wygląda trochę głupio. Nabrał też zwyczaju chodzenia

krok w krok za panem Goldsteinem, woźnym w szkole żydowskiej, który mamrotał pod nosem w trzech językach i którego ręce zostawiały za sobą więcej kurzu, niż sprzątały. Po szkole krąży-
ły plotki, że pan Goldstein śpi w nocy tylko godzinę w piwnicy,
że był w obozie pracy na Syberii, że ma słabe serce, że nagły hałas może go zabić, że śnieg doprowadza go do łez. Ptak od razu
poczuł do niego sympatię. Chodził za nim po szkole, podczas gdy
pan Goldstein odkurzał między ławkami, czyścił toalety i ścierał
przekleństwa z tablic. Do jego obowiązków należało usuwanie
starych sidurów, zniszczonych lub podartych, i pewnego popołudnia pod bacznym wzrokiem dwóch kruków wielkich jak psy wy-
wiózł taczki pełne modlitewników za synagogę, wykopał dół, od-
mówił modlitwę i pogrzebał je. „Nie można ich wyrzucić",
powiedział Ptakowi. „Wszystko, co nosi na sobie imię Boga, musi zostać pochowane z szacunkiem".

W następnym tygodniu Ptak zaczął pisać cztery hebrajskie
litery* imienia, którego nikomu nie wolno wymawiać i którego
nie wolno wyrzucać na kartkach z zadaniami domowymi. Kiedy
po kilku dniach otworzyłam kosz na brudną bieliznę, znalazłam
je wypisane niezmywalnym markerem na metce slipów. Wypisał
je kredą na drzwiach, nabazgrał na klasowej fotografii, na ścianie
w łazience, a na koniec wyciął moim scyzorykiem na drzewie
przed naszym domem, tak wysoko, jak tylko mógł sięgnąć.

Może z tego powodu albo dlatego, że miał zwyczaj dłubać w nosie, zasłaniając ręką twarz, jakby nie było wiadomo, co robi, czy też dlatego, że czasem wydawał dziwne dźwięki, jak z gier wideo, w tym roku dwaj jego przyjaciele przestali przychodzić, by się pobawić.

---

* Tetragram, czyli cztery litery: JHWH, oznaczające imię Boga.

Co rano budzi się wcześnie i wychodzi *dawnen**, stojąc twarzą do Jerozolimy. Kiedy patrzę na niego z okna, żałuję, że nauczyłam go żydowskiego alfabetu, gdy miał zaledwie pięć lat. Na myśl o tym ogarnia mnie smutek.

4. MÓJ OJCIEC UMARŁ, KIEDY MIAŁAM SIEDEM LAT

Pamiętam tylko niektóre szczegóły. Jego uszy. Pomarszczoną skórę na łokciach. Opowieści o dzieciństwie w Izraelu. Jak siadywał w swoim ulubionym fotelu i słuchał muzyki, i jak lubił śpiewać. Mówił do mnie po hebrajsku, a ja zwracałam się do niego *Aba*. Zapomniałam prawie wszystko, ale czasami słowa wracają do mnie: *kum-kum, szemesz, chol, jam, ec, neszika, motek***. Ich znaczenie wytarło się jak stare monety. Moja matka, która jest Angielką, poznała go, gdy pracowała w kibucu w pobliżu Aszdod, latem, zanim zaczęła studia w Oksfordzie. Był dziesięć lat starszy od niej. Służył w wojsku, a potem podróżował po Ameryce Południowej. Później wrócił do szkoły i został inżynierem. Lubił rozbijać obóz i zawsze trzymał w bagażniku śpiwór i kilka litrów wody. Jeśli musiał, potrafił rozpalić ogień za pomocą kawałka krzemienia. W piątkowe wieczory, podczas gdy inni pracujący w kibucu leżeli na kocach pod wielkim ekranem kinowym, gładzili psy i ćpali, zabierał moją matkę nad Morze Martwe, gdzie unosili się na powierzchni wody.

5. MORZE MARTWE TO NAJNIŻEJ POŁOŻONE MIEJSCE NA ZIEMI

* Jid. – modlić się (wyłącznie o czynnościch modlitewnych Żydów).
** Hebr. – słowa znaczą kolejno: wstawaj, wstawaj, słońce, piasek, morze, drzewo, pocałunek, kochanie.

6. NIE MA DWÓCH OSÓB MNIEJ DO SIEBIE PODOBNYCH, NIŻ BYLI MOI RODZICE

Kiedy moja matka opaliła się na brąz, ojciec śmiał się, że co dzień robi się coraz bardziej podobna do niego. Był to oczywiście żart, bo on miał metr osiemdziesiąt osiem wzrostu, jasnozielone oczy i czarne włosy. Moja matka jest blada i tak niska, że nawet teraz, gdy ma czterdzieści jeden lat, patrząc z drugiej strony ulicy, można ją wziąć za małą dziewczynkę. Ptak jest drobny i jasny jak ona, a ja jestem wysoka jak ojciec. Mam też czarne włosy, przerwę między zębami, jestem paskudnie chuda i mam piętnaście lat.

7. JEST TAKIE ZDJĘCIE MOJEJ MATKI, KTÓREGO NIKT NIGDY NIE WIDZIAŁ

Jesienią matka wróciła do Anglii, żeby zacząć studia. W kieszeniach miała wciąż piasek z najniżej położonego miejsca na ziemi. Ważyła czterdzieści pięć kilo. Czasami opowiada o podróży z dworca Paddington do Oksfordu, podczas której spotkała niemal całkiem niewidomego fotografa. Nosił okulary słoneczne i powiedział, że przed dziesięcioma laty uszkodził sobie siatkówki w czasie wyprawy na Antarktydę. Miał idealnie wyprasowany garnitur i trzymał na kolanach aparat fotograficzny. Powiedział, że teraz widzi świat zupełnie inaczej i nie jest to do końca złe. Zapytał, czy może zrobić jej zdjęcie. Kiedy podniósł aparat, matka spytała, co widzi. „To samo co zawsze", odparł. „Czyli?". „Mgłę", powiedział. „To po co pan to robi?", spytała. „Na wypadek, gdybym miał odzyskać wzrok", wyjaśnił. „Będę wtedy wiedział, na co patrzyłem". Matka trzymała na kolanach brązową papierową torebkę z kanapką z siekaną wątróbką, którą zrobiła jej moja babcia. Zaproponowała kanapkę prawie niewidomemu fotografowi. „Nie jest pani głodna?", spytał. Odparła, że tak, ale nigdy nie powiedziała swojej matce, że nie znosi siekanej wątróbki, a teraz było już za późno, skoro przez dziesięć lat milczała. Pociąg wjechał na stację w Oksfordzie i moja matka wysiadła, zostawiając za sobą ślad piasku. Wiem, że ta historia ma morał, ale nie mam pojęcia jaki.

8. MOJA MATKA JEST NAJBARDZIEJ UPARTĄ OSOBĄ, JAKĄ ZNAM

Po pięciu minutach doszła do wniosku, że nienawidzi Oksfordu. Przez pierwszy tydzień semestru nie robiła nic, tylko siedziała w swoim pokoju w pełnym przeciągów kamiennym budynku i patrzyła na deszcz padający na krowy na Christ Church Meadow. Wodę na herbatę musiała gotować na maszynce. Żeby zobaczyć się ze swoim opiekunem naukowym, musiała wspiąć się na pięćdziesiąt sześć kamiennych schodów i walić do drzwi, aż obudził się na składanym łóżku w swoim gabinecie, gdzie spał pod stosem papierów. Niemal codziennie pisała do mojego ojca do Izraela na ozdobnej drogiej, francuskiej papeterii, a kiedy się skończyła, na kartkach wyrwanych z zeszytu. W jednym z tych listów (który znalazłam schowany w starej puszce Cadbury pod kanapą w jej gabinecie) napisała: *Książka, którą od Ciebie dostałam, leży na moim biurku. Codziennie uczę się, by przeczytać kolejny fragment.* Musiała się uczyć, by ją przeczytać, bo książka była napisana po hiszpańsku. W lustrze oglądała swoje coraz bardziej blade ciało. W drugim tygodniu semestru kupiła używany rower i porozwieszała wszędzie ogłoszenia: POSZUKIWANY NAUCZYCIEL HEBRAJ-

SKIEGO, bo bardzo łatwo uczyła się języków i chciała rozumieć mojego ojca. Zgłosiło się kilku kandydatów, ale tylko jeden nie wycofał się na wieść, że matka nie może płacić. Był to pryszczaty chłopak o imieniu Nehemiasz, z Hajfy, który studiował na pierwszym roku i był równie nieszczęśliwy jak moja matka. Doszedł do wniosku — wyczytałam z listu — że dla towarzystwa dziewczyny warto spotykać się dwa razy w tygodniu w King's Arms za piwo jako honorarium. Matka uczyła się też sama hiszpańskiego. Spędzała mnóstwo czasu w Bodleian Library, czytając setki książek. Z nikim się nie zaprzyjaźniła. Zamawiała tyle książek, że kiedy zjawiała się w bibliotece, pracownik chował się przed nią. Pod koniec roku zdała celująco egzaminy i pomimo protestów rodziców zrezygnowała ze studiów, i wyjechała, by zamieszkać z moim ojcem w Tel Awiwie.

9. NASTĘPNE LATA BYŁY NAJSZCZĘŚLIWSZE W ICH ŻYCIU

Mieszkali w zalanym słońcem domu obrośniętym bungewillą w Ramat Gan. Ojciec zasadził w ogrodzie drzewko oliwne i cytrynowe i wykopał wokół każdego z nich rów, w którym mogła gromadzić się woda. Wieczorami słuchali amerykańskiej muzyki z jego radia tranzystorowego. Kiedy okna były otwarte i wiatr wiał w odpowiednim kierunku, czuli w powietrzu zapach morza. W końcu pobrali się na plaży w Tel Awiwie, a w podróż poślubną pojechali do Ameryki Południowej, po której wędrowali przez dwa miesiące. Kiedy wrócili, moja matka zaczęła tłumaczyć książki na angielski — najpierw z hiszpańskiego, potem także z hebrajskiego. Tak minęło pięć lat, a potem ojciec dostał propozycję pracy, której nie mógł odrzucić – od firmy amerykańskiej działającej w przemyśle kosmicznym.

10. PRZENIEŚLI SIĘ DO NOWEGO JORKU I MIELI MNIE

Kiedy moja matka była ze mną w ciąży, przeczytała morze książek z wielu różnych dziedzin. Nie lubiła Ameryki, ale też nie nienawidziła jej. Dwa i pół roku i kolejne morze książek później urodziła Ptaka. Potem przeprowadziliśmy się do Brooklynu.

11. KIEDY MIAŁAM SZEŚĆ LAT, U MOJEGO OJCA STWIERDZONO RAKA TRZUSTKI

Tego roku jechałyśmy z mamą samochodem. Poprosiła, żebym jej podała torebkę. „Nie mam jej", powiedziałam. „Może leży gdzieś z tyłu". Ale tam jej nie było. Mama zatrzymała się i przeszukała samochód, ale torebki nigdzie nie było. Schowała twarz w dłoniach i próbowała sobie przypomnieć, gdzie ją zostawiła. Zawsze wszystko gubiła. „Któregoś dnia – powiedziała – zgubię własną głowę". Próbowałam sobie wyobrazić, jak to będzie, gdy ją naprawdę zgubi. Na koniec jednak okazało się, że to mój ojciec stracił wszystko: kilogramy, włosy i różne organy wewnętrzne.

12. LUBIŁ GOTOWAĆ, ŚMIAĆ SIĘ I ŚPIEWAĆ, POTRAFIŁ ROZPALIĆ OGIEŃ GOŁYMI RĘKAMI, NAPRAWIAĆ ZEPSUTE RZECZY I WYTŁUMACZYĆ, JAK WYSTRZELIWUJE SIĘ W KOSMOS RAKIETY, ALE UMARŁ W CIĄGU DZIEWIĘCIU MIESIĘCY

13. MÓJ OJCIEC NIE BYŁ SŁAWNYM ROSYJSKIM PISARZEM

Po jego śmierci mama zostawiła wszystko tak, jak było. Misha Shklovsky powiedział, że w Rosji robią tak z domami wszystkich sławnych pisarzy. Ale mój ojciec nie był sławnym pisarzem. Nie był nawet Rosjaninem. Pewnego dnia wróciłam do domu ze szkoły i wszystkie oznaki jego obecności zniknęły. Z szaf usunięto jego ubrania, jego buty zniknęły sprzed drzwi, a na ulicy, obok worków na śmieci, stał jego stary fotel. Wokół niego fruwały smagane wiatrem liście. Koło fotela przeszedł jakiś starszy mężczyzna i usiadł na nim na chwilę. Wyszłam i wyjęłam z kosza na śmieci sweter ojca.

14. NA KOŃCU ŚWIATA

Po śmierci ojca wujek Julian, brat matki, który jest historykiem sztuki i mieszka w Londynie, przysłał mi należący do ojca szwajcarski scyzoryk wojskowy. Miał trzy ostrza, korkociąg, małe nożyczki, pęsetę i wykałaczkę. W załączonym do przesyłki liście wujek napisał, że tato pożyczył mu kiedyś scyzoryk, gdy wybierał się na wędrówkę po Pirenejach. Zapomniał potem o nim zupełnie, a teraz pomyślał, że być może zechcę go mieć. *Musisz być jednak bardzo ostrożna*, napisał, *bo jest bardzo ostry. Zrobiono go specjalnie po to, by pomógł przetrwać w dziczy. Niestety, niewiele o tym wiem, bo razem z ciocią Frances przenieśliśmy się do hotelu po pierwszej deszczowej nocy, po której wyglądaliśmy jak śliwki. Twój Tato radził sobie w takich warunkach znacznie lepiej niż ja. Pewnego dnia na pustyni Negew widziałem, jak zbiera wodę za pomocą lejka i kawałka brezentu. Znał też nazwę każdej rośliny i wiedział, czy jest jadalna. Wiem, że to niewielka pociecha, ale*

*jeśli przyjedziesz do Londynu, podam Ci nazwy wszystkich knajp w pół-
nocno-zachodnim Londynie, w których podaje się curry, i powiem, czy jest
jadalne. Uściski, wujek Julian. PS. Nie mów Mamie, że dałem Ci ten scyzoryk, bo pewnie byłaby na mnie zła i powiedziałaby, że jesteś za młoda.*

Zbadałam dokładnie wszystkie trzy ostrza, wyciągając je po
kolei paznokciem kciuka i dotykając ich palcem.

Postanowiłam, że nauczę się, jak przetrwać w dziczy, tak
jak mój ojciec. Dobrze będzie to wiedzieć na wypadek, gdyby coś
się stało z mamą i musielibyśmy zadbać o siebie z Ptakiem sami.

Nie powiedziałam jej nic o scyzoryku, bo wujek chciał, by to zostało tajemnicą, a poza tym, dlaczego matka miałaby mi pozwolić na samotne rozbijanie obozu w lesie, kiedy rzadko pozwalała
mi się oddalić o kilka choćby przecznic?

15. ZAWSZE KIEDY WYCHODZIŁAM SIĘ POBAWIĆ,
MATKA CHCIAŁA DOKŁADNIE WIEDZIEĆ,
GDZIE BĘDĘ

Kiedy wracałam do domu, wołała mnie do swojej sypialni, brała
mnie w ramiona i obsypywała pocałunkami. Gładziła mnie po
włosach i mówiła: „Tak bardzo cię kocham", a kiedy kichnęłam:
„Na zdrowie, wiesz, jak bardzo cię kocham, prawda?". Gdy wsta-
wałam, żeby pójść po chusteczkę, mówiła: „Przyniosę ci, tak bardzo cię kocham", a kiedy szukałam pióra, żeby odrobić lekcje:
„Weź moje, dla ciebie wszystko". Kiedy swędziła mnie noga, pytała: „Tutaj? Chodź, przytulę cię", a kiedy szłam do swojego pokoju, wołała za mną: „Co mogę dla ciebie zrobić, tak *bardzo* cię
kocham". Zawsze chciałam powiedzieć: „Kochaj mnie trochę
mniej", ale nigdy tego nie zrobiłam.

16. WSZYSTKO SIĘ ZMIENIA

Pewnego dnia moja matka wstała z łóżka, w którym leżała blisko rok. Wydawało się, że po raz pierwszy możemy ją oglądać bez zasłony pustych szklanek po wodzie, które stały wokół łóżka i po których Ptak, w chwilach znudzenia, przesuwał czasem mokrym palcem, by wydobyć z nich dźwięk. Matka zrobiła makaron z serem, jedną z niewielu potraw, które umie ugotować. Udawaliśmy, że to najlepsze, co jedliśmy w życiu. Pewnego popołudnia wzięła mnie na stronę. „Od tej pory – powiedziała – będę cię traktować jak dorosłą". Chciałam powiedzieć, że mam dopiero osiem lat, ale nie zrobiłam tego. Znów zaczęła pracować. Snuła się po domu w kimonie w czerwone kwiaty, zostawiając za sobą ślad pomiętych kartek. Przed śmiercią taty bardziej dbała o porządek. Ale teraz, jeśli chciało się ją znaleźć, wystarczyło pójść tropem przekreślonych kartek. Na końcu była ona. Wyglądała przez okno lub wpatrywała się w szklankę z wodą, jakby pływała tam rybka, którą tylko ona mogła dojrzeć.

17. MARCHEWKI

Za kieszonkowe kupiłam książkę *Rośliny jadalne i kwiaty Ameryki Północnej*. Dowiedziałam się z niej, że można się pozbyć goryczki z żołędzi, gotując je w wodzie, że dzikie róże są jadalne i że należy unikać roślin trójlistnych, tych, które pachną migdałami, i tych, które mają mleczny sok. Próbowałam zidentyfikować jak najwięcej roślin w Prospect Park. Ponieważ wiedziałam, że minie sporo czasu, zanim uda mi się rozpoznać każdą roślinę, i że zawsze istnieje szansa, że będę musiała przeżyć gdzieś poza Ameryką Północną, nauczyłam się na pamięć Uniwersalnego Testu Jadalności. Dobrze jest znać coś takiego, bo niektóre trujące rośliny, na przykład cykuta, mogą przypominać wyglądem rośliny jadalne, na przykład dzikie marchewki i pasternak. Aby wykonać ten test, najpierw trzeba pościć przez osiem godzin. Potem trzeba oddzielić poszczególne części rośliny – korzeń, liść, łodygę, pączek i kwiat – i dotykać każdej z nich wewnętrzną stroną nadgarstka. Jeśli nic się nie stanie, należy przyłożyć kawałek rośliny do wnętrza wargi na trzy minuty i jeśli nadal nic się nie dzieje, trzymać potem na języku przez piętnaście minut. Jeśli nadal nic się nie dzieje, można przeżuć kawałek rośliny, lecz go nie połykać, i trzymać w ustach przez piętnaście minut, a jeśli nadal nic się nie dzieje, można połknąć i poczekać osiem godzin. Jeśli po upływie tego czasu nadal nic się nie dzieje, można zjeść niewielką garstkę i jeśli nic się nie dzieje, oznacza to, że roślina jest jadalna.

Trzymam *Rośliny jadalne i kwiaty Ameryki Północnej* pod łóżkiem w plecaku, do którego schowałam też scyzoryk ojca, latarkę, plastikową płachtę ochronną, kompas, pudełko batoników Muesli, dwie torebki orzechowych m&m, trzy puszki tuńczyka, otwieracz do konserw, plastry, surowice przeciwko ukąszeniu węża, zmianę bielizny i plan nowojorskiego metra. Powinnam też mieć kawałek krzemienia, ale kiedy próbowałam go kupić w specjalnym sklepie, nie chcieli mi go sprzedać, bo albo jestem za młoda, albo pomyśleli, że jestem piromanką. W nagłych wypadkach można również skrzesać ogień za pomocą noża myśliwskiego i kawałka jaspisu, agatu lub jadeitu, ale nie wiem, gdzie można te kamienie znaleźć. Zabrałam więc pudełko zapałek z kafejki przy Drugiej ulicy i schowałam je do woreczka foliowego, by nie zamokły.

Na święto Chanuki poprosiłam o śpiwór. Mama kupiła mi taki flanelowy w różowe serduszka, w którym na mrozie udałoby mi się przeżyć jakieś pięć sekund, po czym umarłabym z wyziębienia. Zapytałam ją, czy możemy go wymienić na bardziej solidny. „A gdzie ty chcesz w nim spać, w strefie podbiegunowej?", spytała mama. Pomyślałam, że może tam albo w Andach Peruwiańskich, bo tam kiedyś wędrował ojciec. Pragnąc zmienić temat, opowiedziałam jej o cykucie, dzikich marchewkach i pasternaku, ale to był zły pomysł, bo jej w oczach zabłysły łzy. Kiedy spytałam, co się stało, odparła, że przypomniały się jej marchewki, które tato siał w ogrodzie w Ramat Gan. Chciałam ją zapytać, co jeszcze tam posadził oprócz drzewka oliwnego, drzewka cytrynowego i marchewek, ale nie chciałam przysparzać jej smutku.

Zaczęłam prowadzić dziennik zatytułowany *Jak przetrwać w dziczy*.

18. MOJA MATKA NIGDY NIE ODKOCHAŁA SIĘ W MOIM OJCU

Jej miłość do niego była tak żywa jak tego lata, kiedy się poznali. Aby tak mogło być, matka wyrzekła się życia. Czasami przez wiele dni żywi się tylko wodą i powietrzem. Jako że jest jedyną złożoną formą życia, której się to udaje, powinna mieć swoją nazwę gatunkową. Pewnego razu wuj Julian opowiedział mi o rzeźbiarzu i malarzu Alberto Giacomettim, który mówił, że czasami, aby namalować głowę, trzeba zrezygnować z całej postaci. Aby namalować liść, trzeba poświęcić cały pejzaż. Początkowo może to się wydać sporym ograniczeniem, ale po pewnym czasie uświadamiasz sobie, że taka niewielka cząstka czegoś, daje większą szansę uchwycenia pewnego uczucia panującego we wszechświecie niż próba namalowania całego nieba. Moja matka nie wybrała liścia ani głowy. Wybrała mojego ojca i żeby uchwycić pewne uczucie, poświęciła cały świat.

19. MUR ZE SŁOWNIKÓW, ODDZIELAJĄCY MOJĄ MATKĘ OD ŚWIATA, Z KAŻDYM ROKIEM STAJE SIĘ WYŻSZY

Czasami kartki ze słowników wypadają i leżą na podłodze u jej stóp: szala, szalbierz, szalom, szalotka, szaman, szaniec, szankier, szantaż niczym płatki wielkiego kwiatu. Kiedy byłam mała, myślałam, że leżące na podłodze kartki to słowa, których już nigdy nie będzie mogła użyć, i próbowałam wklejać je z powrotem do książek, bojąc się, że pewnego dnia mama zamilknie na dobre.

20. OD ŚMIERCI MOJEGO OJCA MATKA BYŁA TYLKO NA DWÓCH RANDKACH

Na pierwszą umówiła się pięć lat temu, kiedy miałam dziesięć lat, z grubym Anglikiem – redaktorem z wydawnictwa, które publikuje jej tłumaczenia. Na serdecznym palcu lewej ręki Anglik nosił sygnet z herbem, który należał lub nie do jego rodziny. Kiedy tylko coś o sobie opowiadał, wymachiwał tą ręką. Doszło między nimi do rozmowy, podczas której okazało się, że moja matka i Lyle, bo tak miał na imię mężczyzna, w tym samym czasie studiowali w Oksfordzie. Wykorzystując ten zbieg okoliczności, postanowił zaprosić ją na kolację. Wcześniej wielu mężczyzn zapraszało moją matkę, ale ona zawsze odmawiała. Z jakiegoś powodu tym razem się zgodziła. W sobotni wieczór weszła do salonu z upiętymi wysoko włosami, w czerwonym szalu, który mój ojciec przywiózł jej z Peru. „Jak wyglądam?", spytała. Wyglądała przepięknie, ale jakoś nie podobało mi się, że miała na sobie akurat ten szal. Nie zdążyłam jednak nic powiedzieć, bo do drzwi zadzwonił właśnie cały zdyszany Lyle. Wszedł i rozsiadł się na kanapie. Spytałam go, czy wie coś na temat warunków przeżycia w dziczy, ale on odparł, że nie ma o tym pojęcia. Spytałam go, czy potrafi odróżnić cykutę od dzikich marchewek, a on w odpowiedzi zrelacjonował mi sekunda po sekundzie ostatnie chwile wyścigu regat w Oksfordzie, podczas których jego osada trzy sekundy przed końcem wyrwała się do przodu i zwyciężyła. „O, cholera", powiedziałam tonem, który można było zinterpretować jako sarkastyczny. Lyle wspominał również miłe chwile z pływania po Cherwell płaskodenną łodzią na pych. Matka powiedziała, że nic o tym nie wie, bo nigdy tak po Cherwell nie pływała. Pomyślałam, że wcale mnie to nie dziwi.

Kiedy wyszli, włączyłam telewizor i zaczęłam oglądać program o albatrosach z Antarktydy: potrafią latać przez całe lata, nie dotykając ziemi, piją morską wodę, wypłakują sól i rok po roku wracają na to samo miejsce, by wychowywać dzieci z tym samym partnerem. Musiałam zasnąć, bo kiedy usłyszałam zgrzyt klucza matki w zamku, była pierwsza w nocy. Kilka pasemek włosów wymknęło się jej z koka i miała rozmazaną maskarę. Kiedy zapytałam, jak było, odparła, że zna orangutany, z którymi mogłaby prowadzić bardziej zajmującą rozmowę.

Mniej więcej rok później Ptak złamał sobie nadgarstek, wyskakując z balkonu sąsiadów, i wysoki, lekko przygarbiony lekarz, który udzielił mu pierwszej pomocy w ambulatorium, zaprosił matkę na kolację. Może stało się to za sprawą Ptaka, na którego twarzy pojawił się uśmiech, mimo że ręka była wykrzywiona pod straszliwym kątem, ale faktem jest, że po raz drugi od czasu śmierci mojego ojca matka zgodziła się. Lekarz nazywał się Henry Lavender, co moim zdaniem dobrze rokowało na przyszłość (Alma Lavender!). Kiedy rozległ się dzwonek do drzwi, Ptak zbiegł goły po schodach, włączył płytę *That's Amore* i popędził z powrotem na górę. Matka zbiegła na dół, tym razem bez czerwonego szala na ramionach, i szybko podniosła igłę gramofonu. Płyta zgrzytnęła i zaczęła się obracać bezgłośnie na talerzu. Henry Lavender wszedł do środka, zgodził się wypić kieliszek zimnego białego wina i opowiedział nam o swojej kolekcji muszli, z których część wyłowił własnoręcznie podczas wypraw na Filipiny. Wyobraziłam sobie naszą wspólną przyszłość, w której będzie nas zabierał na podwodne ekspedycje, a my będziemy się do niego uśmiechać pod maskami do nurkowania. Następnego ranka zapytałam matkę, jak było. Powiedziała, że to bardzo miły i sympatyczny człowiek. Zabrzmiało to bardzo pozytywnie, ale kiedy Henry Lavender zadzwonił jeszcze tego samego popołudnia, matka była na zakupach w supermarkecie, a potem nie oddzwoniła. Dwa dni później spróbował jeszcze raz. Tym razem matka wybierała się na spacer do parku. Powiedziałam: „Nie zamierzasz do niego oddzwonić, prawda?", a ona odparła: „Nie". Kiedy Henry Lavender zadzwonił po raz trzeci, była pochłonięta zbiorem opowiadań i wykrzykiwała raz po raz, że autor powinien otrzymać pośmiertnie Nagrodę Nobla. Matka zawsze rozdaje pośmiertne Nagrody Nobla. Wsunęłam się do kuchni z bezprzewodową słuchawką. „Doktor Lavender?", spytałam. A potem powiedziałam mu, że moim zdaniem matka naprawdę go lubi i choć każda normalna osoba byłaby zachwycona, mogąc z nim rozmawiać i może nawet umówić się jeszcze raz na kolację, to znam moją matkę od jedenastu i pół roku i wiem, że jeszcze nigdy nie zrobiła nic normalnego.

21. MYŚLAŁAM, ŻE NIE SPOTKAŁA JESZCZE WŁAŚCIWEJ OSOBY

To, że matka przez cały dzień siedziała w domu w piżamie i tłumaczyła książki nieżyjących autorów, nie pomagało. Czasami zdarzało się jej utknąć przy jednym zdaniu na całe godziny i snuła się po domu jak pies z kością, po czym nagle krzyczała: „MAM!", i biegła do biurka, by wykopać dziurę i zakopać kość. Postanowiłam wziąć sprawy we własne ręce. Pewnego dnia na spotkanie z moją szóstą klasą przyszedł weterynarz. Nazywał się doktor Tucci. Miał bardzo miły głos i zieloną papugę o imieniu Gordo, która siedziała mu na ramieniu i zamyślona wyglądała przez okno. Miał też iguanę, dwie fretki, żółwia, trzy żaby, kaczkę ze złamanym skrzydłem i boa dusiciela o imieniu Mahatma, który niedawno zrzucił skórę. Na podwórku trzymał też dwie lamy. Po spotkaniu, kiedy wszyscy zainteresowali się Mahatmą, zapytałam, czy jest żonaty, a kiedy marszcząc w zdumieniu brwi, odparł, że nie, poprosiłam go o wizytówkę. Widniało na niej zdjęcie małpy i kilkoro dzieciaków straciło zainteresowanie wężem, i też poprosiło o wizytówki.

Wieczorem znalazłam bardzo ładne zdjęcie matki w kostiumie kąpielowym i postanowiłam je wysłać doktorowi Tucci z listą jej najlepszych cech. Wśród nich znalazły się: WYSOKI IQ, ZAPALONA CZYTELNICZKA, ATRAKCYJNA (PATRZ ZDJĘCIE), ZABAWNA. Ptak zajrzał mi przez ramię i zaproponował, żebym dodała NIEZNOSZĄCA SPRZECIWU (sama nauczyłam go tego wyrażenia) i UPARTA. Kiedy oświadczyłam, że to wcale nie są jej najlepsze ani nawet dobre cechy, Ptak powiedział, że jeśli znajdą się na liście, będą sprawiać wrażenie dobrych, i kiedy doktor Tucci zgodzi się z nią spotkać, nie będzie rozczarowany. Zabrzmiało to rozsądnie, więc dopisałam do listy NIEZNOSZĄCA SPRZECIWU i UPARTA. Na samym dole umieściłam nasz numer telefonu, po czym wysłałam list.

Minął tydzień, a on nie zadzwonił. Minęły kolejne trzy dni i zaczęłam dochodzić do wniosku, że chyba niepotrzebnie dopisałam NIEZNOSZĄCA SPRZECIWU i UPARTA.

Następnego dnia zadzwonił telefon i usłyszałam, jak matka pyta: „Jaki Frank?", po czym zapadła długa chwila ciszy. „Słucham?". Znów cisza. Po chwili matka wybuchnęła histerycznym śmiechem. Odłożyła słuchawkę i weszła do mojego pokoju. „Kto to był?", spytałam niewinnie. „Kto?", spytała jeszcze bardziej niewinnie moja matka. „Ta osoba, która dzwoniła przed chwilą", powiedziałam. „Ach, o to ci chodzi – odparła. – Mam nadzieję, że nie masz nic przeciwko temu, umówiłam się na podwójną randkę: ja i ten zaklinacz węży oraz ty i Herman Cooper".

Herman Cooper to drań z ósmej klasy, który mieszkał niedaleko nas, nazywał wszystkich „Penis" i gwizdał na widok wielkich jąder psa naszych sąsiadów.

„Wolałabym lizać chodnik", odparłam.

22. TEGO ROKU PRZEZ CZTERDZIEŚCI DWA DNI Z RZĘDU NOSIŁAM SWETER MOJEGO OJCA

Dwunastego dnia minęłam na korytarzu w szkole Sharon New-man i jej przyjaciółki. „O CO CHODZI Z TYM OBRZYDLIWYM SWETREM?", spytała. Idź, najedz się cykuty, pomyślałam i posta-nowiłam nosić sweter taty do końca życia. Dotrwałam niemal do końca roku szkolnego. W wełnie z alpaki trudno wytrzymać w maju. Matka uznała, że to spóźniona żałoba. Ale ja nie chcia-łam ustanawiać żadnych rekordów. Lubiłam czuć go na sobie.

23. MATKA POWIESIŁA ZDJĘCIE OJCA NA ŚCIANIE PRZY BIURKU

Parę razy, przechodząc obok jej pokoju, usłyszałam, jak głośno z nim rozmawia. Moja matka jest samotna, nawet jeśli jesteśmy przy niej, ale czasami aż ściska mnie w żołądku, gdy pomyślę, co się z nią stanie, kiedy dorosnę i odejdę, by żyć własnym życiem. Czasami myślę, że nigdy nie zdołam odejść.

24. WSZYSCY PRZYJACIELE, KTÓRYCH KIEDYŚ MIAŁAM, ODESZLI

W dzień moich czternastych urodzin Ptak obudził mnie, wskaku-jąc na moje łóżko. Odśpiewał *For She's a Jolly Good Fellow* i wręczył mi na wpół rozpuszczony batonik Hersheya i czerwoną wełnianą czapeczkę, którą wziął z biura rzeczy znalezionych. Zdjęłam z niej długi jasny włos i nosiłam ją przez resztę dnia. Matka podarowa-ła mi anorak przetestowany przez Norkaya Tenzinga, szerpę, który wspiął się na Mount Everest z sir Edmundem Hillarym, i starą skórzaną pilotkę podobną do tej, którą nosił Antoine de Saint-Exupéry, mój wielki bohater. Ojciec przeczytał mi *Małego Księcia*, kiedy miałam sześć lat, i opowiedział mi o Saint-Eksie, który był również wielkim pilotem i ryzykował życie, by przetrzeć szlaki pocztowe do odległych miejsc. W końcu został zestrzelony przez niemiecki myśliwiec i razem ze swoim samolotem zniknął na zawsze w odmętach Morza Śródziemnego.

Oprócz kurtki i pilotki matka podarowała mi też książkę autora o nazwisku Daniel Eldridge, który na pewno dostałby Nobla, gdyby wręczano go paleontologom. „Czy on nie żyje?", spytałam. „Dlaczego pytasz?". „Tak sobie", odparłam. Ptak zapytał, kto to jest paleontolog, i mama powiedziała mu, że gdyby wziął ilustrowany przewodnik po Metropolitan Museum of Art, podarł go na sto kawałków, rzucił je na wiatr ze schodów muzeum, poczekał kilka tygodni, a potem odszukał ich resztki na Piątej Alei i w Central Parku, po czym na ich podstawie próbował odtworzyć historię malarstwa – szkoły, style, gatunki i nazwiska malarzy, przypominałoby to pracę paleontologa. Jedyna różnica polega na tym, że paleontolodzy badają skamieliny, by na ich podstawie zbadać początki i ewolucję życia na ziemi. Matka powiedziała, że każda czternastolatka powinna wiedzieć coś na temat swojego pochodzenia. Nie można chodzić po świecie, nie mając pojęcia, jak się to wszystko zaczęło. Potem, bardzo szybko, jakby nie miało to żadnego znaczenia, dodała, że książka należała kiedyś do taty. Ptak podbiegł szybko i dotknął okładki.

Książka nosiła tytuł *Życie, jakiego nie znamy*. Na tylnej stronie okładki wydrukowano zdjęcie Eldridge'a. Miał ciemne oczy z gęstymi rzęsami i brodę i trzymał w ręce jakąś przerażającą skamieniałą rybę. Pod zdjęciem umieszczono napis, że autor jest profesorem na Uniwersytecie Columbia. Zaczęłam czytać książkę jeszcze tego samego wieczoru. Pomyślałam, że być może tato zrobił jakieś notatki na marginesach, ale, niestety, nic nie znalazłam. Jedynym pozostawionym przez niego znakiem był podpis na pierwszej stronie. Książka opowiada o tym, jak Eldridge razem z kilkoma innymi naukowcami spuścił się na samo dno oceanu w batyskafie i odkrył otwory hydrotermiczne w miejscach, gdzie stykają się płyty tektoniczne. Z otworów wydobywały się bogate w składniki mineralne gazy o temperaturze ponad dwustu stopni Celsjusza. Do tamtej chwili naukowcy byli przekonani, że dno oceanu jest jednym wielkim nieużytkiem pozbawionym wszelkich form życia. Eldridge wraz z kolegami zauważył jednak w światłach swojego batyskafu setki organizmów, których do tej pory żaden człowiek nie oglądał – cały bardzo stary ekosystem. Nazwali go ciemną biosferą. Na dnie znajdowało się mnóstwo takich hydrotermicznych otworów i bardzo szybko naukowcy przekonali się, że na skałach wokół nich, w temperaturach tak wysokich, że mógłby się tam stopić ołów, żyją mikroorganizmy. Kiedy wydobyli kilka z nich na powierzchnię, pachniały zgniłymi jajkami. Naukowcy przekonali się, że te dziwne organizmy utrzymują się przy życiu dzięki nadtlenkowi siarki wydobywającemu się z tych otworów. Wydychają siarkę w ten sam sposób, jak organizmy na ziemi produkują tlen. Zgodnie z informacjami zawartymi w książce doktora Eldridge'a naukowcom udało się odkryć okno wychodzące na ścieżkę biochemiczną, która miliardy lat temu doprowadziła do początków ewolucji.

Idea ewolucji jest piękna i smutna. Od samych początków życia na ziemi pojawiło się na niej od pięciu do pięćdziesięciu miliardów gatunków, z których dziś żyje tylko pięć do pięciu milionów. Tak więc dziewięćdziesiąt dziewięć procent wszystkich gatunków, które kiedyś żyły na ziemi, wymarło.

25. MÓJ BRAT MESJASZ

Tego wieczoru, kiedy czytałam książkę, Ptak przyszedł do mojego pokoju i położył się obok mnie. Jak na swoje jedenaście i pół roku był dość mały. Przycisnął zimne stopy do mojej nogi. „Opowiedz mi coś o tacie", szepnął. „Zapomniałeś obciąć paznokcie u nóg", odparłam. Stulił stopy i wcisnął mi je w łydkę. „Proszę cię", szepnął błagalnie. Ponieważ nie mogłam sobie przypomnieć niczego, czego nie opowiadałabym mu już ze sto razy, wymyśliłam coś nowego. „Tato lubił się wspinać na skały – powiedziałam. – Świetnie to robił. Pewnego dnia wspiął się na skałę, która miała sześćdziesiąt metrów wysokości. Chyba gdzieś na pustyni Negew". Poczułam na szyi gorący oddech Ptaka. „Masada?", spytał. „Możliwe – odparłam. – Bardzo to lubił. To było jego hobby", dodałam. „Lubił tańczyć?", spytał Ptak. Nie miałam pojęcia, ale odparłam: „Uwielbiał. Potrafił nawet tańczyć tango. Nauczył się w Buenos Aires. Tańczyli z mamą przez cały czas. Tato odsuwał stolik do kawy pod ścianę i tańczyli po całym pokoju. Podnosił ją, podrzucał i śpiewał jej do ucha". „Czy ja tam byłem?". „Jasne", powiedziałam. „Podrzucał cię w powietrze i łapał". „Skąd wiedział, że mnie nie upuści?". „Po prostu wiedział". „Jak mnie nazywał?". „Och, miał całe mnóstwo imion. Koleś, Facecik, Punch", wymyślałam na gorąco. Na Ptaku nie zrobiło to jednak zbyt wielkiego wrażenia. „Juda Machabeusz – powiedziałam. – Czasem tylko Machabeusz. Mach". „A jak nazywał mnie najczęściej?". „Chyba Emmanuel – udałam, że się zastanawiam. – Nie, zaczekaj. Chyba Manny. Tak, nazywał cię Manny". „*Manny*", powtórzył Ptak. Przytulił się do mnie mocniej. „Chcę ci wyznać pewien sekret – szepnął. – Bo masz dziś urodziny". „Jaki?". „Najpierw musisz obiecać, że mi uwierzysz". „Dobra". „Powiedz: Obiecuję". „Obiecuję". Wziął głęboki oddech. „Wydaje mi się, że jestem łamed wownikiem". „Co takiego?". „Jednym z łamed wowników – szepnął. – Trzydziestu sześciu sprawiedliwych". „Jakich trzydziestu sześciu sprawiedliwych?". „Tych, od których zależy istnienie świata". „A, tych. Nie bądź...". „Obiecałaś", powiedział Ptak. Nie odezwałam się. „Zawsze jest ich trzydziestu sześciu – szepnął Ptak. – Nikt nie wie, kim są. Tylko ich modlitwy docierają do Boga. Tak mówi pan Goldstein". „I ty uważasz, że jesteś jednym z nich – powiedziałam. – Co jeszcze mówi pan Goldstein?". „Mówi, że kiedy Mesjasz przybędzie na ziemię, będzie jednym z łamed wowników. W każdym pokoleniu żyje jedna osoba, która może zostać Mesjaszem. Może spełni pokładane w nim oczekiwania, może nie. Może świat jest gotowy na jego przyjście, może nie. To wszystko". Leżałam w ciemnościach, zastanawiając się, co powiedzieć. Zaczął mnie boleć brzuch.

26. SYTUACJA STAJE SIĘ KRYTYCZNA

W następną sobotę schowałam *Życie, jakiego nie znamy* do plecaka i pojechałam metrem na Uniwersytet Columbia. Wędrowałam po campusie przez czterdzieści pięć minut i w końcu znalazłam gabinet Eldridge'a w budynku nauk o Ziemi. Kiedy weszłam do środka, sekretarz jadł akurat coś z kartoników na wynos i powiedział, że doktora Eldridge'a nie ma. Odparłam, że poczekam, a on zaproponował, żebym przyszła kiedy indziej, bo doktor Eldridge wróci dopiero za kilka godzin. Odparłam, że wcale mi to nie przeszkadza, a on zajął się z powrotem jedzeniem. Czekając, przeczytałam jeden numer pisma „Fossil". Potem spytałam sekretarza, który śmiał się z czegoś, co zobaczył na ekranie komputera, czy doktor Eldridge niebawem wróci. Przestał się śmiać i spojrzał na mnie, zupełnie jakbym zepsuła najważniejszą chwilę jego życia. Wróciłam na miejsce i przeczytałam numer „Paleontologist Today". Zgłodniałam, więc wyszłam na korytarz i kupiłam sobie w automacie paczkę ciasteczek Devil Dogs. A potem zasnęłam. Kiedy się obudziłam, sekretarza nie było. Drzwi do gabinetu doktora Eldridge'a były otwarte, a w środku paliło się światło. Bardzo stary mężczyzna z siwymi włosami stał przy jednej z szafek na dokumenty, pod plakatem z napisem: I TAK BEZ RODZICÓW, NA DRODZE SPONTANICZNYCH NARODZIN, POJAWIAJĄ SIĘ PIERWSZE OKRUCHY MATERII OŻYWIONEJ – *Erasmus Darwin*

„Mówiąc szczerze, nie brałem takiej opcji pod uwagę – powiedział mężczyzna do telefonu. – Wątpię, czy będzie chciał nawet złożyć podanie. Poza tym wydaje mi się, że już mamy swojego człowieka. Będę musiał porozmawiać z radą wydziału, ale na razie sprawy wyglądają całkiem nieźle". Zauważył, że stoję w drzwiach, i gestem ręki dał mi znać, że zaraz kończy. Już miałam powiedzieć, że wszystko w porządku i że czekam na doktora Eldridge'a, ale odwrócił się do mnie tyłem i wyjrzał przez okno. „Świetnie, miło to słyszeć. Muszę już kończyć. Najlepszego. Do usłyszenia". Odwrócił się do mnie. „Bardzo przepraszam – powiedział. – W czym mogę ci pomóc?". Podrapałam się w ramię i zauważyłam brud pod paznokciami. „Pan nie jest doktorem Eldridge'em, prawda?", spytałam. „Jestem", odparł. Zamarłam. Od czasu zrobienia zdjęcia za-

mieszczonego na okładce książki minęło chyba co najmniej trzydzieści lat. Nie musiałam się zbyt długo zastanawiać, by dojść do
wniosku, że nie może mi pomóc w sprawie, z którą do niego przyszłam, bo nawet jeśli zasługiwał na Nobla jako największy żyjący
paleontolog, to zasługiwał na niego również jako najstarszy.
Nie wiedziałam, co powiedzieć. „Czytałam pańską książkę
– wydusiłam w końcu, – i zastanawiam się, czy nie zostać paleontologiem". „Dlaczego tak cię to martwi?", spytał.

27. CZEGO NIGDY NIE ZROBIĘ,
GDY DOROSNĘ

Nie zakocham się, nie rzucę studiów, nie nauczę się, jak żyć tylko
wodą i powietrzem, nie będę miała swojej nazwy gatunkowej i nie
zrujnuję sobie życia. Kiedy byłam mała, moja mama mawiała
z charakterystycznym wyrazem w oczach: „Pewnego dnia zako-
chasz się". „Nigdy w życiu", chciałam odpowiedzieć, ale nigdy tego nie zrobiłam.
Jedynym chłopakiem, z którym się pocałowałam, był Misha
Shklovsky. Całować nauczyła go kuzynka w Rosji, gdzie mieszkał,
nim przeniósł się do Brooklynu, a on z kolei nauczył mnie. „Mniej
języka", powiedział tylko.

28. WIELE RZECZY MOŻE ZMIENIĆ
TWOJE ŻYCIE; JEDNĄ Z NICH JEST LIST

Minęło pięć miesięcy i prawie dałam sobie spokój z szukaniem kogoś, kto by sprawił, że moja matka znów będzie szczęśliwa. Aż tu
nagle w połowie lutego przyszedł list, napisany na maszynie na

błękitnym papierze lotniczym, wysłany z Wenecji, przekazany mojej matce przez wydawcę. Ptak zauważył go pierwszy i przyniósł go mamie z pytaniem, czy może dostać znaczki. Byliśmy wszyscy w kuchni. Mama otworzyła list i przeczytała go na stojąco. Potem przeczytała go po raz drugi, już siedząc. „To niesamowite", powiedziała. „Co takiego?", spytałam. „Ktoś napisał do mnie w sprawie *Historii miłości*. Tej książki, na której cześć daliśmy ci na imię Alma". Przeczytała nam list na głos.

Szanowna Pani Singer!

Właśnie skończyłem czytać Pani tłumaczenie wierszy Nicanora Parry, który – jak Pani pisze – „nosił w klapie mały znaczek z rosyjskim kosmonautą, a w kieszeni listy kobiety, która porzuciła go dla innego". Książka leży obok mnie na stole w pokoju w pensjonacie, którego okna wychodzą na Canale Grande. Nie wiem, co mogę na ten temat napisać, poza tym, że wzruszyła mnie tak, jak mamy nadzieję się wzruszyć, zaczynając czytać każdą książkę. Chcę powiedzieć, że w pewien trudny do wyrażenia sposób zmieniła mnie. Ale nie będę się nad tym rozwodził. Prawdę mówiąc, nie piszę do Pani, by podziękować, lecz by zwrócić się z prośbą, która może się Pani wydać nieco dziwna. W swoim wstępie wspomina Pani o mało znanym pisarzu Zvi Litvinoffie, który w 1941 r. uciekł z Polski do Chile i którego jedyna opublikowana książka, napisana po hiszpańsku, nosi tytuł *Historia miłości*. Moje pytanie brzmi: Czy mogłaby ją pani przetłumaczyć? Wyłącznie na mój prywatny użytek, nie zamierzam jej bowiem publikować, a prawa autorskie pozostaną Pani własnością, jeśli sama zechce Pani kiedyś ją wydać. Jestem gotowy zapłacić Pani sumę, którą uzna Pani za stosowną. Zawsze czuję się niezręcznie przy omawianiu spraw finansowych. Co by Pani powiedziała na kwotę stu tysięcy dolarów? Jeśli uważa Pani, że to za mało, proszę mnie zawiadomić.

Wyobrażam sobie Pani reakcję na ten list – który zanim do Pani dotarł, przeleżał tydzień lub dwa na tej lagunie, potem miesiąc przedzierał się przez chaos włoskiej poczty, by wreszcie przebyć Atlantyk i trafić do sieci poczty amerykańskiej, gdzie wrzucono go do worka ciągniętego na wózku przez deszcz lub śnieg przez listonosza, który w końcu wrzucił go do Pani skrzynki, gdzie go Pani znalazła. Wyobraziwszy sobie to wszystko, jestem przygotowany na najgorsze – że weźmie mnie Pani za wariata. Ale może nie musi tak być. Może jeśli Pani powiem, że bardzo dawno temu ktoś przeczytał mi do snu kilka stron książki zatytułowanej *Historia miłości*, a ja przez wszystkie te lata nie zapomniałem ani tego wieczoru, ani tych kilku stron, zrozumie mnie Pani.

Będę wdzięczny, jeśli prześle mi Pani swoją odpowiedź tutaj, pod wskazany adres. Jeśli wyjadę, nim list dotrze, właścicielka pensjonatu przekaże mi pocztę.

Z wyrazami szacunku

Jacob Marcus

O, cholera!, pomyślałam. Nie mogłam uwierzyć naszemu szczęściu i już zaczęłam się zastanawiać, czy nie napisać do Jacoba Marcusa z wyjaśnieniem, że to Saint-Exupéry w 1929 roku wyznaczył ostatnią część trasy pocztowej do Ameryki Południo-

wej, aż na sam koniuszek kontynentu. Jacob Marcus sprawiał
wrażenie człowieka zainteresowanego pocztą, a to przecież po
części dzięki odwadze Saint-Exa Zvi Litvinoff, autor *Historii miłości*, mógł potem otrzymywać listy od rodziny i przyjaciół z Polski.
Pod koniec listu dołączyłabym informację, że moja mama jest
wolna. Przemyślałam to jednak i zmieniłam zdanie na wypadek,
gdyby mama jakoś się o tym dowiedziała i zniszczyła coś, co zaczęło się tak dobrze bez żadnej pomocy z niczyjej strony. Sto tysięcy dolarów to bardzo dużo pieniędzy. Wiedziałam jednak, że
nawet gdyby Jacob Marcus nie zaproponował jej ani grosza, moja matka i tak zgodziłaby się przetłumaczyć tę książkę.

29. MATKA CZYTAŁA MI KIEDYŚ FRAGMENTY
HISTORII MIŁOŚCI

*„Pierwszą kobietą może i była Ewa, lecz pierwszą dziewczyną na za-
wsze pozostanie Alma"*, powiedziała, trzymając na kolanach hiszpańską książkę, gdy ja leżałam już w łóżku. To było, jeszcze zanim tato zachorował i książka powędrowała na półkę. Miałam
wtedy cztery czy pięć lat. „Kiedy zobaczyłeś ją po raz pierwszy,
miałeś może dziesięć lat. Stała w słońcu i drapała się w nogę. Albo pisała coś patykiem na piasku. Może ktoś ciągnął ją za włosy.
Albo ona kogoś. Jakaś cząstka ciebie czuła, że coś pcha cię do
niej, a inna się opierała. Chciałeś odjechać na rowerze, kopnąć
kamień, uciec od komplikacji. W tym samym oddechu czułeś siłę mężczyzny i litość nad samym sobą – małym i bezbronnym.
Jakaś cząstka ciebie myślała: Proszę, nie patrz na mnie. Jeśli tego nie zrobisz, będę się jeszcze mógł odwrócić. A inna cząstka
myślała: Spójrz na mnie".

„Jeśli pamiętasz ten pierwszy raz, kiedy ujrzałeś Almę, pamiętasz także ten ostatni. Kręciła głową. Albo biegła przez pole. A może widziałeś ją przez okno. *Wróć, Almo!*, krzyczałeś. *Wracaj! Wracaj!*

Ale ona nie wróciła.

I choć wtedy byłeś już dorosły, czułeś się zagubiony jak dziecko. I choć twoja duma została urażona, czułeś się tak ogromny jak twoja miłość do niej. Ona zniknęła i pozostała tylko przestrzeń, w której rosłeś wokół niej, jak drzewo rosnące przy płocie. Przez długi czas ta przestrzeń pozostawała pusta. Może przez całe lata. A kiedy w końcu się zapełniła, wiedziałeś, że nowa miłość, którą poczułeś do kobiety, byłaby niemożliwa bez Almy. Gdyby nie ona, nigdy nie powstałaby pusta przestrzeń ani pragnienie, by ją zapełnić".

„Istnieją oczywiście i takie przypadki, że nasz chłopiec nie przyzywa krzykiem Almy. Rozpoczyna strajk głodowy. Błaga. Jego miłość zapełnia książkę. Trwa to tak długo, że ona nie ma wyboru i wraca. Zawsze kiedy próbuje odejść, wiedząc, że musi to zrobić, chłopiec zatrzymuje ją, błagając jak głupiec. I ona zawsze wraca, choćby nie wiem jak często i daleko odchodziła, pojawia się za nim bez słowa, zakrywając mu oczy rękami, niszcząc dla niego każdą, która mogłaby przyjść po niej".

30. WŁOSKA POCZTA DZIAŁA FATALNIE; GUBI PRZESYŁKI I NISZCZY LUDZKIE ŻYCIE.

Odpowiedź matki musiała dotrzeć do Wenecji dopiero po paru tygodniach, a Jacob Marcus najprawdopodobniej już wtedy wyjechał, pozostawiając instrukcje, by przesyłano mu pocztę. Na początku wyobrażałam go sobie jako bardzo wysokiego i chudego mężczyznę z chronicznym kaszlem, wypowiadającego kilka znanych mu włoskich słów z okropnym akcentem, jako jednego z tych smutnych ludzi, którzy nigdzie nie czują się u siebie. Ptak wyobrażał go sobie jako Johna Travoltę w lamborghini z walizką pełną gotówki. Moja matka nie zdradziła się ani słowem, jak go sobie wyobraża. Druga wiadomość od niego przyszła pod koniec marca, sześć miesięcy po pierwszym liście. Napisał ją na starej czarno-białej pocztówce z zeppelinem, na której widniał stempel Nowego Jorku. Moje wyobrażenie o nim uległo zmianie. Zamiast kaszlu obdarzyłam go laseczką, gdyż w wieku dwudziestu kilku lat uległ wypadkowi samochodowemu, i doszłam do wniosku, że źródłem jego smutku jest samotność, którą odczuwał jako dziecko. Rodzice zaniedbywali go, a potem umarli, pozostawiając mu cały majątek. Na pocztówce Marcus napisał:

Szanowna Pani Singer!

Z wielką radością przeczytałem pani odpowiedź i cieszę się ogromnie, że zgodziła się Pani podjąć tłumaczenia. Proszę przesłać mi swój numer konta bankowego, a ja natychmiast przekażę Pani pierwsze dwadzieścia pięć tysięcy dolarów. Czy zgodziłaby się Pani dostarczać mi tłumaczenie w częściach, wraz z postępem pracy? Mam nadzieję, że wybaczy mi Pani moją niecierpliwość i przypisze ją wielkiemu podnieceniu związanemu z tak długo oczekiwaną możliwością przeczytania książki Litvinoffa i Pani. Jak również przyjemności, jaką czerpię z otrzymywania poczty, oraz przedłużaniu w czasie przeżycia, które na pewno poruszy mnie do głębi.

Z wyrazami szacunku,

J. M.

31. KAŻDY IZRAELITA TRZYMA W DŁONIACH HONOR CAŁEGO NARODU

Pieniądze wpłynęły na konto tydzień później. Aby to uczcić, matka zabrała nas na francuski film z napisami o dwóch dziewczynkach, które uciekają z domu. Poza nami w kinie były jeszcze trzy osoby. Jedną z nich była bileterka. Ptak skończył jeść mleczne draże jeszcze w czasie napisów początkowych, a potem na cukrowym haju biegał tam i z powrotem wzdłuż przejścia, aż w końcu zasnął w pierwszym rzędzie.

Niedługo potem, w pierwszym tygodniu kwietnia, wspiął się na dach szkoły żydowskiej, spadł i zwichnął sobie rękę w nadgarstku. Aby się pocieszyć, ustawił przed domem mały stolik i wymalował szyld, który głosił: ŚWIEŻA LEMONIADA 50 CENTÓW PROSZĘ SIĘ OBSŁUŻYĆ SAMEMU (ZWICHNIĘTY NADGARSTEK). Bez względu na pogodę trwał tam wiernie z dzbankiem i pudełkiem po butach na pieniądze. Kiedy już obsłużył wszystkich chętnych na naszej ulicy, przeniósł się kilka przecznic dalej i ustawił stolik przy pustej parceli. Zaczął tam spędzać coraz więcej czasu. Kiedy interes szedł kiepsko, odchodził od stolika i bawił się na parceli. Zawsze kiedy tamtędy przechodziłam, dostrzegałam zmiany, jakich dokonał: odsunął na bok zardzewiałą siatkę, wyrwał chwasty, napełnił worek śmieciami. Kiedy zapadał zmierzch, wracał do domu z podrapanymi nogami i przekrzywioną kipą. „Co za bałagan", mówił. Ale kiedy pytałam, co planuje tam zrobić, tylko wzruszał ramionami. „Dane miejsce należy do osoby, która potrafi je wykorzystać", powiedział. „Dziękuję, panie Łamed Wownik. Czy to pan Goldstein udzielił ci takich wskazówek?". „Nie". „To jak zamierzasz je wykorzystać?", zawołałam za nim. Nie odpowiedział, tylko podszedł do drzwi, wyciągnął rękę, by czegoś dotknąć, pocałował ją i poszedł na górę. To była plastikowa mezuza; poprzyklejał je do wszystkich framug w domu. Nawet na drzwiach prowadzących do łazienki.

Następnego dnia w pokoju Ptaka znalazłam trzeci tom *Jak przetrwać w dziczy*. Niezmywalnym pisakiem wypisał imię Boga na górze każdej strony. „CO ZROBIŁEŚ Z MOIM ZESZYTEM?", wrzasnęłam. Milczał. „ZNISZCZYŁEŚ GO". „Wcale nie. Bardzo uważałem...". „Uważałeś? *Uważałeś?* Kto ci w ogóle pozwolił go dotykać? Nie słyszałeś o słowie PRYWATNY?". Ptak patrzył na zeszyt, który trzymałam w ręce. „Kiedy zaczniesz się zachowywać jak normalny człowiek?". „Co się tam dzieje?", zawołała z góry matka. „Nic!", odkrzyknęliśmy zgodnie. Po chwili usłyszeliśmy, jak wraca do swojego gabinetu. Ptak zakrył twarz ręką i zaczął dłubać w nosie. „Cholera jasna – szepnęłam przez zaciśnięte zęby. – Przynajmniej spróbuj być normalny. Musisz choćby spróbować".

32. PRZEZ DWA MIESIĄCE MATKA PRAWIE NIE WYCHODZIŁA Z DOMU

Pewnego popołudnia, w ostatnim tygodniu przed letnimi wakacjami, wróciwszy ze szkoły, znalazłam matkę w kuchni. Trzymała w ręce paczkę zaadresowaną do Jacoba Marcusa w Connecticut.

Skończyła tłumaczyć pierwszą część *Historii miłości*, jedną czwartą
całości, i chciała, żebym zaniosła przesyłkę na pocztę. „Oczywiście", powiedziałam i wsunęłam paczkę pod pachę. Zamiast na
pocztę, poszłam jednak do parku i paznokciem kciuka otworzyłam przesyłkę. Na samym wierzchu leżała karteczka, jedno zdanie napisane drobnym angielskim pismem mojej matki:

Szanowny Panie Marcus,

Mam nadzieję, że te rozdziały spełnią pańskie oczekiwania;
wszelkie uchybienia obciążają wyłącznie mnie.
          Z wyrazami szacunku
                              Charlotte Singer

Zamarłam. Trzynaście nudnych słów bez choćby cienia ro-
mantyzmu! Wiedziałam, że muszę to wysłać, że nieładnie jest
mieszać się w sprawy innych ludzi. Ale przecież na świecie istnieje mnóstwo nieładnych rzeczy.

33. *HISTORIA MIŁOŚCI*, ROZDZIAŁ 10

W epoce szkła wszyscy wierzyli, że jakaś ich cząstka jest
niezwykle krucha. Dla niektórych była to ręka, dla innych
kość udowa, jeszcze inni wierzyli, że ze szkła zrobione są ich
nosy. Epoka szkła nastąpiła po epoce kamienia jako jej
korekta ewolucyjna, wprowadzając do ludzkich stosunków
nowe poczucie kruchości, co z kolei bardzo sprzyjało rodze-
niu się współczucia. Okres ten trwał w historii miłości sto-
sunkowo krótko – mniej więcej sto lat – aż pewien doktor

o nazwisku Ignacio da Silva wpadł na genialny pomysł leczenia – zapraszał pacjentów, by kładli się na kanapce, po czym wymierzał im cios w podejrzaną część ciała, ukazując całą prawdę. Anatomiczna iluzja, która wydawała się tak prawdziwa, powoli znikała i – jak wszystko, czego już nie potrzebujemy, ale z czego nie potrafimy zrezygnować – przybierała formę szczątkową. Czasem jednak, z powodów, których nie da się do końca wyjaśnić, znów dawała o sobie znać, wypływa na powierzchnię, jakby chcąc pokazać, że epoka szkła, podobnie jak epoka milczenia, nigdy naprawdę się nie skończyła.

Weźmy na przykład tamtego mężczyznę idącego ulicą. Nie zauważylibyście go, nie należy bowiem do osób rzucających się w oczy; jego ubranie i sposób bycia proszą się o to, by nie wyróżniać go z tłumu. W normalnych okolicznościach – potwierdziłby to zapewne – nikt nie zwróciłby na niego uwagi. Nic ze sobą nie ma. Przynajmniej wygląda, jakby nic nie miał, nawet parasola, choć zanosi się na deszcz, ani teczki, choć to godzina szczytu i wszyscy przechodnie wokół niego, skuleni na wietrze, śpieszą do swoich ciepłych domów na przedmieściach, gdzie ich dzieci pochylają się nad zadaniami domowymi przy kuchennym stole, w powietrzu unosi się zapach kolacji, a na posłaniu w holu śpi pies, bo w takich domach zawsze jest pies.

Pewnego wieczoru, gdy mężczyzna był jeszcze młody, postanowił iść na przyjęcie. Tam natknął się na dziewczynę, z którą chodził do szkoły podstawowej i w której zawsze trochę się podkochiwał, choć był pewien, że ona nie ma pojęcia o jego istnieniu. Miała najpiękniejsze imię, jakie

kiedykolwiek słyszał: Alma. Kiedy zobaczyła go stojącego
przy drzwiach, jej twarz rozjaśniła się. Gdy przeszła przez
pokój, by z nim porozmawiać, nie wierzył własnym oczom.
Minęło parę godzin. Rozmowa, którą prowadzili, musiała być bardzo przyjemna, bo w pewnej chwili Alma poprosiła go, by zamknął oczy. A potem go pocałowała. Jej pocałunek był pytaniem, na które pragnął odpowiadać całe życie.
Poczuł, jak drży na całym ciele. Bał się, że zaraz straci kon-
trolę nad swoimi mięśniami. Dla kogoś innego nie miałoby
to znaczenia, lecz dla niego nie było to łatwe, ponieważ mężczyzna wierzył – od zawsze – że w części jest zrobiony ze
szkła. Wyobraził sobie niefortunny ruch, na skutek którego
upada i rozbija się u jej stóp. Odsunął się więc, choć wcale tego nie chciał. Uśmiechnął się do stóp Almy w nadziei, że zrozumie. Rozmawiali przez długie godziny.

Tamtej nocy wrócił do domu przepełniony radością.
Nie mógł zasnąć, podniecony myślą o następnym dniu, kiedy to umówili się z Almą do kina. Przyjechał po nią wieczorem i wręczył jej bukiet żonkili. W kinie musiał stoczyć walkę z sobą, by usiąść. Oglądał film pochylony do przodu, tak
by ciężar jego ciała opierał się na wewnętrznej stronie ud,
a nie na części zrobionej ze szkła. Alma – jeśli to zauważyła – nie komentowała. Przesuwał nieznacznie swoje kolano,
aż oparło się o kolano Almy. Pocił się obficie. Kiedy film się
skończył, nie miał pojęcia, o czym opowiadał. Zaproponował spacer w parku. Tym razem on przystanął, wziął Almę
w ramiona i pocałował. Kiedy kolana zaczęły mu drżeć i wyobraził sobie, jak leży u jej stóp roztrzaskany, musiał walczyć
z chęcią odsunięcia się. Powiódł palcami wzdłuż jej kręgo-

słupa, po cienkim materiale bluzki i na chwilę zapomniał o grożącym mu niebezpieczeństwie, wdzięczny światu za to, że ustawia przed nami przeszkody tak, byśmy mogli je pokonać, czując radość ze zbliżania się do nich, nawet jeśli gdzieś głęboko nie potrafimy zapomnieć o smutku płynącym z ich istnienia. Zanim się zorientował, zaczął gwałtownie drżeć na całym ciele. Napiął mięśnie, by powstrzymać drżenie. Alma wyczuła jego wahanie. Odchyliła się i spojrzała na niego z cieniem urazy w oczach, a on niemal wypowiedział dwa zdania, które pragnął powiedzieć od lat: *Jestem częściowo zrobiony ze szkła* i *Kocham cię*.

Zobaczył Almę jeszcze raz. Nie miał pojęcia, że będzie to ostatni raz. Myślał, że wszystko dopiero się zaczyna. Przez całe popołudnie robił dla niej naszyjnik, nawlekając na nitkę maleńkie ptaszki poskładane z papieru. Zanim wyszedł z domu, pod wpływem impulsu chwycił leżącą na kanapie haftowaną poduszkę i wsunął ją sobie z tyłu pod spodnie jako ochronę. Zaraz potem zastanowił się, dlaczego wcześniej nie przyszło mu to do głowy.

Tego wieczoru wręczył Almie naszyjnik i zawiązał go jej na szyi, gdy ona całowała go delikatnie, czuł tylko lekkie drżenie, nic strasznego, gdy powiodła palcami wzdłuż jego kręgosłupa, ale po chwili wahania wsunęła mu rękę za spodnie i natychmiast wyciągnęła ją z wyrazem przerażenia i rozbawienia na twarzy, co przyprawiło go o ból, którego nigdy nie zaznał – i wtedy powiedział jej prawdę. A przynajmniej usiłował powiedzieć, ale udało mu się wydusić z siebie tylko jej połowę. Później, o wiele później, dotarło do niego, że zawsze już będą mu towarzyszyć dwa doznania, które napełniały go przytłaczającym smutkiem: widok szyi Almy podrapanej przez jego papierowy naszyjnik i świadomość, że w najważniejszej chwili swojego życia wybrał niewłaściwe zdanie.

Siedziałam długo, czytając rozdziały, które przetłumaczyła matka. Kiedy skończyłam dziesiąty, wiedziałam już, co mam zrobić.

34. NIE MA NIC DO STRACENIA

Zgniotłam list matki i wrzuciłam go do kosza na śmieci. Wróciłam biegiem do domu i w swoim pokoju napisałam nowy list do jedynego człowieka, który moim zdaniem mógł zmienić moją matkę. Pracowałam nad nim wiele godzin. Późno w nocy, kiedy matka i Ptak już zasnęli, wstałam z łóżka, przeszłam na palcach przez hol i wzięłam od matki jej maszynę do pisania; maszynę, z której nadal korzysta, pisząc listy zawierające więcej niż szesnaście słów. Musiałam przepisywać swoje dzieło wiele razy, zanim udało mi się zrobić to bez błędów. Przeczytałam list po raz ostatni. Potem podpisałam go nazwiskiem matki i poszłam spać.

WYBACZCIE MI

Niemal wszystko, co wiemy o Zvi Litvinoffie, pochodzi ze wstępu, który jego żona napisała do *Historii miłości* wydanej po raz drugi kilka lat po jego śmierci. Był w nim czuły ton, usuwający ją samą w cień, zabarwiony oddaniem osoby, która poświęciła życie sztuce uprawianej przez inną osobę. Wstęp zaczyna się tak: *Poznałam Zvi w Valparaiso jesienią 1951 roku, gdy właśnie skończyłam dwadzieścia lat. Widywałam go często w kafejkach nad morzem, w których bywałam z przyjaciółmi. Nosił płaszcz nawet w najcieplejszych miesiącach i wpatrywał się w zamyśleniu przed siebie. Był blisko dwanaście lat starszy ode mnie, ale było w nim coś, co mnie do niego przyciągało. Wiedziałam, że jest uchodźcą, gdyż kilka razy słyszałam jego akcent, kiedy ktoś z jego znajomych, również z innego świata, zatrzymywał się na chwilę przy jego stoliku. Moi rodzice wyemigrowali do Chile z Krakowa, kiedy byłam bardzo młoda, było więc w nim dla mnie coś swojskiego i wzruszającego. Zawsze bardzo długo piłam kawę, obserwując, jak czyta gazetę. Moi przyjaciele śmiali się ze mnie, nazywając go* un viéjon, *a pewnego dnia dziewczyna o nazwisku Gracia Stürmer namówiła mnie, żebym poszła z nim porozmawiać.*

I Rosa poszła. Rozmawiała z nim prawie trzy godziny, aż powietrze zaczął wypełniać płynący znad wody chłód. Litvinoff – zadowolony z uwagi, jaką poświęcała mu ta młoda kobieta o bladej twarzy i ciemnych włosach, zachwycony, że rozumiała trochę jidysz, przepełniony nagle tęsknotą, którą nie zdając sobie z tego sprawy, nosił w sobie przez tyle lat – ożywił się, zabawiając ją opowieściami i cytatami z poezji. Tamtego wieczoru Rosa wróciła do domu radosna i ożywiona. Wśród pewnych siebie chłopców z uniwersytetu, z wypomadowanymi włosami, którzy rozprawiali bez końca o filozofii, i tych kilku, którzy melodramatycznie wyznawali jej miłość na widok jej nagiego ciała, nie było ani jednego, który miałby takie doświadczenia jak Litvinoff. Następnego popołudnia po zajęciach Rosa znów pobiegła do kafejki. Litvinoff czekał tam na nią i jak przedtem rozmawiali z ożywieniem kilka godzin: o brzmieniu wiolonczeli, niemych filmach i wspomnieniach, jakie w nich obojgu wywoływał zapach słonej wody. Trwało to przez dwa tygodnie. Mieli ze sobą wiele wspólnego, lecz między nimi zawisła ciężka i mroczna tajemnica, która jeszcze bardziej pociągała Rosę, pragnącą zrozumieć choćby najmniejszą jej cząstkę. Litvinoff rzadko jednak mówił o przeszłości i o tym, co utracił. Ani słowem nie wspomniał o tym, nad czym zaczął pracować wieczorami przy starym stole kreślarskim w wynajmowanym pokoju; o książce, która miała się stać jego arcydziełem. Powiedział tylko, że uczy na pół etatu w szkole żydowskiej. Rosa z trudem wyobrażała sobie siedzącego przed nią mężczyznę – w swoim kruczoczarnym płaszczu, poważnego jak postać ze starej fotografii – w otoczeniu chichoczących, rozbrykanych dzieci. *Dopiero dwa miesiące później,* pisała dalej Rosa, *w czasie pierwszych chwil smutku, które niezauważone wpływają przez otwarte okno, zakłó-*

cając urzekającą atmosferę towarzyszącą początkom miłości, Litvinoff przeczytał mi pierwsze strony Historii.
Były napisane w jidysz. Później, z pomocą Rosy, Litvinoff przetłumaczył je na hiszpański. Oryginał, napisany odręcznie w jidysz, uległ zniszczeniu, gdy woda zalała ich dom. Oboje z Rosą byli wtedy w górach. Pozostała z niego tylko jedna strona, którą Rosa znalazła na powierzchni wody sięgającej do wysokości ponad pół metra w gabinecie Litvinoffa. *Na podłodze pod wodą zauważyłam złotą skuwkę od pióra, które zawsze nosił w kieszeni,* pisała Rosa, *i musiałam włożyć rękę pod wodę aż po ramię, by ją wyciągnąć.* Atrament rozmył się i w kilku miejscach słowa były zupełnie nieczytelne. Ale imię, jakie nadał jej w książce, imię, które nosiła każda kobieta w *Historii miłości*, nadal widniało wypisane pochyłym pismem Litvinoffa na dole strony.

Rosa Litvinoff nie była pisarką, jak mąż, a jednak z jej wstępu przebija wrodzona inteligencja, a tekst pełen jest niemal intuicyjnie zastosowanych pauz, niedomówień i wyrzutni, które tworzą swoisty półmrok, dający pole wyobraźni czytelników. Rosa opisuje otwarte okno i drżący od emocji głos Litvinoffa, który czyta jej książkę od początku. Nie wspomina jednak nic o samym pokoju – pozostaje nam więc tylko przyjąć, że działo się to w wynajętym pokoju ze starym stołem kreślarskim należącym niegdyś do syna gospodyni, w którego rogu ktoś wyciął pierwsze słowa najważniejszej żydowskiej modlitwy: *Szma Israel odonaj elohejnu odonaj**. Za każdym razem więc, gdy Litvinoff siadał, by pisać, świadomie bądź nieświadomie odmawiał modlitwę. Rosa nie wspomina o wąskim łóżku, w którym sypiał, ani o skarpetkach,

---

* Hebr. – Słuchaj, Izraelu, Pan jest naszym Bogiem.

które wyprał i wykręcił poprzedniego wieczoru i które wisiały niczym dwa wycieńczone zwierzęta na oparciu krzesła. Nie wspomina też o jedynej oprawionej w ramkę fotografii, zawieszonej pod kątem na obłażącej z tapety ścianie (nie mogła się oprzeć, by na nią nie spojrzeć, gdy Litvinoff przeprosił ją i wyszedł do łazienki), która przedstawia chłopca i dziewczynkę trzymających się za ręce, z gołymi kolanami, stojących sztywno w pokoju, podczas gdy za oknem widocznym w rogu zdjęcia powoli zapada zmierzch. I choć Rosa opisuje, jak wyszła za mąż za swojego czarnego kruka, jak umarł jej ojciec, jak sprzedali wielki dom jej dzieciństwa w słodko pachnącym ogrodzie i dzięki temu mogli kupić mały biały bungalow na klifie wznoszącym się nad wodą na przedmieściach Valparaiso, a Litvinoff mógł na pewien czas zrezygnować z pracy w szkole i poświęcać całe popołudnia i wieczory na pisanie, nie wspomina ani słowem o jego uporczywym kaszlu, który często zmuszał go, by wyszedł w środku nocy na taras, gdzie stał, spoglądając na czarną wodę. Nie pisze nic o jego milczeniu, drżących od czasu do czasu rękach ani też o tym, jak starzał się na jej oczach, jak gdyby czas biegł dla niego szybciej niż dla otaczającego go świata i ludzi.

Co do samego Litvinoffa wiemy o nim tylko to, co napisał w swojej jedynej książce. Nie prowadził dziennika, a nieliczne listy, które napisał, zaginęły lub zostały zniszczone. Poza kilkoma wykazami zakupów, osobistymi notatkami i jedyną stroną rękopisu w jidysz, którą Rosa zdołała ocalić, pozostała po nim tylko pocztówka z 1964 roku adresowana do siostrzeńca w Londynie. W tym czasie *Historia* ukazała się już w skromnym nakładzie dwóch tysięcy egzemplarzy, a Litvinoff znów uczył, tym razem – dzięki pewnemu uznaniu, jakie przyniosła mu opublikowana książka – prowadził kurs literatury na uniwersytecie. Pocztówkę można obejrzeć w gablotce wyłożonej wyblakłym niebieskim aksamitem w zakurzonym muzeum historii miasta, niemal zawsze zamkniętym, gdy ktoś pragnie je zwiedzić. Na kartce widnieje kilka prostych zdań:

Drogi Borysie!

Bardzo się cieszę, że zdałeś egzaminy. Twoja matka, niech jej pamięć będzie błogosławiona, byłaby z Ciebie bardzo dumna. Prawdziwy doktor! Będziesz teraz jeszcze bardziej zajęty niż dawniej, ale gdybyś chciał nas odwiedzić, czeka na Ciebie pokój. Możesz zostać, jak długo zechcesz. Rosa jest świetną kucharką. Mógłbyś siedzieć nad morzem i miałbyś prawdziwe wakacje. A jak się mają sprawy z dziewczynami? Tylko pytam. Na to nigdy nie powinieneś być zbyt zajęty. Przesyłam serdeczności i gratulacje.

Zvi

Reprodukcja zdjęcia z pocztówki, pokolorowanego ręcznie nadmorskiego widoku, wisi na ścianie nad gablotką razem z informacją: *Zvi Litvinoff, autor* Historii miłości, *urodził się w Polsce i mieszkał w Valparaiso przez 37 lat aż do śmierci w 1978 roku. Pocztówkę napisał do syna swojej najstarszej siostry, Borysa Perlsteina.* Napis w lewym dolnym rogu, wydrukowany mniejszymi literami, głosi: *Dar Rosy Litvinoff.* Nie napisano tam, że jego siostrze Miriam hitlerowski oficer w warszawskim getcie strzelił prosto w głowę i że poza Borysem, który uciekł z *kindertransportu* i pozostałe lata wojny oraz resztę dzieciństwa przeżył w ochronce w Surrey, oraz jego dziećmi, które czasami przerażał strach i rozpacz towarzyszące miłości ich ojca, Litvinoff nie miał żadnych innych żyjących krewnych. Nie napisano tam też, że pocztówka nie została nigdy wysłana, lecz każdy dociekliwy obserwator zauważy, że brak na niej stempla pocztowego.

Nieznane fakty z życia Zvi Livinoffa zdają się nie mieć końca. Nie wiadomo na przykład, że podczas swojej pierwszej i ostatniej wizyty w Nowym Jorku jesienią 1954 roku – Rosa nalegała, by tam pojechali i pokazali jego rękopis kilku wydawcom – udał, że zgubił się w zatłoczonym domu towarowym, wyszedł na zewnątrz, przeszedł na drugą stronę ulicy i stał, mrugając oczami, w zalanym słońcem Central Parku. Że kiedy Rosa szukała go pośród stoisk z rajstopami i skórzanymi rękawiczkami, on szedł aleją obsadzoną wiązami. Że kiedy Rosa znalazła kierownika i w głośnikach rozległ się komunikat – *Pan Z. Litvinoff, wzywamy pana Z. Litvinoffa. Żona czeka na pana w dziale obuwia damskiego* – dotarł do stawu i obserwował łódź z młodą parą płynącą w stronę trzcin, za którymi stał. Dziewczyna, sądząc, że nikt jej nie widzi, rozpięła bluzkę, obnażając białe piersi. Że widok tych piersi napełnił Litvinoffa żalem – wrócił śpiesznie do domu towarowego, gdzie znalazł Rosę – z zarumienioną twarzą i wilgotnymi włosami na karku – rozmawiającą z dwoma policjantami. Że kiedy objęła go ramionami, powiedziała, że przeraził ją na śmierć, i pytała, gdzie był, wyjaśnił, że poszedł do łazienki i zatrzasnął się w kabinie. Że później, w barze hotelowym, spotkali się z jedynym wydawcą, który zechciał się z nimi umówić, nerwowym człowieczkiem z poplamionymi nikotyną palcami, który powiedział im, że choć książka bardzo mu się podoba, nie może jej wydać, ponieważ nikt jej nie kupi.

W dowód uznania wręczył im w prezencie książkę, która właśnie ukazała się nakładem jego wydawnictwa. Po godzinie przeprosił ich, tłumacząc, że jest umówiony na kolację, i szybko się pożegnał, zostawiając Litvinoffowi rachunek do zapłacenia.

Tamtej nocy, kiedy Rosa zasnęła, Litvinoff zamknął się w łazience, tym razem naprawdę. Robił to niemal każdej nocy, gdyż myśl, że żona może poczuć przykry zapach, napełniała go wstydem. Kiedy siedział na toalecie, przeczytał pierwszą stronę książki, którą dostali od wydawcy. I zapłakał.

Nie wiadomo, że ulubionym kwiatem Litvinoffa była piwonia. Że jego ulubionym znakiem interpunkcyjnym był pytajnik. Że miewał koszmary i zasypiał, jeśli w ogóle mu się to udawało, tylko po wypiciu szklanki ciepłego mleka. Że często wyobrażał sobie własną śmierć i uważał, że kochająca go kobieta popełnia błąd. Że miał płaskostopie. Że jego ulubioną potrawą były ziemniaki. Że lubił myśleć o sobie jako o filozofie. Że kwestionował wszystko, nawet rzeczy najoczywistsze, do tego stopnia, że kiedy mijający go na ulicy mężczyzna unosił kapelusz i mówił „Dzień dobry", Litvinoff często zamyślał się na tak długo, by ocenić sytuację, że kiedy w końcu zdecydował się odpowiedzieć, pozdrawiająca go osoba odeszła już daleko, pozostawiając go stojącego samotnie na chodniku. Wszystko to odeszło w zapomnienie, podobnie jak odchodzi w zapomnienie wiele szczegółów z życia innych osób, które rodzą się i umierają, a nikt nie zadaje sobie trudu, by te informacje zapisać. Szczerze mówiąc, to, że w ogóle cokolwiek o nim wiadomo, należy zawdzięczać tylko tak bardzo oddanej mu żonie.

Kilka miesięcy po tym, jak książka ukazała się nakładem niewielkiego wydawnictwa w Santiago, Litvinoff dostał przesyłkę. Gdy listonosz zadzwonił do drzwi, pióro Litvinoffa właśnie zawisło nad pustą kartką papieru, a w jego wilgotnych oczach pojawił się błysk zapowiadający zrozumienie istoty pewnego zjawiska. Kiedy jednak zadźwięczał dzwonek, myśl uleciała i Litvinoff, który wrócił do rzeczywistości, przeszedł ociężałym krokiem przez ciemny hol i otworzył drzwi. Na zalanym słońcem progu stał listonosz.

„Dzień dobry", powiedział, podając mu dużą szarą kopertę, a Litvinoff nie musiał zastanawiać się zbyt długo, by dojść do wniosku, że choć jeszcze przed chwilą dzień zapowiadał się wspaniale, lepiej, niż mógłby się spodziewać, nagle wszystko się odwróciło, niczym lot mewy na horyzoncie. Utwierdził się w tym przekonaniu, kiedy otworzył kopertę i znalazł w niej skład tekstu *Historii miłości* razem z krótką informacją od wydawcy: *Załączone materiały nie są nam już potrzebne, odsyłamy je więc panu.* Litvinoff skrzywił się, nie wiedząc, że wydawnictwa mają w zwyczaju odsyłać autorom tekst po korekcie. Zastanowił się, czy wpłynie to na opinię Rosy o książce. Nie chciał, by się o tym dowiedziała, spalił więc liścik razem z tekstem, patrząc na migające w kominku płomienie. Kiedy żona wróciła z zakupów, otworzyła okna na oścież, by wpuścić światło i świeże powietrze, i zapytała, dlaczego rozpalał ogień w tak piękny dzień. Litvinoff wzruszył tylko ramionami i poskarżył się na chłód.

Z dwóch tysięcy egzemplarzy pierwszego nakładu *Historii miłości*, kilka zostało kupionych i przeczytanych, wiele zostało kupionych, lecz nikt ich nie przeczytał, niektóre wręczono w podarunku, część blakła na wystawach, służąc jako lądowiska dla much, w niektórych pojawiły się napisane ołówkiem uwagi, a spora część została wysłana na makulaturę, gdzie przerobiono je na pulpę razem z wieloma innymi niechcianymi i nieczytanymi książkami. Zapisane w nich zdania przegrały beznadziejną walkę z ostrzami bezlitosnej maszyny. Wyglądając przez okno, Litvinoff wyobrażał sobie dwa tysiące egzemplarzy *Historii miłości* jako stado gołębi, które z szumem skrzydeł wracają do niego, by opowiedzieć mu o przelanych łzach, śmiechu, rozdziałach przeczytanych na głos, o okładkach okrutnie zamkniętych po przeczytaniu zaledwie jednej strony, o egzemplarzach nigdy nieotwartych.

Nie mógł tego wiedzieć, ale pośród pierwszego nakładu *Historii miłości* (po śmierci Litvinoffa znów zainteresowano się jego książką i wydano ją ponownie ze wstępem Rosy), przynajmniej jednemu egzemplarzowi przypadło w udziale zmienić życie – i to niejedno. Ta wyjątkowa książka była jednym z ostatnich wydrukowanych egzemplarzy i dłużej niż reszta czekała w magazynie na przedmieściach Santiago, chłonąc wilgoć. Stamtąd wysłano ją w końcu do księgarni w Buenos Aires. Niedbały właściciel nawet nie zwrócił na nią uwagi i przez kilka lat leżała na półce, a jej okładka powoli pokrywała się siateczką pleśni. Książka była cienka i nie udało się jej zdobyć eksponowanego miejsca na półce: z lewej strony zasłaniała ją grubachna biografia mało znanej aktorki, a z prawej sprzedająca się niegdyś rewelacyjnie książka autora, o którym już wszyscy zdążyli zapomnieć. Jej grzbiet trudno więc było dostrzec nawet najbardziej zapalonemu poszukiwaczowi książek. Kiedy księgarnia zmieniła właściciela, książka stała się ofiarą masowych porządków i odwieziono ją do magazynu, wilgotnego, brudnego, pełnego długonogich pająków, gdzie leżała w ciemnościach i wilgoci do czasu, gdy wysłano ją w końcu do niewielkiego antykwariatu mieszczącego się w pobliżu domu pisarza Jorge Luisa Borgesa. W tamtym czasie Borges był już niemal całkiem niewidomy i nie miał powodu, by odwiedzać księgarnię – nie mógł już czytać, a poza tym w całym swoim życiu przeczytał tyle książek, nauczył się na pamięć tak wielu obszernych fragmentów dzieł Cervantesa, Goethego i Szekspira, że teraz już tylko siedział w mroku i rozmyślał. Często ludzie, którzy kochali jego twórczość, sprawdzali jego adres i pukali do drzwi, lecz kiedy wchodzili do środka, znajdowali tam Borgesa czytelnika, który przesuwał palcem po grzbietach książek, aż znalazł tę, którą pragnął usłyszeć, podawał ją gościowi, który nie miał wyboru: musiał zasiąść wygodnie i zacząć czytać. Od czasu do czasu Borges opuszczał Buenos Aires, by podróżować ze swoją przyjaciółką Marią Kodamą, dyktując jej swoje przemyślenia na temat radości płynącej z lotu balonem lub piękna tygrysa. Nie odwiedzał jednak księgarni z używanymi książkami, mimo że kiedy jeszcze widział, przyjaźnił się z jej właścicielką.

A właścicielka nie śpieszyła się z rozpakowywaniem książek, które kupiła bardzo tanio w magazynie. Pewnego ranka, gdy przeglądała zawartość pudeł, odkryła zapleśniały egzemplarz *Historii miłości*. Nigdy nie słyszała o tej książce, lecz tytuł zwrócił jej uwagę. Odłożyła ją więc na bok, a w czasie gdy w sklepie nie było ruchu, przeczytała pierwszy rozdział zatytułowany *Epoka ciszy*:

Pierwszym językiem ludzi były gesty. W tym języku płynącym z ludzkich dłoni nie było nic prymitywnego. Wszystko, co wypowiadamy teraz słowami, można było powiedzieć za pomocą niekończącej się gamy ruchów palców i nadgarstków. Gesty były subtelne i złożone i miały w sobie niezwykłą delikatność ruchu, która potem znikła zupełnie.

W epoce ciszy ludzie porozumiewali się znacznie częściej. Przeżycie zależało od nieustannego ruchu rąk, więc tylko w czasie snu ludzie nie mówili, a czasami mówili nawet we śnie. Gesty języka nie różniły się niczym od gestów życia codziennego. Praca przy budowie domu lub, powiedzmy, przy przygotowywaniu posiłku była jednoznaczna z gestem oznaczającym *Kocham cię* lub *Mam poważne zamiary*. Kiedy ktoś unosił dłoń, by zakryć twarz w obawie przed nagłym hałasem, jednocześnie coś mówił, kiedy palce podnosiły coś, co upuściła inna osoba, także coś wyrażały, a nawet gdy ręce spoczywały spokojnie, też coś komunikowały. Prowadziło to, rzecz jasna, do pewnych nieporozumień. Czasami, gdy ktoś unosił palec, by podrapać się po nosie i w tej chwili dochodziło do kontaktu wzrokowego z ukochaną osobą, ona mogła to zrozumieć jako gest bardzo podobny, oznaczający: *Teraz wiem, że to był błąd kochać cię*. Takie pomyłki mogły złamać niejedno serce. Ale ponieważ ludzie wiedzieli, jak łatwo może do nich dojść, ponieważ nie żyli w iluzji, że rozumieją doskonale wszystko, co mówią inni, byli przyzwyczajeni do przerywania sobie nawzajem, by spytać, czy właściwie wszystko zrozumieli. Czasami te nieporozumienia były nawet pożądane, gdyż dawały ludziom powód, by powiedzieć: *Wybacz, drapałem się tylko po nosie. Wiem doskonale, że miłość do ciebie to najważniejsza rzecz w moim życiu*. Z powodu częstotliwości popełniania błędów gest wyrażający prośbę o wybaczenie przyjął z czasem formę najprostszą z możliwych. Uniesienie otwartych dłoni oznaczało: Wybacz mi.

Nie istnieją prawie żadne zapisy tego pierwszego języka poza jednym. Tym jedynym, na którym opiera się cała wiedza w tej dziedzinie, jest zbiór siedemdziesięciu dziewięciu skamieniałych gestów, odcisków ludzkich rąk zamarłych w pół zdania, przechowywany w niewielkim muzeum w Buenos Aires. Jeden z nich oznacza: *Czasami, kiedy pada*, inny: *Po wszystkich tych latach*, jeszcze inny: *Czy to był błąd kochać cię?* Odnalazł je w Maroku w roku 1903 argentyński doktor Antonio Alberto de Biedma. Wędrując po górach Atlasu Wysokiego, odkrył jaskinię, a w niej siedemdziesiąt dziewięć gestów odciśniętych w łupku. Badał je przez całe lata, nie zbliżając się ani o krok do zrozumienia, aż pewnego dnia, cierpiąc na dyzenterię, która go w końcu zabiła, uświadomił sobie nagle, że potrafi odszyfrować znaczenie delikatnych ruchów pięści i palców uwięzionych w kamieniu. Niebawem trafił do szpitala w Fezie, a kiedy umierał, jego ręce poruszały się jak ptaki w tysiącach gestów, uśpionych przez wszystkie te lata.

Czasem gdy znajdujesz się w dużych skupiskach ludzi, na przyjęciach lub w towarzystwie osób, wobec których odczuwasz obcość, twoje ręce zwisają bezwładnie, czasem nie wiesz, co z nimi zrobić, przepełniony smutkiem, który pojawia się na myśl, że twoje ciało jest ci w zasadzie obce, a dzieje się tak dlatego, że twoje ręce pamiętają czasy, kiedy rozziew między umysłem i ciałem, mózgiem i sercem, tym, co wewnętrzne, i tym, co zewnętrzne, był o wiele mniejszy. Nie zapomnieliśmy całkowicie języka gestów. Jego pozostałością jest zwyczaj poruszania rękami podczas mówienia. Klaskanie w dłonie, wskazywanie palcem, unoszenie kciuków w górę: to wszystko pozostałości starych gestów. Trzymanie się za ręce, na przykład, to sposób na przypomnienie sobie, jak to jest, gdy w towarzystwie drugiej osoby niepotrzebne są żadne słowa. A nocą, kiedy niczego nie widać, czujemy potrzebę dotykania ciała drugiej osoby, by zrozumiała, co chcemy jej powiedzieć.

Właścicielka księgarni przyciszyła radio. Spojrzała na okładkę książki, by dowiedzieć się czegoś o jej autorze. Napisano tam jednak tylko, że Zvi Litvinoff urodził się w Polsce, a w 1941 roku przyjechał do Chile, gdzie mieszka do dziś. Nie było żadnego zdjęcia. Tego dnia w przerwach w obsługiwaniu klientów skończyła książkę. Zanim zamknęła sklep, położyła ją na wystawie z poczuciem smutku, że musi się z nią rozstać.

Następnego ranka na okładkę *Historii miłości* padły pierwsze promienie słońca. Na obwolucie wylądowała pierwsza z wielu much. Zapleśniałe strony zaczęły schnąć w cieple, gdy szaroblękitny perski kot, który niepodzielnie panował w sklepie, przeszedł obok niej, by położyć się w plamie słońca. Kilka godzin później pierwszy z wielu przechodniów, mijając księgarnię, zaszczycił ją przelotnym spojrzeniem.

Właścicielka księgarni nie próbowała wciskać książki klientom na siłę. Wiedziała, że jeśli trafi w niewłaściwe ręce, może pozostać niezauważona albo, co gorsza, nieprzeczytana. Pozwoliła jej więc leżeć, w nadziei że odkryje ją czytelnik, który potrafi ją docenić.

I tak się stało. Pewnego popołudnia wysoki młody mężczyzna zauważył leżącą na wystawie książkę. Wszedł do księgarni, wziął ją do ręki, przeczytał kilka stron i zaniósł do kasy. Kiedy odezwał się do właścicielki, nie potrafiła rozpoznać jego akcentu. Zapytała, skąd pochodzi, zaciekawiona, kim jest osoba, która zabierze ze sobą jej książkę. Z Izraela, powiedział. Wyjaśnił, że niedawno skończył służbę wojskową i od kilku miesięcy podróżuje po Ameryce Południowej. Właścicielka już miała schować książkę do reklamówki, lecz mężczyzna powiedział, że nie jest to potrzebne, i wsunął książkę do plecaka. Dzwonek przy drzwiach dźwięczał, kiedy patrzyła, jak odchodzi, szurając sandałami po rozgrzanej ulicy.

Tamtego wieczoru, leżąc bez koszuli pod wiatrakiem mieszającym leniwie rozgrzane powietrze, młody mężczyzna otworzył książkę i z rozmachem ćwiczonym od lat napisał swoje nazwisko: *David Singer*.

Pełen niepokoju i tęsknoty zaczął czytać.

JEDNA WIELKA RADOŚĆ

Nie wiem, czego się spodziewałem, ale czegoś na pewno. Zawsze, gdy szedłem, by otworzyć skrzynkę na listy, palce mi drżały. Otworzyłem ją w poniedziałek. Nic. We wtorek i w środę. W czwartek też nic nie przyszło. Dwa i pół tygodnia po tym, jak wysłałem moją książkę, zadzwonił telefon. Byłem pewny, że to mój syn. Drzemałem na fotelu, na ramię spłynęła mi strużka śliny. Zerwałem się, by odebrać. *HALO?* Ale. Dzwoniła tylko nauczycielka z zajęć plastycznych. Powiedziała, że poszukuje ludzi do projektu, który rozpoczyna w galerii, i pomyślała o mnie z powodu mojej, cytuję, fascynującej osobowości. Naturalnie bardzo mi to pochlebiło. W innych okolicznościach byłby to wystarczający powód, by zaszaleć i zjeść żeberka. A jednak. *Jaki to projekt?,* zapytałem. Powiedziała, że muszę tylko usiąść nagi na metalowym stołku na środku pokoju, a potem, jeśli będę miał ochotę, a miała nadzieję, że tak, będę musiał się zanurzyć w wannie pełnej koszernej krowiej krwi i przeturlać po ogromnej płachcie białego papieru.

Może i jestem głupi, ale na pewno nie zdesperowany. Pewnych granic nie przekraczam, więc podziękowałem jej pięknie za propozycję, ale powiedziałem, że muszę ją odrzucić, bo mam już inne plany. Będę siedział na swoim kciuku i obracał się zgodnie z ruchem Ziemi wokół Słońca. Była rozczarowana. Ale wydawało mi się, że rozumie. Powiedziała, że jeśli mam ochotę obejrzeć przedstawiające mnie rysunki, to mogę przyjść na wystawę, którą organizują w przyszłym miesiącu. Zapisałem datę i odłożyłem słuchawkę.

Siedziałem w mieszkaniu cały dzień. Zapadał już zmierzch, więc postanowiłem wyjść na spacer. Jestem starym człowiekiem. Ale nadal sporo się ruszam. Minąłem Zafi's Luncheonette, Original Mr. Man Barber i Kossar's Bialys, gdzie czasami w sobotni wieczór wybieram się na gorącego bajgla. Nie zawsze je tam mają. A niby czemu mieliby mieć? Jak bialys, to bialys*. A jednak.

Szedłem dalej. Wstąpiłem do drogerii, gdzie przewróciłem stojak z galaretką intymną KY. Ale. Zrobiłem to jakoś beznamiętnie. Kiedy mijałem Center, zauważyłem wielki plakat z napisem: *DUDU FISHER W NAJBLIŻSZĄ NIEDZIELĘ WIECZÓR, KUP BILETY*. Czemu nie?, pomyślałem. Mnie to nie bawi, ale Bruno uwielbia Dudu Fishera**. Wszedłem i kupiłem dwa bilety.

Nie zmierzałem w żadnym określonym celu. Zaczęło się ściemniać, ale postanowiłem wytrwać. Kiedy dostrzegłem bar Starbucks, wszedłem i kupiłem kawę, ponieważ miałem na nią

* Podobne do bajgli pszenne bułki nazwane tak na cześć Białegostoku.
** Śpiewak izraelski o niezwykłym głosie.

ochotę, a nie dlatego, by ktoś mnie zauważył. W moim wydaniu przypomina to zwykle wielkie przedstawienie: *Poproszę Grande Vente, mam na myśli Tall Grande, albo raczej Chai Super Vente Grande, a właściwie chyba wolę Short Frappe*, i potem jeszcze małe zamieszanie przy ladzie z mlekiem. Tym razem nie. Nalałem mleko jak normalna osoba, obywatel świata i usiadłem w miękkim fotelu naprzeciwko mężczyzny czytającego gazetę. Objąłem dłońmi kubek. Poczułem miłe ciepło. Przy sąsiednim stoliku siedziała dziewczyna z niebieskimi włosami. Pochylona nad notesem, gryzła końcówkę długopisu. Przy stoliku obok siedział mały chłopczyk w stroju piłkarskim z matką, która mówiła: *Liczba mnoga od słowa elf to elves*. Ogarnęła mnie wielka fala szczęścia. Aż kręciło mi się w głowie od świadomości, że jestem częścią tego wszystkiego. Piję kawę jak normalna osoba. Miałem ochotę krzyknąć: *Liczba mnoga od słowa elf to elves! Co za język! Co za świat!*

Przy toalecie był automat telefoniczny. Poszukałem w kieszeni ćwierćdolarówki i wykręciłem numer Brunona. Telefon dzwonił dziewięć razy. Dziewczyna z niebieskimi włosami minęła mnie w drodze do łazienki. Uśmiechnąłem się do niej. Niesamowite! Odpowiedziała mi uśmiechem. Po dziesiątym dzwonku Bruno podniósł słuchawkę.

Bruno?

Tak?

Czyż nie wspaniale jest żyć?

Nie, dziękuję. Nie chcę nic kupować.

Nie chcę ci niczego sprzedać! To ja, Leo. Posłuchaj. Siedziałem sobie w Starbucks, popijając kawę i nagle mnie to uderzyło.

Co cię uderzyło?

Och, posłuchaj. Uderzyło mnie, że cudownie jest żyć. Żyć! I chciałem ci zaraz o tym powiedzieć. Rozumiesz, co do ciebie mówię? Mówię, że życie to piękna rzecz. Piękna rzecz i jedna wielka radość.
Zapadła cisza. *Oczywiście. Co tylko chcesz, Leo. Życie to piękna rzecz. I jedna wielka radość,* powiedziałem. *Zgoda,* odparł Bruno. *I radość.* Czekałem. *Wielka.*
Już miałem odłożyć słuchawkę, gdy Bruno powiedział: *Leo? Tak? Czy masz na myśli ludzkie życie?* Piłem kawę przez pół godziny, rozkoszując się każdym łykiem. Dziewczyna zamknęła notes i zaczęła się zbierać. Mężczyzna powoli kończył czytać gazetę. Przeczytałem nagłówki. Byłem niewielką częścią czegoś o wiele większego ode mnie. Tak, *ludzkie życie.* Ludzkie! Życie! Potem mężczyzna odwrócił stronę i zamarłem. To było zdjęcie Izaaka. Nigdy wcześniej go nie widziałem. Zbieram wszystkie wycinki prasowe na jego temat. Gdyby istniał jego fanklub, na pewno zostałbym prezesem. Od dwudziestu lat prenumeruję magazyn, w którym od czasu do czasu publikuje jakiś artykuł. Myślałem, że znam wszystkie jego zdjęcia. Oglądałem je uważnie tysiące razy. A jednak. To było dla mnie zupełnie nowe. Stał przy oknie. Ze spuszczoną brodą, głową lekko przechyloną na bok. Może był pogrążony w myślach. Ale spoglądał w górę, zupełnie jakby ktoś zawołał go po imieniu tuż przedtem, nim spadła migawka. Chciałem do niego zawołać. To była tylko gazeta, ale chciałem krzyknąć z całych sił. *Izaak! Jestem tutaj! Słyszysz mnie, mój malutki?* Chciałem, żeby na mnie spojrzał, jak spoj-

rzałby na każdego, kto wyrwał go z zamyślenia. Ale. Nie mógł. Bo nagłówek głosił: PISARZ ISAAC MORITZ ZMARŁ W WIEKU 60 LAT.

Isaac Moritz, uznany autor sześciu powieści w tym Remedium, *nagrodzonej National Book Award, zmarł we wtorek wieczór. Przyczyną śmierci była ziarnica. Miał 60 lat.*

Powieści Moritza odznaczają się humorem i współczuciem, i nadzieją, której poszukują nawet w otchłani rozpaczy. Od czasu swego debiutu Moritz miał gorących wielbicieli. Należał do nich Philip Roth, jeden z jurorów konkursu National Book Award, którą Moritz otrzymał w 1972 roku za swoją pierwszą powieść. „Istotą Remedium *jest żywe ludzkie serce, dzikie i pełne błagania", napisał Roth dla prasy w uzasadnieniu nagrody. Inny z wielbicieli Moritza, Leon Wieseltier, w rozmowie telefonicznej przeprowadzonej dziś rano z redakcji „New Republic" w Waszyngtonie określił go jako „jednego z najważniejszych i najbardziej niedocenianych pisarzy końca dwudziestego wieku. Uznanie go za pisarza żydowskiego — dodał — czy jeszcze gorzej, pisarza eksperymentalnego oznaczałoby całkowite niezrozumienie sensu jego głębokiego humanizmu, który nie poddaje się klasyfikacji".*

Isaac Moritz urodził się w 1940 roku w Brooklynie w rodzinie imigrantów. Jako spokojne, nad wiek rozwinięte dziecko zapełniał zeszyty szczegółowymi opisami scen ze swego życia. Jedna z nich — obraz psa katowanego przez młodocianą bandę, który zapisał, mając dwanaście lat — stała się później inspiracją dla najsłynniejszej sceny Remedium, *kiedy to główny bohater, Jacob, wychodzi z mieszkania kobiety, z którą przed chwilą kochał się po raz pierwszy, i stojąc na zimnie w cieniu ulicznej latarni, obser-*

wuje, jak dwóch mężczyzn brutalnie kopie i zabija psa. W tej chwili, przepełniony brutalnością fizycznej egzystencji – tkwiącą w niej „nierozwiązywalną sprzecznością między zwierzęciem obarczonym zdolnością do autorefleksji a istotą moralną obarczoną zwierzęcymi instynktami" – Jacob rozpoczyna lament, jedyny w swoim rodzaju ekstatyczny monolog na pięć stron, który „Time" zaliczył do najbardziej „żarliwych, niepokojących kart" we współczesnej literaturze.

Powieść Remedium *przyniosła Moritzowi nie tylko lawinę uznania i National Book Award, lecz także niezwykłą popularność. W pierwszym roku książka sprzedała się w liczbie dwustu tysięcy egzemplarzy i trafiła na listę bestsellerów „New York Timesa".*

Z niecierpliwością oczekiwano więc jego kolejnej książki, lecz kiedy po pięciu latach na rynku wydawniczym pojawił się zbiór opowiadań Szklane domy, *spotkał się z bardzo mieszanymi ocenami. Niektórzy krytycy widzieli w nim bardzo odważne, pełne inwencji dzieło, inni – jak choćby Morton Levy, który zamieścił zjadliwą krytykę w „Commentary", uznali go za ewidentną porażkę. „Pan Moritz – napisał Levy – którego debiutancka powieść przepełniona była eschatologicznymi rozważaniami, tutaj skoncentrował się na czystej skatologii". Napisane urywanym, często surrealistycznym stylem opowiadania zawarte w* Szklanych domach *dotykają tematów tak różnych jak aniołowie i śmieciarze.*

W swojej trzeciej książce Moritz raz jeszcze zmienił styl i napisał Śpiewaj *językiem pozbawionym wszelkich ozdobników, który recenzent „New York Timesa" określił jako „doskonale odmierzony, jak werbel". Choć w swoich dwóch ostatnich książkach Mo-*

ritz szukał nowych środków wyrazu, poruszane przez niego tematy pozostały niezmienne. Źródłem jego twórczości był głęboki humanizm i niestrudzone zgłębianie relacji człowieka z jego Bogiem. Issac Moritz pozostawił brata, Bernarda.

Siedziałem oszołomiony. Pomyślałem o pięcioletniej buzi mojego syna. I o chwili, gdy stojąc po drugiej stronie ulicy, patrzyłem, jak zawiązuje buty. Wreszcie podszedł do mnie pracownik Starbucks z kolczykiem w brwi. *Zamykamy*, powiedział. Rozejrzałem się dookoła. Mówił prawdę. Wszyscy już sobie poszli. Dziewczyna z pomalowanymi paznokciami zamiatała podłogę. Wstałem. A raczej próbowałem wstać, lecz nogi odmówiły mi posłuszeństwa. Pracownik Starbucks spojrzał na mnie, jakbym był karaluchem grzebiącym się w cieście. Papierowy kubek po kawie, który trzymałem w ręce, zamienił się w kulkę. Podałem mu ją i powoli ruszyłem przed siebie. Nagle przypomniałem sobie o gazecie. Pracownik zdążył już wrzucić ją do kosza na śmieci, który ciągnął po podłodze. Pod jego bacznym spojrzeniem wyjąłem gazetę, mimo że była pobrudzona czekoladą z niezjedzonego ciastka. Ponieważ nie jestem żebrakiem, wręczyłem mu dwa bilety na koncert Dudu Fishera.

Nie mam pojęcia, jakim cudem udało mi się dotrzeć do domu. Bruno musiał słyszeć, jak otwieram drzwi, bo po minucie zszedł na dół i zapukał. Nie otworzyłem. Siedziałem w ciemnościach na fotelu przy oknie. Nie przestawał pukać. Wreszcie usłyszałem, jak wraca na górę. Minęła może godzina i znów usłyszałem jego kroki na schodach. Wsunął pod drzwi kartkę, na której napisał: ŻYCIE JEST PIENKNE. Odsunąłem ją z powrotem na korytarz. On znów wsunął ją pod drzwi. Ja znów wysunąłem. Tam i z powrotem. Patrzyłem na kartkę. ŻYCIE JEST PIENKNE. Pomy-

śłałem, że może rzeczywiście. Może to jest właściwe słowo. Usłyszałem oddech Brunona po drugiej stronie drzwi. Znalazłem ołó-
wek. Napisałem: I JEST JEDNYM WIELKIM ŻARTEM. Wysunąłem
kartkę za drzwi. Na chwilę zapadła cisza, gdy czytał, co napisa-
łem. A potem, zadowolony, wszedł na schody. Możliwe, że zacząłem płakać. Co za różnica.
Zasnąłem tuż przed świtem. Śniło mi się, że stoję na dwor-
cu. Nadjechał pociąg i wysiadł z niego mój ojcic. Miał na sobie
płaszcz z wielbłądziej wełny. Podbiegłem do niego. Nie poznał
mnie. Powiedziałem mu, kim jestem. Pokręcił przecząco głową.
Powiedział: *Miałem tylko córki*. Śniło mi się, że kruszą mi się zęby,
że koce mnie duszą. Śnili mi się moi bracia, wszędzie było pełno
krwi. Chciałbym powiedzieć: Śniło mi się, że starzejemy się razem
z dziewczyną, którą kochałem. Albo że śniły mi się żółte drzwi
i otwarte pole. Chciałbym powiedzieć, że śniło mi się, że umarłem
i wśród moich rzeczy znaleziono moją książkę i już po śmierci stałem się sławny. A jednak.
Wziąłem gazetę i wyciąłem zdjęcie mojego Izaaka. Było
pogniecione, ale je wygładziłem. Wsunąłem je za plastikowe
okienko w portfelu. Otwierałem portfel kilka razy, by spojrzeć na
jego twarz. Potem zauważyłem, że pod zdjęciem była informacja:
Nabożeństwo żałobne odbędzie się... – aby móc doczytać do końca,
musiałem wyjąć zdjęcie i przyłożyć je z powrotem do gazety. *Nabożeństwo żałobne odbędzie się w sobotę, 7 października o godzinie
10.00 w Głównej Synagodze*.
Był piątek. Wiedziałem, że nie powinienem zostawać w domu, więc zmusiłem się do wyjścia. Powietrze, które wypełniało mi
płuca, było zupełnie inne. Świat też nie był już taki sam. Człowiek
zmienia się nieustannie. Staje się psem, ptakiem, kwiatkiem, któ-

ry zawsze pochyla się w lewo. Dopiero teraz, gdy odszedł mój syn, dotarło do mnie, do jakiego stopnia żyłem dla niego. Budziłem się rano tylko dlatego, że on istniał, zamawiałem jedzenie też tylko dlatego. Pisałem moją książkę tylko dlatego, że on istniał i mógł ją przeczytać. Pojechałem autobusem do centrum. Przekonałem samego siebie, że nie mogę iść na pogrzeb własnego syna w tej *szmata**, którą nazywam garniturem. Nie chciałem przynieść mu wstydu. A nawet więcej, chciałem, żeby był ze mnie dumny. Wysiadłem przy Madison Avenue i ruszyłem przed siebie, oglądając wystawy. W ręce trzymałem zimną i wilgotną chusteczkę. Nie wiedziałem, do którego sklepu wejść. Wreszcie wybrałem jeden, który ładnie wyglądał. Dotknąłem palcami materiału, z którego uszyty był garnitur. Podszedł do mnie ogromny szwarcer w lśniącym beżowym garniturze i kowbojkach. Pomyślałem, że zaraz mnie wyrzuci. *Dotykam tylko materiału,* powiedziałem. *Chce pan przymierzyć?,* spytał. Pochlebiło mi to. Spytał, jaki jest mój rozmiar. Nie miałem pojęcia. Ale on wyglądał na człowieka, który to rozumie. Obrzucił mnie uważnym spojrzeniem, zaprowadził do przymierzalni i powiesił garnitur na wieszaku. Zdjąłem ubranie. W przymierzalni były trzy lustra. Zobaczyłem w nich części swojego ciała, których nie oglądałem od lat. Pomimo smutku, który mnie przepełniał, przez chwilę uważnie im się przyglądałem. A potem włożyłem garnitur. Spodnie były sztywne i wąskie, a marynarka praktycznie sięgała mi do kolan. Wyglądałem jak klaun. Szwarcer z uśmiechem na twarzy odsunął kotarę. Wygładził garnitur, zapiął guziki i okręcił mnie dookoła. Obaj spojrzeliśmy w lustro.

---

* Jid. – łach, gałgan.

Leży jak ulał, oświadczył. *Jeśli pan zechce*, powiedział, zbierając w palce materiał na plecach, *możemy tu odrobinę zwęzić. Ale to właściwie zbędne. Wygląda, jakby był uszyty na miarę.* Pomyślałem: Co ja mogę powiedzieć o modzie? Zapytałem go o cenę. Sięgnął do spodni i pogmerał w okolicy moich *tuches**. *Akurat ten model... tysiąc*, oznajmił. Spojrzałem na niego. *Tysiąc czego?*, zapytałem. Roześmiał się uprzejmie. Staliśmy przed trzema lustrami. Składałem i rozkładałem moją wilgotną chusteczkę. Ostatnim wysiłkiem wyciągnąłem slipy, które wrzynały mi się między pośladki. Powinno być na to jakieś określenie. Jednostrunna harfa.

Wyszedłem na ulicę. Wiedziałem, że garnitur nie ma znaczenia. Ale. Musiałem coś zrobić. Żeby się uspokoić.

Przy Lexington znajduje się mały zakład fotograficzny, w którym można zrobić zdjęcia do paszportu. Lubię tam czasem chodzić. Trzymam je wszystkie w małym albumie. Wszystkie zdjęcia przedstawiają mnie, z wyjątkiem dwóch: na jednym jest mój pięcioletni Izaak, na drugim mój kuzyn, ślusarz. Kuzyn był też fotografem amatorem i pewnego dnia pokazał mi, jak zrobić aparat fotograficzny z obiektywem otworkowym. Było to wiosną 1947 roku. Siedziałem na tyłach jego maleńkiego warsztatu, patrząc, jak wsuwa do aparatu papier fotograficzny. Kazał mi usiąść i zaświecił mi lampą prosto w twarz. Potem zdjął przysłonę. Siedziałem nieruchomo, bałem się nawet oddychać. Kiedy skończył, przeszliśmy do ciemni i włożyliśmy papier do kuwety. Czekaliśmy. Nic. Tam, gdzie powinna się pojawić moja twarz, widać było jedynie zamazaną szarą plamę. Kuzyn powiedział stanowczo, że musimy zrobić jeszcze jedno zdjęcie. Zrobiliśmy więc i znowu nic. Próbował je

---

* Jid. – pośladki, tyłek.

zrobić trzy razy i trzy razy nic nie wyszło. Kuzyn nie mógł tego zrozumieć. Złorzeczył człowiekowi, który sprzedał mu papier, przekonany, że wcisnął mu niepełnowartościowy towar. Ale ja wiedziałem, że to nieprawda. Wiedziałem, że tak jak inni tracą nogę lub rękę, ja straciłem to, co sprawia, że człowiek jest niezatarty. Kazałem kuzynowi usiąść na krześle. Początkowo się opierał, ale w końcu uległ. Zrobiłem mu zdjęcie i potem patrzyliśmy, jak na papierze pojawia się jego twarz. Wybuchnął śmiechem. Ja też się roześmiałem. To ja zrobiłem to zdjęcie i jeśli dowodziło ono jego istnienia, dowodziło także mojego. Kuzyn pozwolił mi je zatrzymać. Kiedy wyjmowałem je z portfela i patrzyłem na twarz kuzyna, wiedziałem, że tak naprawdę patrzę na siebie. Kupiłem album i umieściłem je na drugiej stronie. Na pierwszej znalazło się zdjęcie mojego syna. Kilka tygodni później mijałem drogerię, w której znajdował się automat do robienia zdjęć. Wszedłem do kabiny. Od tamtej pory, kiedy tylko miałem parę groszy na zbyciu, wchodziłem do kabiny. Początkowo wszystko wyglądało tak samo. Ale. Próbowałem nadal. Pewnego dnia, w chwili gdy migawka trzasnęła, poruszyłem się. Na zdjęciu pojawił się cień. Następnym razem dostrzegłem zarys mojej twarzy, a kilka tygodni później całą twarz. To było zaprzeczenie znikania.

Kiedy otwierałem drzwi zakładu fotograficznego, zabrzęczał dzwonek. Dziesięć minut później stałem na chodniku, ściskając w dłoni swoje cztery identyczne zdjęcia. Spojrzałem na nie. Można o mnie powiedzieć wiele rzeczy. Ale. Na pewno nie to, że jestem przystojny. Wsunąłem jedno zdjęcie do portfela obok fotografii Izaaka wyciętej z gazety. Pozostałe wyrzuciłem do kosza.

Podniosłem wzrok. Po drugiej stronie ulicy zauważyłem dom towarowy Bloomingdale's. Byłem tam raz czy dwa, by dać się popsikać jednej z pań sprzedających perfumy. Cóż mogę powiedzieć, to wolny kraj. Jeździłem schodami w górę i w dół, aż w końcu znalazłem dział z garniturami na niższym piętrze. Tym razem najpierw patrzyłem na ceny. Na wieszaku wisiał granatowy garnitur przeceniony na dwieście dolarów. Wyglądało na to, że jest w moim rozmiarze. Wziąłem go do przymierzalni i włożyłem. Spodnie były za długie, ale tego można się było spodziewać. Podobnie rzecz się miała z rękawami. Wyszedłem z kabiny. Skinął na mnie krawiec z miarką przewieszoną na szyi. Zrobiłem kilka kroków i przypomniałem sobie, jak mama wysłała mnie do krawca, żebym odebrał nowe koszule dla ojca. Miałem dziewięć, może dziesięć lat. W mrocznym wnętrzu w rogu stały manekiny, jakby czekały na pociąg. Krawiec Grodzieński siedział pochylony nad maszyną, zawzięcie pedałując. Patrzyłem na niego zafascynowany. Każdego dnia, pod jego palcami, przy niemej obecności manekinów, ze zwojów materiału wychodziły kołnierzyki, mankiety, kieszenie. *Chcesz spróbować?*, spytał. Usiadłem na jego miejscu. Pokazał mi, jak pobudzić maszynę do życia. Patrzyłem, jak igła skacze w górę i w dół, zostawiając za sobą magiczny ślad niebieskich szwów. Kiedy tak pedałowałem, Grodzieński przyniósł mi koszule ojca zapakowane w szary papier. Skinął na mnie zza lady. Wyjął jeszcze jedną paczkę zapakowaną w taki sam papier. Ostrożnie wyjął z niej magazyn. Sprzed kilku lat. Ale. W idealnym stanie. Rozłożył go delikatnie koniuszkami palców. W środku były czarno-srebrne zdjęcia kobiet o miękkiej białej skórze, jakby podświetlonej od środka. Miały na sobie suknie, jakich jeszcze nigdy nie widziałem: wyszywane perłami, piórami, z frędzlami; suknie, które odsłaniały nogi, ramiona, podkreślały krągłe piersi. Z ust Grodzieńskiego spłynęło tylko jedno słowo: *Paryż*. W milczeniu odwracał strony, a ja oglądałem zdjęcia. Nasze oddechy osiadały na lśniących zdjęciach. Może Grodzieński chciał mi z dumą pokazać, dlaczego podśpiewuje cicho przy pracy. W końcu zamknął magazyn i wsunął go z powrotem w papier. Wrócił do pracy. Gdyby wtedy ktoś mi powiedział, że Ewa zjadła jabłko, by mogli zaistnieć Grodzieńscy całego świata, na pewno bym mu uwierzył.

Ubogi krewny Grodzieńskiego uwijał się wokół mnie z kredą i szpilkami. Zapytałem, czy może poprawić garnitur na poczekaniu. Spojrzał na mnie, jakbym miał dwie głowy. *Czeka tu na mnie setka garniturów, a pan chce, żebym się z miejsca zajął pana ubraniem?* Pokręcił głową. *Minimum dwa tygodnie.*

To na pogrzeb, powiedziałem. *Mojego syna.* Próbowałem się uspokoić. Sięgnąłem po chusteczkę. Ale przecież została w kieszeni spodni leżących na podłodze w przymierzalni. Pobiegłem do kabiny. Wiedziałem, że zrobiłem z siebie głupka. Mężczyzna powinien sobie kupować garnitur na życie, a nie na śmierć. Czyż nie to mówił mi duch Grodzieńskiego? Nie mogłem ani przynieść Izaakowi wstydu, ani wprawić go w dumę. Bo on nie istniał.

A jednak.

Tego wieczoru wróciłem do domu, niosąc w plastikowej torbie poprawiony garnitur. Usiadłem w kuchni i nożyczkami rozciąłem kołnierz w jednym miejscu*. Miałem ochotę pociąć cały garnitur na strzępy. Ale się powstrzymałem. Cadyk Fiszl, który może i był idiotą, powiedział kiedyś: *Jedno rozcięcie trudniej znieść niż sto.*

Wykąpałem się. Nie umyłem jak zawsze gąbką, lecz wszedłem do wanny. Ślad wokół jej ścianek jeszcze bardziej pociemniał.

---

* Wedle tradycji żydowskiej krewni zmarłego na znak żałoby rozdzierają lub rozcinają ubrania.

Włożyłem nowy garnitur i zdjąłem z półki butelkę wódki. Wypiłem łyk, po czym wytarłem usta wierzchem dłoni, powtarzając gest, który setki razy wykonywał mój ojciec, a wcześniej jego ojciec i ojciec jego ojca. Gdy ostry smak alkoholu zastąpił ostry smak bólu, przymknąłem oczy. Kiedy opróżniłem butelkę, zacząłem tańczyć. Początkowo bardzo wolno. Potem coraz szybciej. Tupałem z całej siły, wyrzucałem nogi przed siebie, słysząc trzeszczenie w stawach. Tupałem, przykucałem i wyrzucałem nogi w tańcu, który kiedyś tańczył mój ojciec i jego ojciec. Po twarzy płynęły mi łzy, a ja się śmiałem i śpiewałem, tańczyłem i tańczyłem, aż zaczęły mnie boleć stopy, a pod paznokciem błysnęła kropla krwi. Tańczyłem tak jak potrafiłem: jakbym walczył o życie, wpadając na krzesła, wirując wkoło, aż upadłem na podłogę. Podniosłem się i tańczyłem dalej, aż wstał świt i zastał mnie leżącego na podłodze, tak bliskiego śmierci, że mogłem jej splunąć w twarz i szepnąć: *Lechaim**.

Kiedy się obudziłem, usłyszałem gruchanie gołębia stroszącego pióra na parapecie. Jeden rękaw garnituru był rozdarty, czułem pulsowanie w głowie, na policzku zaschła plama krwi. Ale przynajmniej wiem, że nie jestem zrobiony ze szkła.

Pomyślałem: Bruno. Dlaczego nie przyszedł? Mogłem nie słyszeć, kiedy pukał. Niemniej. On na pewno mnie słyszał, chyba że akurat miał na uszach słuchawki od walkmana. A jeśli nawet. Lampa spadła na podłogę i poprzewracałem wszystkie krzesła. Już miałem wejść na górę i zapukać do Brunona, kiedy spojrzałem na zegarek. Było piętnaście po dziesiątej. Lubię myśleć, że świat nie jest na mnie przygotowany, ale może raczej prawda wygląda tak, że to ja nie jestem przygotowany na świat. Zawsze

---

* Jid. – na zdrowie, dosł. – na życie.

przychodzę zbyt późno po życie. Pobiegłem na przystanek. A raczej pokuśtykałem, podciągając nogawki spodni. Wyglądało to jak jakiś niezwykły taniec: podciągam nogawki, robię kilka kroków, podciągam, kilka kroków, i tak dalej. Złapałem autobus jadący do centrum. Utknęliśmy w korku. *Czy on naprawdę nie może jechać szybciej?,* spytałem na głos. Kobieta siedząca obok mnie wstała i przeniosła się na inne miejsce. Może gestykulując zawzięcie, uderzyłem ją w udo, nie wiem. Mężczyzna w pomarańczowej marynarce i spodniach z materiału udającego skórę węża wstał i zaczął śpiewać. Pasażerowie skierowali spojrzenia za okna, aż dotarło do nich, że on wcale nie prosi o pieniądze. Po prostu śpiewa.

Kiedy stanąłem przed synagogą, nabożeństwo już się skończyło, ale był jeszcze tłum ludzi. Mężczyzna w żółtej muszce i białej marynarce, z resztkami włosów przyklejonymi lakierem do czaszki, mówił: *Wiedzieliśmy, oczywiście, ale kiedy to się stało, nikt z nas nie był przygotowany,* na co stojąca obok niego kobieta odparła: *Kto może być przygotowany?* Stałem sam obok wielkiej rośliny w donicy. Miałem wilgotne dłonie, kręciło mi się w głowie. Może popełniłem błąd, przychodząc tutaj.

Chciałem zapytać, gdzie go pochowano, w gazecie nic o tym nie pisano. Nagle poczułem żal na myśl, że wykupiłem już miejsce dla siebie. Gdybym wiedział, mógłbym spocząć obok niego. Jutro. Albo pojutrze. Bałem się, że rzucą mnie na pożarcie psom. Poszedłem zobaczyć kamienny grób pani Freid na cmentarzu Pinelawn i miejsce bardzo mi się spodobało. Pan Simchik oprowadził mnie i dał mi broszurę. Wyobrażałem sobie miejsce pod drzewem, może pod wierzbą płaczącą, może z małą ławeczką. Ale. Kiedy wymienił cenę, zamarłem. Pokazał mi kilka miejsc, które nie były położone zbyt blisko drogi i na których trawa nie była wyschnięta. *Nie macie nic z drzewem?*, spytałem. Simchik pokręcił głową. *A z krzewem?* Poślinił palec i przerzucił kilka kartek. Sapał i dyszał, ale w końcu się poddał. *Możemy mieć coś takiego*, powiedział. *Kosztuje więcej, niż zamierzał pan wydać, ale może pan zapłacić w ratach.* Miejsce było położone daleko, na obrzeżach części żydowskiej. Nie leżało dokładnie pod drzewem, ale drzewo rosło w pobliżu, na tyle blisko, że jesienią mogły na mnie opadać liście. Zacząłem się zastanawiać. Simchik powiedział, żebym się nie spieszył, i wrócił do biura. Stałem w blasku słońca. Potem opadłem na trawę i położyłem się na wznak. Pod płaszczem od deszczu czułem, że ziemia jest twarda i zimna. Patrzyłem na płynące po niebie chmury. Może nawet zasnąłem. Nagle zorientowałem się, że Simchik stoi nade mną. *Nu? Bierze pan?*

Kątem oka dostrzegłem Bernarda, przyrodniego brata mojego syna. Wielki jak dąb, skóra zdjęta z ojca, niech jego pamięć będzie błogosławiona. Tak, nawet jego. Miał na imię Mordechaj. Mówiła do niego Morty. Morty! Nie żyje od trzech lat. Uznałem to za skromne zwycięstwo, że pierwszy wyciągnął nogi. A jednak. Zawsze kiedy pamiętam, zapalam dla niego świecę jorcajtową*. Kto to zrobi, jeśli nie ja?

Matka mojego syna, dziewczyna, w której zakochałem się, mając dziesięć lat, zmarła pięć lat temu. Spodziewam się, że niebawem do niej dołączę, przynajmniej tam. Jutro. Albo pojutrze. Jestem przekonany. Myślałem, że dziwnie będzie żyć na świecie, na którym jej już nie ma. A jednak. Już dawno przyzwyczaiłem się żyć z jej wspomnieniem. Zobaczyłem ją znowu dopiero na końcu. Zakradałem się do jej pokoju w szpitalu i siedziałem z nią

---

* Świeca zapalana w rocznicę śmierci, powinna płonąć 24 godziny. Jid. *jorcajt* – rocznica śmierci.

codziennie. Była tam pielęgniarka, młoda dziewczyna, i powiedziałem jej – nie, nie prawdę. Ale. Historię zbliżoną do prawdy. Pozwalała mi przychodzić po godzinach odwiedzin, kiedy nie groziło mi, że się na kogoś natknę. Była podłączona do aparatury, w nosie miała rurki, jedną nogą była już na tamtym świecie. Kiedy tylko odwracałem wzrok, po części spodziewałem się, że gdy znów na nią spojrzę, już jej nie będzie. Była drobniutka, pomarszczona i głucha jak pień. Powinienem jej powiedzieć tyle rzeczy. A jednak. Opowiadałem jej dowcipy. Zabawiałem się w Jackie Masona*. Czasami wydawało mi się, że widzę na jej twarzy cień uśmiechu. Starałem się nie wpadać w poważny ton. Mówiłem: *Czy uwierzysz, że to miejsce, w którym zgina się ręka, nazywa się łokieć?* Albo: *Przychodzi Mojsze do lekarza. Lekarz mówi,* itd., itd. Wielu rzeczy nie powiedziałem. Na przykład. *Czekałem tak długo.* Albo. *Byłaś szczęśliwa? Z tym* nebisz**, *z tym dupkiem, z tym* szlemiel**, *którego nazywasz mężem?* Prawdę mówiąc, już dawno dałem sobie spokój z czekaniem. Właściwa chwila minęła, drzwi między życiem, które mogliśmy prowadzić, a życiem, które prowadziliśmy, zatrzaśnięto nam przed nosem. A raczej: mnie zatrzaśnięto. W gramatyce mojego życia obowiązuje zasada: kiedy pojawia się liczba mnoga, zmień ją na pojedynczą. Gdybym kiedykolwiek użył królewskiej formy *My*, wybawcie mnie z nieszczęścia szybkim ciosem w głowę.

Dobrze się pan czuje? Jest pan trochę blady.

To mężczyzna, którego widziałem już wcześniej, ten w żółtej muszce. Kiedy stoisz ze spuszczonymi spodniami, na pewno wszy-

---

* Jackie Mason – sławny żydowski komik.
** Jid. – słowa o podobnym znaczeniu (*nebisz* zniekszt.): niedołęga, oferma.

scy zaraz cię opadną; nie wcześniej, gdy jesteś przygotowany na spotkanie. Starając się uspokoić, oparłem się o donicę.

Dobrze, zapewniłem go.

A skąd pan go znał?, spytał, obrzucając mnie uważnym spojrzeniem.

Byliśmy... – wsunąłem kolano między donicę i ścianę, w nadziei, że pomoże mi to utrzymać równowagę *...spokrewnieni. Rodzina! Tak mi przykro, proszę mi wybaczyć. Myślałem, że poznałem całą miszpoche**. Wymawiał *miszpokaj*.

Powinienem był się domyślić. Znów spojrzał na mnie uważnie, przesuwając dłonią po włosach, by się upewnić, że są na miejscu. *Myślałem, że jest pan jednym z jego wielbicieli,* powiedział, machając w stronę rzedniejącego tłumu. *Z którą stroną rodziny jest pan spokrewniony?*

Chwyciłem najgrubszą część rośliny. Próbowałem skoncentrować się na jego muszce, a świat wokół mnie wirował.

Z obiema, powiedziałem.

Z obiema?, powtórzył z niedowierzaniem, patrząc na korzenie rośliny, które walczyły, by utrzymać kontakt z podłożem.

Ja... – zacząłem. Nagle roślina wyskoczyła z donicy. Upadłem do przodu. Jedna moja noga nadal tkwiła między donicą i ścianą, a druga wyleciała nagle w powietrze. W rezultacie krawędź donicy zdzieliła mnie w krocze, a ja, chcąc nie chcąc, rzuciłem garść ziemi prosto w twarz mężczyzny w żółtej muszce.

Przepraszam, powiedziałem, gdy ból, który zaczął się w kroczu, jak prąd elektryczny przeszył moje kiszki. Próbowałem stanąć prosto. Moja matka, niech jej pamięć będzie błogo-

---

* Jid. – rodzina, członek rodziny.

sławiona, powtarzała mi zawsze: *Nie garb się.* Ziemia przykleiła się do nosa mężczyzny. Wyjąłem więc zmiętą chusteczkę i próbowałem zetrzeć ziemię. Mężczyzna gwałtownie odepchnął moją rękę i wyjął własną chusteczkę, świeżo wypraną i wyprasowaną. Strzepnął ją niczym białą flagę. Minęła nieprzyjemna chwila, gdy on próbował wytrzeć twarz, a ja rozcierałem obolałe krocze.

W następnej chwili stanąłem twarzą w twarz z przyrodnim bratem mojego syna. Rękaw mojej marynarki tkwił w zębach pitbula w żółtej muszce. *Zobacz, co wyrwałem,* szczeknął. Bernard uniósł brwi. *Mówi, że jest miszpoche.*

Bernard uśmiechnął się uprzejmie, obrzucając uważnym spojrzeniem najpierw rozcięcie na kołnierzyku, a potem podarty rękaw. *Proszę mi wybaczyć,* powiedział. *Nie pamiętam pana. Czy spotkaliśmy się już kiedyś?*

Pitbul zaczął się ślinić. W fałdzie jego koszuli wciąż tkwiły grudki ziemi. Spojrzałem na znak z napisem WYJŚCIE. Chętnie pobiegłbym ku niemu, gdyby nie ból w kroczu. Poczułem falę mdłości. A jednak. Czasami potrzebujesz błysku geniuszu i – proszę – geniusz się zjawia, i gładzi cię po głowie.

Du reds jidysz*?, spytałem chrapliwie.

Słucham?

Chwyciłem Bernarda za rękaw. Pies trzymał mój, a ja Bernarda. Zbliżyłem swoją twarz do jego twarzy. Miał zaczerwienione oczy. Może i był osiłkiem, ale bez wątpienia dobrym człowiekiem. Nie miałem jednak wyboru.

---

* Jid. – Mówisz po żydowsku?

Podniosłem głos. *DU REDS JIDYSZ?* Czułem w ustach stęchły smak alkoholu. Chwyciłem go za kołnierz. Żyły na jego szyi nabrzmiały, gdy próbował się wyrwać. *FARSZTEJST*?* *Przepraszam.* Bernard pokręcił głową. *Nie rozumiem.*

I dobrze, ciągnąłem dalej w jidysz, *bo ten tutaj tuman,* powiedziałem, wskazując mężczyznę w muszce, *ten kutas uczepił się mojego dupska i nie rozprawiłem się z nim tylko dlatego, że nie potrafię srać na zawołanie. Czy mógłbyś go uprzejmie poprosić, żeby zabrał swoje brudne łapy, bo jeśli tego nie zrobi, cisnę mu w twarz następną roślinę i nie będę sobie zawracał głowy wyrywaniem jej z doniczki.*

Robert? Bernard starał się zrozumieć, co do niego mówię. Wyglądało na to, że pojął, iż chodzi mi o mężczyznę trzymającego mnie zębami za łokieć. *Robert był redaktorem Izaaka. Znał pan Izaaka?*

Pitbul zacisnął zęby. Otworzyłem usta. A jednak.

Przepraszam, powiedział Bernard. *Żałuję, że nie mówię w jidysz. Dziękuję, że pan przyszedł. To wzruszające, że zjawiło się tyle osób. Izaak bardzo by się cieszył.*

Ujął moją dłoń i mocno nią potrząsnął. Odwrócił się, by odejść.

Słonim, powiedziałem. Nie planowałem tego. A jednak.

Bernard odwrócił się.

Słucham?

Powiedziałem to jeszcze raz.

Pochodzę ze Słonima.

Słonima?, powtórzył.

Skinąłem głową.

---

* Jid. – Rozumiesz?

Nagle nabrał wyglądu dziecka, po które matka się spóźniła, i dopiero teraz, kiedy przyszła, pozwala sobie na płacz.

Ona dużo nam o nim opowiadała.

Jaka ona?, dopytywał się pies.

Moja matka. On pochodzi z tego samego miasta co moja matka, powiedział Bernard. *Słyszałem tyle różnych opowieści.*

Chciałem poklepać go po ramieniu, ale odsunął się, by wytrzeć oko, więc ostatecznie poklepałem go po piersi. Nie wiedząc, co jeszcze mogę zrobić, zacisnąłem dłoń.

Rzeka, prawda? W niej kiedyś pływała, powiedział Bernard.

Woda była lodowata. Zdejmowaliśmy ubrania i skakaliśmy z mostu, wrzeszcząc wniebogłosy. Serca nam zamierały. Ciała zamieniały się w kamień. Przez moment czuliśmy, że toniemy. Kiedy wydrapywaliśmy się z powrotem na brzeg, chciwie łapiąc powietrze, mieliśmy ciężkie nogi i obolałe kostki. Twoja matka była chuda, miała drobne, blade piersi. Zasypiałem, susząc się na słońcu, i budziłem się nagle, czując lodowatą wodę na plecach. I słysząc jej perlisty śmiech.

Czy znał pan sklep z butami należący do jej ojca?, spytał Bernard.

Czekałem tam na nią co rano i razem szliśmy do szkoły. Z wyjątkiem tych trzech tygodni, kiedy pokłóciliśmy się i nie rozmawialiśmy ze sobą, zawsze chodziliśmy razem do szkoły. Zimą jej wilgotne włosy zamieniały się w sople lodu.

Mógłbym opowiadać o tym bez końca. Na przykład o polu, na którym lubiła się bawić.

Ja, powiedziałem, poklepując go po dłoni. *O polu.*

Po piętnastu minutach siedziałem na tylnym siedzeniu limuzyny wciśnięty między pitbula i młodą kobietę. Można by pomyśleć, że weszło mi to w nawyk. Jechaliśmy do domu Bernarda na małe spotkanie rodziny i przyjaciół. Wolałbym pojechać do domu mojego syna, by opłakiwać go wśród jego rzeczy, ale musiałem się zadowolić spotkaniem w domu przyrodniego brata. Naprzeciwko mnie w limuzynie siedzieli dwaj mężczyźni. Kiedy jeden z nich skinął głową i uśmiechnął się do mnie, odpowiedziałem mu uśmiechem. *Krewny Izaaka?*, spytał. *Najwyraźniej,* odparł pies, łapiąc pasmo włosów uniesione porywem wiatru z okna, które właśnie opuściła kobieta.

Jechaliśmy prawie godzinę. Dom Bernarda znajdował się gdzieś na Long Island. Piękne drzewa. Jeszcze nigdy nie widziałem takich pięknych drzew. Na podjeździe jakiś dzieciak rozciął nogawki spodni do kolan i biegał tam i z powrotem w słońcu, patrząc, jak powiewają na wietrze. W domu ludzie zgromadzili się wokół zastawionego jedzeniem stołu i rozmawiali o Izaaku. Wiedziałem, że to nie jest miejsce dla mnie. Czułem się jak intruz i oszust. Stałem przy oknie i bardzo chciałem stać się niewidzialny. Nie sądziłem, że to będzie aż tak bolesne. A jednak. Ludzie rozmawiali o moim synu, którego mogłem sobie tylko wyobrażać, jakby był niemal członkiem ich rodziny. To było dla mnie stanowczo za trudne. Wyszedłem więc z pokoju. Snułem się po domu należącym do przyrodniego brata Izaaka. Myślałem: Mój syn chodził po tym dywanie. Wszedłem do gościnnej sypialni. Myślałem: Czasem sypiał w tym łóżku. W tym właśnie łóżku! Jego głowa na poduszkach. Położyłem się. Byłem zmęczony, nie mogłem się powstrzymać. Poduszka ugięła się pod moim policzkiem. Kiedy tak leżałem, pomyślałem, że on też wyglądał przez to okno, patrzył na to drzewo.

Straszny marzyciel z ciebie, mawia Bruno i może ma rację. Może to też tylko mi się wydaje i za chwilę rozlegnie się dzwonek do drzwi, otworzę oczy i zobaczę Brunona, pytającego, czy mam na zbyciu rolkę papieru toaletowego.

Musiałem zasnąć, bo nagle zorientowałem się, że stoi nade mną Bernard. *Przepraszam! Nie wiedziałem, że ktoś tu jest. Źle się pan czuje?* Zerwałem się z łóżka. Jeśli można użyć słowa „zerwać się" w odniesieniu do moich ruchów, to właśnie była ta chwila. I wtedy ją zobaczyłem. Stała na półce tuż za jego ramieniem. W srebrnej ramce. Powiedziałbym, że rzucała się w oczy, choć nigdy nie rozumiałem tego wyrażenia. Jak można rzucać się w oczy?

Bernard odwrócił się.

Ach, to, powiedział, zdejmując fotografię z półki. *Zobaczmy. To moja matka, kiedy była dzieckiem. Moja matka, widzi pan? Znał ją pan w tamtych czasach?*

(„Stańmy pod drzewem", powiedziała. „Dlaczego?". „Bo tam jest ładniej". „Może powinnaś usiąść na krześle, a ja stanąłbym za tobą, jak na zdjęciach przedstawiających męża i żonę". „To głupie". „Dlaczego?". „Bo nie jesteśmy małżeństwem". „Mamy się trzymać za ręce?". „Nie możemy". „Ale czemu?". „Bo ludzie się dowiedzą". „O czym?". „O nas". „I co z tego?". „Lepiej jest trzymać to w tajemnicy". „Dlaczego?". „Żeby nikt nie mógł nam tego odebrać".)

Izaak znalazł ją po śmierci matki w jej rzeczach, powiedział Bernard. *Bardzo ładna fotografia, prawda? Nie wiem, kim jest ten chłopak. Niewiele przywiozła ze sobą. Kilka zdjęć rodziców i sióstr. Nie miała oczywiście pojęcia, że już nigdy ich nie zobaczy, nie wzięła więc ze sobą zbyt wiele rzeczy. Nigdy jednak nie widziałem tej fotografii, dopóki Izaak nie znalazł jej w szufladzie w mieszkaniu matki. Była schowana w kopercie z kilkoma listami w jidysz. Izaak uważał, że to listy od chłopca, w którym była zakochana w Słonimie. Ja jednak wątpię. Nigdy o nikim nie wspominała. Chyba nie wie pan, o czym mówię, prawda?*

(„Gdybym miał aparat – powiedziałem – codziennie robiłbym ci zdjęcie. W ten sposób zapamiętałbym, jak wyglądałaś każdego dnia". „Wyglądam dokładnie tak samo". „Nie, wcale nie. Zmieniasz się ciągle. Codziennie troszeczkę. Gdybym tylko mógł, wszystko bym zapisał". „Skoro jesteś taki mądry, to powiedz, jak się dziś zmieniłam?". „Na przykład jesteś ułamek milimetra wyższa. Twoje włosy są o ułamek milimetra dłuższe. A twoje piersi urosły o ułamek...". „Nieprawda!". „Ależ tak". „NIE UROSŁY". „Urosły". „Co jeszcze, ty świntuchu?". „Jesteś troszeczkę szczęśliwsza i troszeczkę smutniejsza". „Co znaczy, że jedno wyklucza drugie, a ja jestem dokładnie taka sama". „Wcale nie. To, że stałaś się dziś troszkę bardziej szczęśliwa, nie zmienia wcale tego, że stałaś się też odrobinę smutniejsza. Codziennie przybywa ci trochę szczęścia i trochę smutku, co oznacza, że teraz, w tej właśnie chwili, jesteś najszczęśliwsza i najsmutniejsza w życiu". „Skąd wiesz?". „Zastanów się przez chwilę. Czy kiedykolwiek byłaś bardziej szczęśliwa niż teraz, leżąc na trawie?". „Chyba nie. Nie". „A byłaś kiedykolwiek smutniejsza?". „Nie". „Nie każdy tak to odbiera. Niektórzy ludzie, jak na przykład twoja siostra, codziennie są szczęśliwsi. A inni, jak na przykład Bejla Asz, stają się coraz bardziej smutni. A niektórzy ludzie, na przykład ty, doświadczają obu tych uczuć". „A ty?. Czy też jesteś teraz najszczęśliwszy i najsmutniejszy w życiu?". „Oczywiście". „Dlaczego?". „Bo tylko przy tobie jestem najszczęśliwszy i najsmutniejszy w życiu".)

Łzy spadły na ramkę. Na szczęście zdjęcie było pod szkłem.

Bardzo chciałbym tu zostać i powspominać, powiedział Bernard, *ale muszę wracać do gości.* Machnął ręką. *Proszę mi dać znać, jeśli będzie pan czegoś potrzebował.* Skinąłem głową. Zamknął za sobą drzwi, a potem, Boże, dopomóż mi, wziąłem fotografię i wsunąłem ją w spodnie. Zszedłem po schodach i wyszedłem z domu. Zapukałem w szybę jednej ze stojących na podjeździe limuzyn. Kierowca obudził się z drzemki.

Mogę już wracać, powiedziałem.

Ku memu wielkiemu zaskoczeniu wysiadł, otworzył drzwi i pomógł mi wsiąść.

Kiedy wróciłem do domu, pomyślałem, że mnie obrabowano. Meble były poprzewracane, a podłoga zasłana białym proszkiem. Chwyciłem kij bejsbolowy, który trzymam na stojaku do parasoli, i ruszyłem po śladach do kuchni. Wszędzie stały garnki, rondle i brudne miski. Wyglądało na to, że włamywacz postanowił zrobić sobie coś do jedzenia. Stałem na środku z fotografią schowaną w spodniach. Nagle za mną coś głośno stuknęło, odwróciłem się i na ślepo uderzyłem kijem. Ale to był tylko garnek, który zsunął się z blatu i potoczył po podłodze. Na stole, obok mojej maszyny do pisania, stał wielki tort, lekko zapadnięty w środku. Ale jednak stał. Był pokryty żółtym lukrem, a na wierzchu, koślawymi różowymi literami napisano: SPÓJRZ, KTO UPIEKŁ TORT. Po drugiej stronie maszyny leżał krótki liścik: CZEKAŁEM CAŁY DZIEŃ.

Nie mogłem powstrzymać uśmiechu. Odłożyłem kij, poustawiałem meble, które poprzewracałem w nocy, wyjąłem zdjęcie, pochuchałem na szkło, przetarłem je koszulą i ustawiłem na stoliku przy łóżku. Wszedłem na górę do Brunona. Już miałem zapukać, kiedy zauważyłem przyklejoną do drzwi kartkę: NIE PRZESZKADZAĆ. MASZ PREZENT POD PODUSZKĄ.

Już tak dawno nikt nie dał mi żadnego prezentu. Poczułem ogarniającą mnie falę szczęścia. Że mogę się budzić co rano i ogrzać ręce na gorącym kubku herbaty. Że mogę obserwować gołębie w locie. Że pod koniec mojego życia Bruno o mnie nie zapomniał.

Zszedłem po schodach. Aby opóźnić czekającą mnie przyjemność, zatrzymałem się, sprawdzając pocztę. Wróciłem do mieszkania. Bruno zasypał mąką całą podłogę. A może rozwiał ją wiatr, kto wie. W sypialni zauważyłem, że przykucnął i wyrysował w mące anioła. Obszedłem go ostrożnie, nie chcąc zniszczyć tego, co zrobił z tak wielką miłością. Uniosłem poduszkę.

Leżała tam duża szara koperta. Widniało na niej moje nazwisko napisane odręcznie charakterem, którego nie rozpoznałem. Otworzyłem. W środku był plik zadrukowanych kartek. Zacząłem czytać. Słowa były znajome. Przez chwilę nie mogłem ich jednak niczemu przyporządkować. Dopiero po chwili dotarło do mnie, że to są moje słowa.

NAMIOT MOJEGO OJCA

1. MÓJ OJCIEC NIE LUBIŁ PISAĆ LISTÓW

W starej puszce Cadbury, w której znajdują się listy mojej matki, nie ma ani jednej odpowiedzi ojca. Szukałam ich wszędzie, ale nie znalazłam. Nie zostawił mi też listu, który mogłabym przeczytać, gdy dorosnę. Wiem, bo pytałam o to matkę. Powiedziała, że ojciec nie należał do tego typu ludzi. Kiedy zapytałam, do jakiego typu ludzi należał, zamyśliła się na chwilę. Zmarszczyła czoło. Dalej się zastanawiała. A potem powiedziała, że należał do ludzi, którzy lubią rzucać wyzwanie autorytetom. „Nie potrafił też usiedzieć na miejscu", dodała po chwili. Ja nie tak go pamiętam. Pamiętam, jak siedział w fotelu albo leżał w łóżku. Tylko kiedy byłam bardzo mała, myślałam, że bycie „inżynierem" oznacza, że kieruje pociągiem. Wyobrażałam go sobie w lokomotywie koloru węgla, która ciągnie za sobą sznur wagonów. Pewnego dnia ojciec wybuchnął śmiechem i wyprowadził mnie z błędu. Wszystko się wyjaśniło. Był to jeden z takich niezapomnianych momentów z dzieciństwa, kiedy odkrywasz, że świat przez cały czas cię oszukiwał.

2. DAŁ MI PIÓRO, KTÓRYM MOŻNA PISAĆ W STANIE NIEWAŻKOŚCI

„Można nim pisać w stanie nieważkości", powiedział ojciec, gdy oglądałam pióro w aksamitnym pudełku z napisem NASA. Był dzień moich siódmych urodzin. Ojciec leżał w szpitalnym łóżku w czapeczce na głowie, bo nie miał włosów. Na kocu leżał zwinięty w kulkę błyszczący papier. Trzymał mnie za rękę i opowiedział historię, jak mając sześć lat, rzucił kamieniem w głowę chłopca, który dokuczał jego bratu, i potem żadnego z nich nikt już nie zaczepiał. „Musisz się umieć bronić", powiedział. „Ale nie można w nikogo rzucać kamieniami", odparłam. „Wiem – powiedział. – Jesteś mądrzejsza ode mnie. Znajdziesz coś lepszego niż kamienie". Kiedy przyszła pielęgniarka, podeszłam do okna. W ciemnościach lśnił most przy Pięćdziesiątej Dziewiątej ulicy. Liczyłam łodzie płynące po rzece. Kiedy mnie to znudziło, poszłam spojrzeć na starszego mężczyznę, którego łóżko stało po drugiej stronie zasłony. Większość czasu spał, a kiedy nie spał, drżały mu ręce. Pokazałam mu pióro. Powiedziałam, że można nim pisać w stanie nieważkości, ale nie zrozumiał. Próbowałam wytłumaczyć mu to jeszcze raz, ale nadal nie chwytał. Wreszcie powiedziałam: „Będę nim pisać w kosmosie". Skinął głową i zamknął oczy.

3. CZŁOWIEK, KTÓRY NIE POTRAFIŁ UCIEC PRZED SIŁĄ CIĄŻENIA

Potem mój ojciec umarł, a ja schowałam pióro do szuflady. Minęły lata. Po swoich jedenastych urodzinach zaczęłam korespondować z koleżanką z Rosji. Kontakty zostały zaaranżowane przez naszą szkołę żydowską i miejscowy oddział Hadasy*. Początkowo mieliśmy pisać do rosyjskich Żydów, którzy niedawno wyemigrowali do Izraela, lecz kiedy nic z tego nie wyszło, przydzielono nam zwyczajne dzieci żydowskie w Rosji. W święto Sukot wysłaliśmy naszym kolegom etrogi** z naszymi inicjałami. Mnie przydzielono dziewczynkę o imieniu Tatiana. Mieszkała w Sankt Petersburgu, niedaleko Pola Marsowego. Lubiłam udawać, że mieszka w kosmosie. Tatiana nie pisała zbyt dobrze po angielsku i często nie mogłam zrozumieć jej listów. Ale czekałam na nie z wielką niecierpliwością. *Tato jest matematykiem,* napisała. *Mój tato potrafił przetrwać w dziczy,* odpisałam. Na jeden jej list, pisałam dwa. *Masz psa? Ile osób korzysta z waszej łazienki? Czy masz coś, co należało do cara?* Pewnego dnia przyszedł list. Tatiana chciała wiedzieć, czy byłam kiedyś w Sears Roebuck. Na końcu zamieściła PS: *Chłopiec z mojej klasy przeniósł się do Nowego Jorku. Może będziesz chciała do niego napisać, bo nikogo tam nie zna.* To był ostatni list, jaki od niej dostałam.

---

* Kobiecej organizacji syjonistycznej.
** Owoce cytrusowe, którymi Żydzi czczą święto plonów (Sukot).

4. ZBADAŁAM INNE FORMY ŻYCIA

„Gdzie jest Brighton Beach?", spytałam. „W Anglii", odparła matka, szukając czegoś w szafkach kuchennych. „Chodzi mi o tę w Nowym Jorku". „Chyba niedaleko Coney Island". „Jak daleko jest na Coney Island?". „Jakieś pół godziny". „Piechotą czy samochodem?". „Możesz pojechać metrem". „Ile stacji?". „Nie wiem. Dlaczego tak nagle zainteresowała cię Brighton Beach?". „Mam tam przyjaciela. Nazywa się Misha i jest Rosjaninem", powiedziałam z podziwem. „Tylko Rosjaninem?", spytała matka z szafki pod zlewem. „Co znaczy *tylko*?". Wstała i odwróciła się do mnie. „Nic", powiedziała, patrząc na mnie z wyrazem, który czasem pojawia się na jej twarzy, gdy myśli o czymś szczególnie fascynującym. „Ty na przykład jesteś w jednej czwartej Rosjanką, w jednej czwartej Węgierką, w jednej czwartej Polką i w jednej czwartej Niemką". Nic nie odpowiedziałam. Matka otworzyła szufladę, po czym zaraz ją zamknęła. „Możesz też powiedzieć, że jesteś w trzech czwartych Polką, gdyż rodzice *bube*** pochodzili z Polski, a miasto babci należało początkowo do Białorusi, to znaczy Białej Rosji, po czym przyłączono je do Polski". Otworzyła szafkę pełną reklamówek i zaczęła w niej myszkować. Odwróciłam się, chcąc wyjść z kuchni. „Teraz, kiedy się nad tym zastanawiam – powiedziała – wydaje mi się, że równie dobrze możesz powiedzieć, że jesteś w trzech czwartych Polką i w jednej czwartej Czeszką, bo miasto, z którego pochodzi *zejde*****, przed 1918 rokiem znajdowało się na Węgrzech, a potem w Czechosłowacji, choć mieszkający tam Węgrzy nadal uważali się za Węgrów i podczas drugiej

---

* Właśc. bobe, jid. – babcia.
** Jid. – dziadek.

wojny światowej na krótko stali się z powrotem Węgrami. Oczywiście zawsze możesz powiedzieć, że jesteś w połowie Polką, w jednej czwartej Węgierką i w jednej czwartej Angielką, gdyż dziadek Simon przeniósł się z Polski do Londynu, gdy miał dziewięć lat". Wyrwała kartkę z notesu leżącego przy telefonie i zaczęła coś szybko pisać. W minutę zapisała całą kartkę. „Spójrz!", powiedziała, pokazując mi swoje dzieło. „Możesz narysować szesnaście diagramów kołowych, a każdy będzie odpowiadał prawdzie". Spojrzałam na kartkę. Widniało na niej, co następuje:

Rosjanka	Polka		Polka	Polka		Polka	Polka		Rosjanka	Polka
Niemka	Węgierka		Niemka	Węgierka		Polka	Węgierka		Polka	Węgierka

Rosjanka	Polka		Polka	Polka		Polka	Polka		Rosjanka	Polka
Polka	Czeszka		Polka	Czeszka		Niemka	Czeszka		Niemka	Czeszka

Rosjanka	Angielka		Rosjanka	Angielka		Rosjanka	Angielka		Rosjanka	Angielka
Niemka	Czeszka		Polka	Czeszka		Polka	Węgierka		Niemka	Węgierka

Polka	Angielka		Polka	Angielka		Polka	Angielka		Polka	Angielka
Niemka	Czeszka		Niemka	Węgierka		Polka	Węgierka		Polka	Czeszka

„Ale zawsze możesz też powiedzieć, że jesteś w połowie Angielką i w połowie Izraelką, bo...". „JESTEM AMERYKANKĄ!", wrzasnęłam. Matka gwałtownie zamrugała powiekami. „Jak chcesz", powiedziała i włączyła czajnik. Z rogu pokoju, gdzie oglądał zdjęcia w magazynie, Ptak mruknął: „Nie. Jesteś Żydówką".

5. KIEDYŚ TYM PIÓREM PISAŁAM LISTY DO OJCA

Na moją bat micwę pojechaliśmy do Jerozolimy. Mama chciała, żeby uroczystość odbyła się przy Ścianie Płaczu, by mogli wziąć w niej udział *bube* i *zejde*, rodzice mojego ojca. Kiedy *zejde* przyjechał do Palestyny w 1938 roku, powiedział, że już nigdy stamtąd nie wyjedzie, i dotrzymał słowa. Każdy, kto chciał się z nim zobaczyć, musiał przyjechać do ich mieszkania w wysokim budynku w Kirjat Wolfson, którego okna wychodziły na Kneset. Pełno w nim było starych ciemnych mebli i starych ciemnych fotografii, które przywieźli z Europy. Po południu opuszczali metalowe żaluzje, by chronić to wszystko przed palącym słońcem, ponieważ ich rzeczy nie były przystosowane do takiego klimatu.

Matka całymi tygodniami szukała tanich biletów i w końcu znalazła trzy po siedemset dolarów. To i tak była dla nas spora suma, ale matka powiedziała, że warto ją wydać na taki cel. Dzień przed moją bat micwą zabrała nas nad Morze Martwe. *Bube* też pojechała z nami w słomkowym kapeluszu, który zawiązywała pod brodą tasiemką. Kiedy wyłoniła się z przebieralni, wyglądała fascynująco w swoim kostiumie kąpielowym. Jej skóra była pomarszczona i poznaczona błękitnymi żyłkami. Patrzyliśmy, jak jej twarz zaczyna się rumienić w gorących źródłach siarkowych, a nad górną wargą pojawiają się kropelki potu. Wyszła, ociekając wodą. Poszliśmy za nią na brzeg. Ptak stał w błocie, krzyżując nogi. „Jeśli już musisz, to zrób to w wodzie", powiedziała głośno *bube*. Grupka Rosjanek pokrytych warstwą mineralnego błota odwróciła głowy. *Bube* niewiele to obeszło, jeśli w ogóle coś zauważyła. Dryfowaliśmy na plecach, a ona obserwowała nas spod szerokiego ronda kapelusza. Miałam zamknięte oczy, ale nagle poczułam nad sobą jej cień. „Nie masz piersi? Dlaczego?". Poczułam, że się rumienię, i udałam, że nie słyszę jej słów. „Masz chłopaków?", spytała. Ptak podniósł gwałtownie głowę. „Nie", mruknęłam. „Co takiego?". „Nie". „A to czemu?". „Mam dwanaście lat". „I co z tego! Kiedy ja byłam w twoim wieku, miałam trzech albo czterech. Jesteś młoda i ładna, *kejn ejnhore**". Odpłynęłam szybko, by oddalić się na bezpieczną odległość od jej wielkiego, imponującego łona. Jej głos podążył jednak za mną. „Ale to nie będzie trwać wiecznie!". Próbowałam wstać i poślizgnęłam się w błocie. Poszukałam wzrokiem matki. Minęła już najdalej kąpiących się ludzi i płynęła dalej.

Następnego ranka stałam przy Ścianie Płaczu, ciągle pachnąc siarką. Szczeliny między wielkimi głazami były wypełnione maleńkimi zwiniętymi karteczkami. Rabin powiedział, że jeśli chcę, mogę napisać do Boga i wsunąć list w szczelinę. Nie wierzyłam w Boga, więc postanowiłam napisać do ojca: *Kochany Tato! Piszę do Ciebie piórem, które mi dałeś. Wczoraj Ptak zapytał, czy potrafiłeś zrobić manewr Heimlicha i powiedziałam mu, że tak. Powiedziałam*

---

* Jid. – zwyczajowe powiedzenie towarzyszące odczynianiu uroku, bez uroku.

*mu też, że potrafiłeś pilotować poduszkowiec. A tak przy okazji: znalaz-
łam w piwnicy Twój namiot. Chyba mama go nie zauważyła, kiedy wy-
rzucała wszystkie Twoje rzeczy. Pachnie pleśnią, ale nie przecieka. Czasami rozbijam go na podwórku i leżę w środku, myśląc, że Ty też w nim
leżałeś. Piszę ten list, ale wiem, że nie będziesz go mógł przeczytać. Uściski, Alma.* Bube też napisała list. Kiedy próbowałam wsunąć kar-
teczkę w szczelinę, jej list wypadł. Była pogrążona w modlitwie,
więc rozłożyłam kartkę i przeczytałam. Napisała: *Baruch Ha-
szem*, obyśmy razem z moim mężem dożyli jutra i oby moja Alma dora-
stała w zdrowiu i szczęściu. Nie byłoby też chyba nic złego w tym, gdyby urosły jej ładne piersi.*

6. GDYBYM MIAŁA ROSYJSKI AKCENT, WSZYSTKO BYŁOBY INACZEJ

Kiedy wróciłam do Nowego Jorku, czekał na mnie pierwszy list od
Mishy. *Droga Almo,* pisał. *Pozdrawiam Cię! Bardzo mnie ucieszyła
Twoja wiadomość na powitanie!* Miał prawie trzynaście lat, był o pięć
miesięcy starszy ode mnie. Znał angielski lepiej niż Tatiana, bo nauczył się na pamięć tekstów niemal wszystkich piosenek Beatle-
sów. Śpiewał je, akompaniując sobie na akordeonie, który dostał
od dziadka, gdy wprowadził się do nich po śmierci babci. Zdaniem
Mishy dusza babci osiadła w Ogrodzie Letnim w Sankt Petersburgu w postaci stada gęsi. Gęsi siedziały tam przez dwa tygodnie,
gęgając w deszczu, a kiedy odleciały, cała trawa była pokryta ku-
pami. Po kilku tygodniach zjawił się u nich dziadek; ciągnął za sobą zniszczoną walizkę z osiemnastoma tomami *Dziejów Żydów*.

---

* Hebr., dosł. – Niech będzie pochwalone Imię, Bądź Pochwalony.

Wprowadził się do już i tak ciasnego pokoju, który Misha zajmował wspólnie ze swoją starszą siostrą Svetlaną, wyjął akordeon i zaczął tworzyć dzieło swojego życia. Początkowo pisał wariacje na temat rosyjskich piosenek ludowych, w które wplatał żydowskie riffy. Później zajął się bardziej mrocznymi kompozycjami, a wreszcie przestał grać utwory, które rozpoznawali, i kiedy ciągnął długie nuty, płakał. Choć Misha i Svetlana nie byli szczególnie muzykalni, nikt nie musiał im mówić, że dziadek w końcu został kompozytorem, tak jak zawsze pragnął. W uliczce za ich mieszkaniem trzymał stary, poobijany samochód. Misha opowiadał, że prowadził go jak ślepiec, pozostawiając mu pełną swobodę, stale na coś wpadał i tylko lekko skręcał kierownicę koniuszkami palców, gdy robiło się naprawdę groźnie. Kiedy dziadek przyjeżdżał po nich do szkoły, Misha i Svetlana zasłaniali uszy i odwracali wzrok. Kiedy naciskał pedał gazu i silnik zaczynał ryczeć, nie mogli go już dłużej ignorować, biegli do samochodu ze spuszczonymi głowami i wsuwali się na tylne siedzenie. Siedzieli tam, ciasno przytuleni do siebie, podczas gdy dziadek podśpiewywał do taśmy punkowego zespołu ich kuzyna Pussy Ass Mother Fucker. Zawsze jednak myliły mu się słowa. Na przykład zamiast *Got into a fight, smashed his face on the car door*, śpiewał: *You are my knight and you wear shining ar-mor*, a zamiast *You're a louse, but you're so pretty* rozlegało się: *Take it up to the house, in a jitney*. Kiedy Misha i jego siostra wytykali mu błędy, dziadek udawał zdziwienie i podkręcał głośność, by lepiej słyszeć, ale dalej robił to samo. Kiedy umarł, zostawił Svetlanie osiemnaście tomów *Dziejów Żydów*, a Mishy akordeon. Mniej więcej w tym samym czasie kuzynka, która malowała powieki niebieskim cieniem, zaprosiła Mishę do swojego pokoju, puściła mu *Let It Be* i nauczyła go całować.

7. CHŁOPIEC Z AKORDEONEM

Wymieniliśmy z Mishą dwadzieścia jeden listów. Zaczęliśmy korespondować, kiedy miałam dwanaście lat, dwa lata przed nadejściem listu Jacoba Marcusa, w którym poprosił moją matkę o przetłumaczenie *Historii miłości*. Listy Mishy były pełne wykrzykników i pytań w stylu: *Co to znaczy, dać dupie siana?* Ja pytałam go przede wszystkim o życie w Rosji. A potem zaprosił mnie na przyjęcie z okazji swojej bar micwy.

Matka zaplotła mi warkocze, pożyczyła swój czerwony szal i zawiozła mnie do bloku, w którym mieszkał w Brighton Beach. Nacisnęłam dzwonek i czekałam, aż Misha zejdzie. Matka pomachała mi z samochodu. Drżałam z zimna. W drzwiach stanął wysoki chłopiec z czarnym meszkiem nad górną wargą. „Alma?", spytał. Skinęłam głową. „Witaj, moja przyjaciółko!", powiedział. Pomachałam matce i weszłam za nim do środka. W korytarzu pachniało kiszoną kapustą. W mieszkaniu na górze tłum ludzi jadł i wykrzykiwał po rosyjsku. W rogu jadalni przygrywał zespół, a zebrani próbowali tańczyć, choć nie było miejsca. Misha z przejęciem rozmawiał ze wszystkimi i wsuwał koperty do kieszeni, więc większość przyjęcia spędziłam, siedząc w rogu kanapy z talerzykiem pełnym gigantycznych krewetek. Nie jadam krewetek, ale to było jedyne, co potrafiłam rozpoznać. Kiedy ktoś się do mnie zwracał, musiałam tłumaczyć, że nie mówię po rosyjsku. Jakiś starszy mężczyzna zaproponował mi kieliszek wódki. W tej właśnie chwili z kuchni wyszedł Misha z zawieszonym na piersi akordeonem, podłączonym do wzmacniacza. „Mówicie, że to wasze urodziny!", zawołał. Przez tłum gości przeszedł nerwowy szmer. „Moje też!", krzyknął Misha i akordeon ożył. Po chwili popłynęły dźwięki *Sgt. Pepper's Lonely Heart's Club Band*, a zaraz potem *Here Comes the Sun*, a na koniec, po pięciu czy sześciu piosenkach Beatlesi ustąpili miejsca Hava Nagila. Tłum oszalał. Wszyscy zaczęli śpiewać i usiłowali tańczyć. Kiedy muzyka w końcu umilkła, Misha, zarumieniony i spocony, podszedł do mnie. Wziął mnie za rękę i wyszliśmy z mieszkania. Wspięliśmy się na schody i znaleźliśmy się na dachu. W oddali widać było ocean, światła Coney Island, a za nimi zepsutą kolejkę górską. Zaczęłam szczękać zębami. Misha zdjął marynarkę i zarzucił mi ją na ramiona. Była ciepła i pachniała potem.

8.   БЛЯДЬ

Opowiedziałam Mishy o wszystkim. O śmierci ojca, samotności matki i niezachwianej wierze Ptaka w Boga. Powiedziałam mu o trzech tomach *Jak przetrwać w dziczy*, angielskim wydawcy i jego regatach, o Henrym Lavenderze i jego muszlach z Filipin i o weterynarzu Tuccim. Powiedziałam mu o doktorze Eldridge'u i *Życiu, jakiego nie znamy*, a później – dwa lata po tym, jak zaczęliśmy korespondować, siedem lat po śmierci ojca i trzech miliardach dziewięciuset milionach lat po powstaniu życia na ziemi – kiedy z Wenecji przyszedł pierwszy list Jacoba Marcusa, powiedziałam mu o *Historii miłości*. Na ogół pisywaliśmy do siebie albo rozmawialiśmy przez telefon, ale czasami spotykaliśmy się w weekendy. Wolałam jeździć do Brighton Beach, bo pani Shklovsky częstowała nas herbatą z konfiturami wiśniowymi w porcelanowych filiżankach, a pan Shklovsky, który zawsze miał pod pachami ciemne plamy potu, uczył mnie przeklinać po rosyjsku. Czasami wypożyczaliśmy filmy, zwłaszcza szpiegowskie lub thrillery. Do naszych ulubionych należały *Okno na podwórze, Nieznajomi z pociągu* i *Północ, północny zachód*, które oglądaliśmy po dziesięć razy. Kiedy napisałam do Jacoba Marcusa, udając, że jestem moją matką, powiedziałam o tym Mishy i przeczytałam mu ostateczną wersję listu przez telefon. „Co o tym myślisz?, spytałam. „Myślę, że powinnaś dać swojej...". „Zapomnij o tym", rzuciłam szybko.

9. CZŁOWIEK, KTÓRY SZUKAŁ KAMIENIA

Minął tydzień od czasu, gdy wysłałam mój list albo list mojej matki, czy jak tam go chcecie nazwać. Po kolejnym tygodniu zaczęłam się zastanawiać, czy Jacob Marcus nie wyjechał przypadkiem z kraju, może do Kairu albo Tokio. Po kolejnym tygodniu doszłam do wniosku, że prawdopodobnie jakimś cudem udało mu się odkryć prawdę. Minęły cztery dni, a ja przyglądałam się uważnie twarzy matki, szukając oznak gniewu. Był już koniec lipca. Minął jeszcze jeden dzień i pomyślałam, że być może powinnam napisać do Jacoba Marcusa z przeprosinami. Następnego dnia przyszedł od niego list.

Nazwisko mojej matki, Charlotte Singer, widniało na kopercie wypisane wiecznym piórem. Wsuwałam go właśnie za pasek szortów, gdy zadzwonił telefon. „Halo?", rzuciłam zniecierpliwiona. „Czy *Mesjasz* jest w domu?", spytał głos po drugiej stronie. „*Kto?*". „*Mesjasz*", powtórzył dzieciak, a w tle usłyszałam stłumiony śmiech. Wyglądało mi to na Louisa, który mieszkał kilka domów od nas i był przyjacielem Ptaka, dopóki nie spotkał innych przyjaciół, którzy mu bardziej odpowiadali, i przestał z nim rozmawiać. „Zostaw go w spokoju", rzuciłam i odłożyłam słuchawkę, żałując, że nie przyszła mi do głowy żadna lepsza odzywka.

Pobiegłam do parku, przyciskając dłonią list, by go nie zgubić. Dzień był bardzo upalny i już byłam cała spocona. Otworzyłam kopertę przy koszu na śmieci na Long Meadow. Na pierwszej stronie Jacob Marcus zachwycał się przesłanym przez matkę tłumaczeniem. Przebiegłam ją szybko wzrokiem i dotarłam do drugiej, na której moją uwagę zwróciło zdanie: *Nie wspomniałem jeszcze o Pani liście.* Dalej pisał:

Pani zainteresowanie bardzo mi pochlebia. Żałuję, że nie mogę udzielić bardziej interesujących odpowiedzi na Pani pytania. Muszę wyznać, że ostatnio spędzam mnóstwo czasu, siedząc w domu i wyglądając przez okno. Kiedyś bardzo lubiłem podróżować. Ale wyprawa do Wenecji była bardziej męcząca, niż sobie wyobrażałem, i wątpię, bym się jeszcze na coś podobnego zdecydował. Moje życie, z przyczyn ode mnie niezależnych, zostało sprowadzone do bardzo prostych form. Na przykład przede mną na biurku leży kamień. Ciemnoszary kawałek granitu, z białą żyłką biegnącą przez środek. Szukałem go przez cały ranek. Początkowo odrzucałem wiele kamieni. Nie wybrałem się na poszukiwania z żadnymi sprecyzowanymi planami. Pomyślałem, że rozpoznam kamień, gdy już go znajdę. Kiedy go szukałem, zacząłem tworzyć listę specyficznych wymogów. Musiał pasować do dłoni, być gładki, najchętniej szary, itd. Tak wyglądał mój ranek. Kilka ostatnich godzin odpoczywałem.

Nie zawsze jednak tak było. Kiedyś dzień był dla mnie stracony, jeśli nie wykonałem określonej pracy. Nie zauważałem lub nie chciałem zauważać pochylonych pleców ogrodnika, warstwy lodu na jeziorze, długich poważnych wędrówek dziecka sąsiadów, które najwyraźniej nie ma żadnych przyjaciół. Teraz to się zmieniło.

Pytała Pani, czy jestem żonaty. Dawno temu byłem, ale byliśmy na tyle rozsądni lub głupi, by nie mieć dzieci. Poznaliśmy się, gdy oboje byliśmy bardzo młodzi, zanim przekonaliśmy się, czym jest rozczarowanie, a kiedy już poznaliśmy jego smak, odkryliśmy, że nawzajem sobie o nim przypominamy. Chyba może Pani powiedzieć, że ja też noszę w klapie małego rosyjskiego astronautę. Mieszkam teraz sam, ale wcale mi to nie przeszkadza. A może trochę. Jednakże tylko niezwykła kobieta chciałaby dotrzymać mi towarzystwa – teraz, kiedy z trudem schodzę na dół po pocztę. Ale ciągle jeszcze schodzę. Dwa razy w tygodniu przyjaciel przynosi mi zakupy, a sąsiadka zagląda raz dziennie, niby to chcąc sprawdzić, jak się mają truskawki, które zasadziła w moim ogródku. Ja nawet nie lubię truskawek.

W moim opisie brzmi to gorzej, niż w istocie jest. Jeszcze Pani nie znam, a już szukam współczucia.

Pytała Pani, co porabiam. Czytam. Dziś rano skończyłem czytać trzeci raz *Ulicę krokodyli*. Ta książka jest dla mnie niemal boleśnie piękna.

Oglądam też filmy. Brat podarował mi odtwarzacz DVD. Nie uwierzy Pani, ile filmów obejrzałem w zeszłym miesiącu. To właśnie porabiam. Oglądam filmy i czytam. Czasami nawet udaję, że piszę, ale nikogo nie nabiorę. Och, no i jeszcze sprawdzam pocztę.

Dość tego. Bardzo podobała mi się Pani książka. Proszę o więcej.

JM

10. PRZECZYTAŁAM LIST STO RAZY

Za każdym razem czułam, że coraz mniej wiem o Jacobie Marcusie. Napisał, że przez cały ranek szukał kamienia, ale nie wspomniał ani słowem o tym, dlaczego *Historia miłości* jest dla niego tak ważna. Oczywiście nie umknęło mi, że napisał: Jeszcze *pani nie znam*. Jeszcze! Co znaczy, że spodziewa się poznać nas lepiej albo przynajmniej naszą matkę, bo oczywiście nie wiedział nic o Ptaku ani o mnie. (Jeszcze!). Ale dlaczego z takim trudem przychodzi mu sprawdzać pocztę? Dlaczego tylko niezwykła kobieta chciałaby dotrzymać mu towarzystwa? I dlaczego nosi w klapie małego rosyjskiego astronautę?

Postanowiłam sporządzić listę wskazówek. Wróciłam do domu, zamknęłam się w pokoju i wyjęłam trzeci tom *Jak przetrwać w dziczy*. Otworzyłam go na nowej stronie. Będę pisać wszystko szyfrem, na wypadek, gdyby ktoś zechciał grzebać w moich rzeczach. Przypomniałam sobie Saint-Exa. Na samej górze napisałam: *Jak przeżyć, gdy nie otworzy ci się spadochron*, a pod spodem:

1. *Szukać kamienia.*
2. *Mieszkać nad jeziorem.*
3. *Mieć przygarbionego ogrodnika.*
4. *Czytać* Ulicę krokodyli.
5. *Potrzebować niezwykłej kobiety.*
6. *Mieć trudności ze sprawdzaniem poczty.*

To były wszystkie wskazówki, jakie wyczytałam z jego listu, więc zakradłam się do gabinetu matki, gdy była na dole, i wyjęłam z szuflady biurka jego pozostałe listy. Poszukałam w nich dalszych wskazówek. Wtedy przypomniałam sobie, że jego pierwszy list zaczynał się od cytatu ze wstępu mojej matki do książki Nicanora Parry, w którym pisała, że nosił w klapie małego rosyjskiego astronautę, a w kieszeniach listy od kobiety, która porzuciła go dla innego. Kiedy Jacob Marcus napisał, że on też nosi w klapie rosyjskiego astronautę, czy oznaczało to, że i jego żona porzuciła dla innego? Nie byłam pewna, więc nie uznałam tego za wskazówkę. Zamiast tego zapisałam:

7. *Pojechać na wycieczkę do Wenecji.*
8. *Kiedyś ktoś czytał ci do snu* Historię miłości.
9. *Nigdy tego nie zapomniałeś.*

Przejrzałam listę wskazówek. Żadna z nich nie okazała się zbyt pomocna.

11. JAK SIĘ MAM

Doszłam do wniosku, że jeśli naprawdę chcę się dowiedzieć, kim jest Jacob Marcus i dlaczego tak bardzo chce przeczytać tłumaczenie *Historii miłości*, powinnam szukać wskazówek w tej książce.

Zakradłam się do gabinetu matki, by sprawdzić, czy mogę wydrukować to, co już przetłumaczyła. Jedyny problem polegał na tym, że właśnie siedziała przed komputerem. „Cześć", powiedziała. „Cześć", odparłam, starając się, by zabrzmiało to jak najbardziej obojętnie. „Jak się masz?", spytała. „Świetniedziękujęaty?", odpowiedziałam, bo tak mnie nauczyła. A na wypadek, gdyby królowej przyszło do głowy zaprosić mnie na herbatę, nauczyła

mnie też, jak trzymać nóż i widelec, filiżankę w dwóch palcach
i jak wyjąć kawałek jedzenia, który utkwił między zębami, nie
zwracając na siebie uwagi. Kiedy zauważyłam, że żaden z moich
znajomych nie potrafi właściwie posługiwać się nożem i widelcem, zasmuciła się i powiedziała, że stara się tylko być dobrą matką i jeśli ona mnie tego nie nauczy, to kto? Żałuję, że mnie nauczyła, bo czasami na uprzejmości wychodzi się gorzej niż na
nieuprzejmości. Pewnego dnia, na przykład, na korytarzu szkol-
nym minął mnie Greg Feldman i powiedział: „Cześć, Alma, co
jest?". Kiedy odparłam: „Świetniedziękujęaty?", zatrzymał się,
spojrzał na mnie, jakbym przed chwilą przyleciała na spadochro-
nie z Marsa, i powiedział: „Dlaczego nie możesz po prostu powiedzieć: *Nic takiego?*".

12. NIC TAKIEGO

Zapadł zmrok i matka powiedziała, że w domu nie ma nic do jedzenia. Zapytała, czy chcemy zamówić coś tajskiego, indyjskiego,
a może kambodżańskiego. „Dlaczego sami nie możemy ugotować?", spytałam. „Makaron z serem?", zapytała matka. „Pani
Shklovsky robi świetnego kurczaka w pomarańczach", powiedziałam. Matka spojrzała na mnie niepewnie. „Chili?", zaproponowałam. Kiedy była w supermarkecie, poszłam do jej gabinetu i wydrukowałam piętnaście rozdziałów *Historii miłości*, czyli tyle, ile
zdołała do tej pory przetłumaczyć. Zabrałam kartki do siebie
i schowałam w moim traperskim plecaku pod łóżkiem. Po kilku
minutach matka wróciła z pół kilogramem mielonego mięsa z in-
dyka, brokułem, trzema jabłkami, słoikiem pikli i pudełkiem
marcepanu hiszpańskiego.

13. WIECZNE ROZCZAROWANIE ŻYCIEM SAMYM W SOBIE

Po kolacji, na którą złożyły się odgrzane w mikrofalówce kotleciki z namiastki kurczaka, wcześnie położyłam się do łóżka i pod kołdrą, przy świetle latarki przeczytałam tłumaczenie *Historii miłości*. Był tam rozdział o tym, jak ludzie rozmawiali kiedyś za pomocą rąk, rozdział o człowieku, który myślał, że jest zrobiony ze szkła, i rozdział, którego nie czytałam, zatytułowany *Narodziny uczucia*. Zaczynał się stwierdzeniem: *Uczucia nie są tak stare jak czas.*

Tak jak ktoś kiedyś po raz pierwszy potarł o siebie dwa patyki i skrzesał iskrę, tak też ktoś kiedyś po raz pierwszy poczuł radość i po raz pierwszy – smutek. Przez jakiś czas stale wymyślano nowe uczucia. Pożądanie narodziło się dość wcześnie, podobnie jak żal. Kiedy po raz pierwszy ktoś okazał się uparty, rozpoczął tym samym reakcję łańcuchową, tworząc z jednej strony poczucie odrzucenia, a z drugiej wyalienowania i samotności. Być może ruch bioder przeciwny do ruchu wskazówek zegara stał się początkiem ekstazy, a błyskawica przyczyniła się do powstania podziwu. A może podziw zrodził się na widok ciała dziewczyny o imieniu Alma. Wbrew logice poczucie zdziwienia nie pojawiło się od razu, lecz dopiero wtedy, gdy ludzie mieli dość czasu, by przyzwyczaić się do stanu rzeczy. A kiedy minęło już dość czasu i ktoś po raz pierwszy poczuł zdziwienie, ktoś inny, w innym miejscu poczuł pierwsze ukłucie nostalgii.

Co prawda czasami ludzie odczuwali pewne doznania, które przechodziły jednak niezauważone, gdyż nie istniały odpowiednie słowa, by je nazwać. Może więc najstarszą emocją na świecie jest wzruszenie; lecz opisanie go – czy choćby tylko nazwanie – przypominało złapanie czegoś, co jest niewidzialne.

(Równie dobrze najstarszym uczuciem na świecie może też być konsternacja).

Kiedy ludzie zaczęli czuć, ich pragnienie doznawania emocji rosło. Chcieli czuć coraz więcej, mocniej, mimo że czasami sprawiało im to ból. Ludzie stali się uzależnieni od uczuć. Trudzili się, by odkrywać coraz to nowe emocje. Możliwe, że tak właśnie powstała sztuka. Pojawiały się nowe odcienie radości i nowe odcienie smutku: wieczne rozczarowanie życiem samym w sobie; ulga płynąca z niespodziewanego ułaskawienia, strach przed śmiercią.

Nawet teraz nie znamy jeszcze wszystkich możliwych rodzajów uczuć. Nadal najróżniejsze ich odmiany leżą poza granicami możliwości naszego poznania czy wyobraźni. Od czasu do czasu, gdy pojawia się nowy utwór muzyczny, nowy obraz czy jakieś zjawisko niemożliwe do przewidzenia, zgłębienia czy opisania, na świecie pojawia się nowe uczucie. I wtedy po raz milionowy w historii uczucia serce zaczyna bić mocniej i wchłania je w siebie.

Wszystkie rozdziały były mniej więcej podobne do siebie i żaden nie wyjaśnił mi ostatecznie, dlaczego ta książka była tak ważna dla Jacoba Marcusa. Zaczęłam natomiast myśleć o moim ojcu. O tym, ile *Historia miłości* musiała znaczyć dla niego, skoro podarował ją mojej matce zaledwie dwa tygodnie po tym, jak się poznali, choć wiedział, że nie zna jeszcze hiszpańskiego. Dlaczego to zrobił? Bo się w niej zakochał, to jasne.

Potem przyszło mi do głowy coś jeszcze. A może ojciec napisał coś w egzemplarzu *Historii miłości*, który podarował matce? Nigdy nawet nie pomyślałam, żeby to sprawdzić.

Wstałam z łóżka i poszłam na górę. Gabinet matki był pusty, a książka leżała obok komputera. Wzięłam ją do ręki i otworzyłam na stronie tytułowej. Nie rozpoznałam charakteru pisma. *Charlotte, mojej Almie. Taką książkę napisałbym dla Ciebie, gdybym potrafił pisać. Z wyrazami miłości, David.*

Wróciłam do łóżka i długo myślałam o ojcu i słowach, które napisał.

A potem zaczęłam myśleć o niej. O Almie. Kim była? Moja matka mawiała, że była każdą dziewczyną i każdą kobietą, którą ktoś kiedyś kochał. Ale im więcej o tym myślałam, tym bardziej byłam przekonana, że ona musiała być *kimś*. Bo jak Litvinoff mógłby napisać tyle o miłości, gdyby sam nie był zakochany? W jakiejś określonej osobie. A ta osoba musiała mieć na imię...

Pod dziewięcioma wskazówkami, które zanotowałam wcześniej, dopisałam jeszcze jedną:

10. *Alma*

14. NARODZINY UCZUCIA

Pobiegłam do kuchni, ale nie było tam nikogo. Za oknem, na środku naszego porośniętego chwastami ogródka stała matka. Pchnęłam drzwi z siatki. „Alma", powiedziałam, łapiąc oddech.

„Hmmm?", odparła matka. Trzymała w rękach rydel. Nie miałam czasu, by się zastanowić, dlaczego go trzyma, skoro to ojciec, a nie ona, zajmował się ogródkiem. W dodatku o wpół do dziesiątej wieczór. „Jak ona się nazywała?", spytałam. „O kim mówisz?", zdziwiła się matka. „O Almie", wyjaśniłam zniecierpliwiona. „Tej dziewczynie z książki. Jak ona się nazywała?". Matka otarła czoło, pozostawiając na nim smugę ziemi. „A, rzeczywiście, jeśli o niej mowa... w jednym rozdziale pojawia się jej nazwisko. Ale to bardzo dziwne, bo przecież wszystkie inne nazwiska są hiszpańskie, a ona nazywa się...". Matka zmarszczyła brwi. „Jak?" – spytałam podekscytowana. – Jakie to nazwisko?". „Mereminski", odparła matka. „Mereminski", powtórzyłam. Skinęła głową. „M-E-R-E-M-I-N-S-K-I. Mereminski. To polskie nazwisko. To jedna z niewielu wskazówek Litvinoffa co do miejsca jego pochodzenia".

Pobiegłam na górę, wsunęłam się do łóżka, zapaliłam latarkę i otworzyłam trzeci tom *Jak przetrwać w dziczy*. Obok imienia *Alma* dopisałam *Mereminski*.

Następnego dnia zaczęłam jej szukać.

KŁOPOT Z MYŚLENIEM

Z upływem czasu Litvinoff kaszlał coraz bardziej – był to potężny kaszel, który wstrząsał całym jego ciałem, zginał go wpół i zmuszał do wstawania od stołu, przerywania rozmów telefonicznych i odrzucania rzadkich zaproszeń na wykłady – ale nie dlatego, że był chory, lecz dlatego, że istniało coś, co pragnął powiedzieć. Im więcej czasu mijało, tym jego pragnienie stawało się silniejsze, lecz coraz trudniej przychodziło mu je zrealizować. Czasami budził się nocą przerażony. *Rosa!*, krzyczał. Lecz zanim słowa spłynęły z jego ust, czuł jej rękę na swojej piersi i na dźwięk jej głosu: *Co się stało? Co się dzieje, kochany?*, tracił odwagę, przejęty strachem przed konsekwencjami. Zamiast więc powiedzieć to, co chciał, mówił: *To nic. To tylko zły sen*, i czekał, aż zaśnie, by odrzucić kołdrę i wyjść na balkon.

Kiedy Litvinoff był młody, miał przyjaciela. Nie był to najlepszy przyjaciel, ale bardzo dobry. Ostatni raz widział go w dniu, gdy wyjechał z Polski. Przyjaciel stał na rogu ulicy. Już się pożegnali, lecz obaj odwrócili się jeszcze, by popatrzeć, jak odchodzą.

Stali tak przez długi czas. Przyjaciel trzymał czapkę w ręce przyciśniętej do piersi. Uniósł drugą dłoń, zasalutował Litvinoffowi i uśmiechnął się. Potem naciągnął czapkę na oczy, odwrócił się i zniknął w tłumie. Nie było dnia, by Litvinoff nie myślał o tamtej chwili i o tamtym przyjacielu.

Nocą, kiedy nie mógł spać, szedł czasem do swojego gabinetu i wyjmował swój egzemplarz *Historii miłości*. Czytał rozdział czternasty zatytułowany *Epoka sznurka* tyle razy, że książka automatycznie otwierała się w tym miejscu:

Tyle słów ginie. Spływają z ust i tracą odwagę, snując się bez celu, dopóki nie zostaną zmiecione do rynsztoka jak zeschłe liście. W deszczowe dni słychać ich refren: *ByłampięknądziewczynąProszęnieodchodźJateżwierzężemojeciałojestzeszkłaNigdynikogoniekochałamUważamżejestemzabawnaWybaczmi.*

Był taki czas, kiedy powszechnie korzystano ze sznurka, by pomóc słowom, które mogłyby nie dotrzeć do miejsca przeznaczenia. Nieśmiali nosili w kieszeniach kłębek sznurka, lecz osobom wygadanym też się przydawał, bo osoby przyzwyczajone do tego, że wszyscy ich słuchają, często nie wiedziały, jak sprawić, by ktoś je usłyszał. Fizyczna odległość dwóch osób korzystających ze sznurka była często niewielka; czasami im była mniejsza, tym bardziej potrzebny okazywał się sznurek.

Zwyczaj przywiązywania do końców sznurka filiżanek pojawił się dużo później. Niektórzy twierdzą, że wynikł z nieodpartej potrzeby przyciskania do uszu muszli, by usłyszeć echo pierwszego dźwięku ziemi. Inni twierdzili, że dał mu początek mężczyzna, który trzymał koniec sznurka, podczas gdy dziewczyna płynąca do Ameryki rozwijała go przez ocean.

Kiedy świat stawał się coraz większy i nie było już sznurka, który mógłby przytrzymać wypowiedziane słowa, by nie rozpłynęły się w przestrzeni, wynaleziono telefon. Zdarza się, że żaden sznurek nie jest tak długi, by móc wypowiedzieć to, co powinno być powiedziane. Wówczas sznurek może przekazać tylko jakąś postać milczenia.

Litvinoff zakaszlał. Książka, którą trzymał w rękach, była kopią kopii kopii kopii oryginału, dawno już nieistniejącego nigdzie – tylko w jego głowie. Nie był to „oryginał", w znaczeniu idealnej książki, którą wyobraża sobie pisarz, zanim zasiądzie do pracy. Oryginał, który istniał w głowie Litvinoffa, był wspomnieniem rękopisu napisanego w jego ojczystym języku; tego, który trzymał w rękach w dniu, kiedy na zawsze żegnał się ze swoim przyjacielem. Nie wiedzieli, że to na zawsze. Ale gdzieś głęboko w sercu każdy z nich się tego spodziewał.

W tamtych czasach Litvinoff był dziennikarzem. Pracował w dzienniku, gdzie pisał nekrologi. Od czasu do czasu, wieczorem po pracy, szedł do kafejki odwiedzanej przez artystów i filozofów. Ponieważ nie znał tam zbyt wielu osób, zamawiał tylko coś do picia i udając, że czyta gazetę, którą już przeczytał, słuchał toczących się wokół rozmów:

Myśl o istnieniu czasu poza naszym doświadczeniem jest nie do przyjęcia!

Marks, już to widzę.

Powieść jest martwa!

Zanim wyrazimy naszą zgodę, musimy dokładnie zbadać...
Wyzwolenie jest tylko środkiem do zdobycia wolności, a nie jej synonimem!
Malewicz? Moje smarki są bardziej interesujące niż ten dupek.
I na tym, mój przyjacielu, polega problem z myśleniem!

Czasami Litvinoff nie zgadzał się z zasłyszanymi opiniami i w wyobraźni wygłaszał błyskotliwą mowę.

Pewnego wieczoru usłyszał za sobą głos: „Ten artykuł musi być rewelacyjny, czytasz go już od pół godziny". Litvinoff zerwał się, a kiedy podniósł wzrok, zobaczył przed sobą uśmiechniętą twarz przyjaciela z dzieciństwa. Uścisnęli się, obrzucając uważnym spojrzeniem zmiany, jakie w ich wyglądzie poczynił czas. Litvinoff zawsze czuł żywą sympatię do tego przyjaciela, więc bardzo chciał się dowiedzieć, co porabiał przez ostatnie lata. „Pracowałem, jak wszyscy", powiedział przyjaciel, przysuwając sobie krzesło. „A twoje pisanie?", spytał Litvinoff. Przyjaciel wzruszył ramionami. „Nocami jest cicho. Nikt mi nie przeszkadza. Kot gospodarza przychodzi i siada mi na kolanach. Zwykle zasypiam przy biurku i budzę się, gdy kot zeskakuje mi z kolan o pierwszym brzasku". A potem, zupełnie bez powodu, obaj wybuchnęli śmiechem.

Od tamtej pory spotykali się w kafejce co wieczór. Z rosnącym przerażeniem omawiali ruchy armii Hitlera i pogłoski o akcjach wymierzonych przeciwko Żydom, aż ogarnęło ich zbyt wielkie przygnębienie, by mogli o tym mówić. „Może porozmawiamy o czymś weselszym", mówił na koniec przyjaciel i Litvinoff z radością zmieniał temat, pragnąc wypróbować na przyjacielu jedną ze swoich filozoficznych teorii lub też roztoczyć przed nim wizję

planu szybkiego zdobycia gotówki, który wiązał się z damskimi
pończochami i czarnym rynkiem lub też opisać śliczną dziewczynę, która mieszkała po drugiej stronie ulicy. Przyjaciel z kolei pokazywał mu fragmenty książki, nad którą pracował. Niewielkie
fragmenty, poszczególne akapity. Ale Litvinoff był nimi zawsze do
głębi poruszony. Kiedy przeczytał pierwszą stronę, uświadomił
sobie, że od czasu gdy razem chodzili do szkoły, jego przyjaciel
stał się prawdziwym pisarzem.

Kilka miesięcy później, gdy okazało się, że Izaak Babel został zabity przez moskiewską tajną policję, Litvinoff otrzymał zadanie napisania jego nekrologu. Było to bardzo ważne zadanie
i ciężko nad nim pracował, próbując znaleźć właściwy ton dla
opisania tragicznej śmierci wielkiego pisarza. Nie wychodził z redakcji do północy, a kiedy wracał do domu w zimną noc, uśmiechał się do siebie, przekonany, że napisał najlepszy w życiu nekrolog. Często materiał, nad którym pracował, był słaby
i bezbarwny, musiał więc łatać go superlatywami, sloganami i fałszywymi komplementami, by upamiętnić czyjeś życie
i wymóc na czytelnikach poczucie straty. Ale tym razem nie. Tym
razem trzeba było wznieść się na prawdziwe wyżyny, znaleźć
z trudem słowa, by opisać człowieka, który był mistrzem słów
i całe swoje życie poświęcił walce ze sloganami w nadziei, że uda
mu się pokazać światu nowy sposób myślenia i pisania, a nawet
odczuwania. A nagrodą za jego ciężką pracę była salwa plutonu
egzekucyjnego.

Następnego dnia nekrolog ukazał się w gazecie. Redaktor
naczelny poprosił Litvinoffa do swojego gabinetu, by mu pogra-
tulować. Kilku kolegów też nie szczędziło pochwał. Kiedy wieczorem spotkał się w kafejce z przyjacielem, on też wychwalał je-

go dzieło. Litvinoff zamówił dla nich kolejkę wódki. Był bardzo dumny i szczęśliwy.

Kilka tygodni później przyjaciel nie zjawił się jak zwykle w kafejce. Litvinoff czekał półtorej godziny, aż wreszcie poddał się i wrócił do domu. Następnego wieczoru znów czekał, lecz przyjaciel się nie pokazał. Zaniepokojony, wybrał się do domu, w którym przyjaciel wynajmował pokój. Nigdy tam nie był, ale znał adres. Kiedy dotarł na miejsce, zdumiał się na widok odrapanego budynku i zniszczonych ścian na klatce schodowej, na której unosił się zapach pleśni. Zapukał do pierwszych drzwi. Otworzyła kobieta. Litvinoff zapytał o przyjaciela. „Ach tak – powiedziała kobieta. – Ten wielki pisarz". Uniosła kciuk. „Ostatnie piętro po prawej".

Litvinoff pukał przez pięć minut, zanim wreszcie usłyszał ciężkie kroki. Kiedy drzwi się otworzyły, zobaczył w progu bladego i mizernego przyjaciela w piżamie. „Co się stało?", spytał Litvinoff. Przyjaciel wzruszył ramionami i zakaszlał. „Uważaj, bo też to złapiesz", powiedział, wracając do łóżka. Litvinoff stał na środku zagraconego pokoju. Bardzo chciał pomóc, ale nie wiedział jak. „Filiżanka herbaty dobrze by mi zrobiła". Litvinoff szybko przeszedł do kąta, gdzie była prowizoryczna kuchnia, i zaczął się rozglądać za czajnikiem. („Na piecu", zawołał słabym głosem przyjaciel). Czekając, aż woda się zagotuje, otworzył okno, by wpuścić trochę świeżego powietrza, i umył brudne naczynia. Kiedy podał przyjacielowi parującą herbatę, zauważył, że ma dreszcze, zamknął więc okno i zszedł do gospodyni po dodatkowy koc. W końcu przyjaciel zasnął. Nie wiedząc, co robić, Litvinoff usiadł na jedynym krześle w pokoju i czekał. Po kwadransie przed drzwiami zamiauczał kot. Litvinoff wpuścił go do pokoju, lecz kot, widząc, że jego nocny przyjaciel jest niedysponowany, wyszedł.

Przed krzesłem stało drewniane biurko, a na blacie były porozrzucane kartki papieru. Jedna z nich zwróciła uwagę Litvinoffa. Obejrzał się, sprawdzając, czy przyjaciel nadal śpi, i wziął ją do ręki. Na górze widniał napis: ŚMIERĆ IZAAKA BABLA.

Dopiero kiedy oskarżyli go o zbrodnię milczenia, Babel odkrył, że istnieje wiele rodzajów ciszy. Kiedy słuchał muzyki, nie zwracał już uwagi na nuty, lecz na oddzielające je pauzy. Kiedy czytał książkę, koncentrował się wyłącznie na przecinkach i średnikach, na przestrzeni po kropce i przed dużą literą rozpoczynającą kolejne zdanie. Odkrywał w pokoju miejsca, gdzie gromadzi się cisza; fałdy kotar, głębokie srebrne misy z rodowych serwisów. Kiedy ludzie coś do niego mówili, słyszał coraz mniej z tego, co mówili, a coraz więcej z tego, co przemilczali. Nauczył się rozszyfrowywać znaczenie milczenia i ciszy, które jest jak rozwiązywanie trudnej zagadki bez żadnych wskazówek, jedynie przy użyciu intuicji. Nikt nie mógł go oskarżyć, że nie jest płodny w swoim wybranym *métier*. Co dnia tworzył całe epopeje milczenia. Początkowo było to bardzo trudne. Wyobraźcie sobie, jak trudno jest zachować milczenie, gdy dziecko pyta was, czy Bóg istnieje, albo gdy kochana przez was kobieta pyta, czy odwzajemniacie jej miłość. Na początku Babel pragnął korzystać jedynie z dwóch słów: Tak i Nie. Ale wiedział, że wypowiedzenie choćby jednego słowa będzie równoznaczne ze zniszczeniem delikatnej materii ciszy.

Nawet kiedy go aresztowali i spalili wszystkie jego rękopisy, pełne pustych kartek, nie chciał przemówić. Nie jęknął nawet, gdy wymierzyli mu cios w głowę, a ciężki but wylądował na jego podbrzuszu. Dopiero w ostatniej chwili, gdy stał przed plutonem egzekucyjnym, pisarz Babel nagle poczuł, że być może się mylił. Kiedy zobaczył skierowane w swoją pierś karabiny, zastanowił się, czy to, co brał za bogactwo milczenia, nie było tak naprawdę ubóstwem, ponieważ nigdy nie był słyszany. Pomyślał, że możliwości ludzkiego milczenia są nieskończone. Ale kiedy kule wystrzeliły z luf, jego ciało przeszyła prawda. I jakaś jego cząstka roześmiała się gorzko, bo jak mógł zapomnieć o tym, o czym zawsze wiedział: Nic nie może się równać z milczeniem Boga.

Litvinoff upuścił kartkę. Był wściekły. Jak przyjaciel, który mógł przecież pisać o wszystkim, co mu tylko przyszło do głowy, mógł ukraść temat, na który on, Litvinoff, napisał coś, z czego mógł być dumny? Poczuł się ośmieszony i upokorzony. Chciał zwlec przyjaciela z łóżka i domagać się wyjaśnień. Po chwili ochłonął jednak i przeczytał artykuł jeszcze raz. I wtedy dotarła do niego cała prawda. Przyjaciel nie ukradł niczego, co należało do niego. Jakże mógłby to zrobić? Śmierć zmarłego należy tylko do niego, do nikogo innego.

Poczuł ogarniający go smutek. Przez wszystkie te lata wyobrażał sobie, że jest bardzo podobny do przyjaciela. Był dumny z cech, które uważał za wspólne. Tymczasem okazało się, że był podobny do mężczyzny walczącego z gorączką w stojącym nieopodal łóżku nie bardziej niż do kota, który wymknął się z mieszkania: należeli do odmiennych gatunków. To przecież jasne, pomyślał Litvinoff. Wystarczyło tylko spojrzeć, w jaki sposób podeszli do tego samego tematu. On widział zapisaną słowami stronę, a przyjaciel dostrzegł wahania, czarne dziury i drzemiące

między słowami możliwości. Tam, gdzie przyjaciel widział migot-
liwe światło, smutek siły ciążenia, on dostrzegał tylko solidną syl-
wetkę pospolitego wróbla. Życie Litvinoffa określał zachwyt płynący z ciężaru rzeczywistości, a jego przyjaciela – odrzucenie
rzeczywistości z całą rzeszą faktów na płaskich stopach. Patrząc
na swoje odbicie w ciemnej szybie, Litvinoff doszedł do przekonania, że wreszcie opadła zasłona i ujrzał całą prawdę: Był przecięt-
nym człowiekiem. Człowiekiem gotowym zaakceptować rzeczy
takimi, jakimi są, i dlatego nie miał w sobie potencjału oryginal-
ności. I choć bardzo się w tym względzie mylił, po tamtej nocy nic
nie mogło wpłynąć na zmianę jego opinii.

Pod ŚMIERCIĄ IZAAKA BABLA znajdowała się jeszcze jedna
kartka. Czując w kącikach oczu palące łzy żalu nad samym sobą,
Litvinoff czytał dalej.

FRANZ KAFKA NIE ŻYJE
Umarł na drzewie, z którego nie chciał zejść. „Schodź! –
krzyczeli do niego. – Schodź! Schodźże!". Cisza wypełniała
noc, a noc wypełniała ciszę, gdy czekali, by Kafka przemówił. „Nie mogę", powiedział w końcu z nutą żalu w głosie.
„Dlaczego?", zakrzyknęli. Na czarnym niebie rozsypały się
gwiazdy. „Bo wtedy przestaniecie mnie wołać". Ludzie zaczęli szeptać między sobą i kiwać głowami. Obejmowali się
ramionami i głaskali dzieci po włosach. Zdejmowali kape-
lusze z głów i unosili je w stronę małego, bladego mężczyzny z uszami jak u dziwnego zwierzęcia, który siedział
w aksamitnym garniturze na ciemnym drzewie. Potem odwrócili się i zaczęli wracać do domu pod baldachimem liści.
Ojcowie nieśli na ramionach dzieci, którym powoli zamy-

kały się oczy po spotkaniu z człowiekiem, który pisał książki na kawałkach kory zrywanej z drzewa, z którego nie chciał zejść. Swoim delikatnym, pięknym, nieczytelnym charakterem pisma. I podziwiali jego książki, tak jak podziwiali jego silną wolę i odwagę. W końcu kto nie pragnie uczynić ze swej samotności spektaklu? Jedna po drugiej rodziny mówiły sobie dobranoc, ściskały na pożegnanie dłonie, wdzięczne nagle za towarzystwo sąsiadów. Zamykały się drzwi ciepłych domów. W oknach zapalały się świece. Daleko, na swoim drzewie Kafka słuchał tego wszystkiego: szelestu opadających na podłogę ubrań, szmeru warg pieszczących nagie ramiona, łóżek trzeszczących pod ciężarem czułości. Wszystko to wpadało do delikatnych szpiczastych muszli jego uszu i toczyło się jak kule bilardowe przez wielkie sale jego umysłu.

Tamtej nocy zerwał się lodowaty wiatr. Kiedy dzieci obudziły się, podeszły do okien i ujrzały cały świat skuty lodem. Jedno dziecko, najmniejsze, aż krzyknęło z radości, a jego krzyk rozdarł ciszę i rozkruszył lód na wielkim dębie. Cały świat lśnił.

Znaleźli go zamarzniętego na ziemi jak ptaka. Podobno kiedy przyłożyli uszy do muszli jego uszu, mogli tam usłyszeć siebie.

Pod tą kartką była jeszcze jedna, zatytułowana ŚMIERĆ TOŁSTOJA, a pod nią kolejna, poświęcona pamięci Osipa Mandelsztama, który zmarł w 1938 roku w obozie koło Władywostoku. Niżej leżało jeszcze sześć czy osiem kartek. I ostatnia, inna niż wszystkie: ŚMIERĆ LEOPOLDA GÓRSKIEGO. Litvinoff poczuł lodowaty ucisk w sercu. Spojrzał na przyjaciela, który ciężko oddychał przez sen. Zaczął czytać. Kiedy dotarł do końca, pokręcił głową i przeczytał całość jeszcze raz. I jeszcze raz. Czytał raz po raz, wypowiadając bezgłośnie słowa, jakby to nie było zawiadomienie o śmierci, lecz modlitwa o życie. I jakby wypowiadając jej słowa, mógł uchronić przyjaciela przed aniołem śmierci, siłą swego oddechu zatrzymać łopot jego skrzydeł choćby na jedną chwilę, i jeszcze na jedną – aż w końcu się podda i zostawi jego przyjaciela w spokoju. Przez całą noc Litvinoff czuwał przy przyjacielu, cały czas poruszając wargami. I po raz pierwszy od niepamiętnych czasów nie czuł się bezużyteczny.

Kiedy nastał świt, Litvinoff dostrzegł z ulgą, że twarz przyjaciela nabiera kolorów. Spał spokojnym snem. Kiedy słońce dało znak, że jest już ósma, wstał. Nogi zupełnie mu zesztywniały. Czuł, jakby ktoś wyskrobał mu wnętrzności. Ale przepełniało go szczęście. Złożył ŚMIERĆ LEOPOLDA GÓRSKIEGO na pół. To jeszcze jedna rzecz, której nie wiadomo o Zvi Litvinoffie: do końca życia nosił w kieszeni na piersi kartkę, którą przez całą noc chronił, by nie stała się rzeczywistością. Chciał w ten sposób kupić jeszcze trochę czasu – dla swojego przyjaciela, dla życia.

AŻ ZABOLI PISZĄCA RĘKA

Strony, które zapisałem tak dawno temu, wypadły mi z rąk i rozsypały się po podłodze. Pomyślałem: Kto? I jak? Pomyślałem: Po tych wszystkich... Czym? Latach.

Pogrążyłem się we wspomnieniach. Noc minęła jak we mgle. Rankiem nadal nie mogłem się otrząsnąć. Dopiero koło południa udało mi się dojść do siebie. Uklęknąłem na zasypanej mąką podłodze. Zebrałem kartki jedna po drugiej. Dziesiątą przeciąłem sobie palec. Przy dwudziestej drugiej poczułem ukłucie w nerkach. Przy czwartej zamarło mi serce.

Przyszedł mi do głowy gorzki dowcip. *Słowa mnie zawiodły*. A jednak. Ściskałem kartki w dłoniach, bojąc się, że umysł spłata mi figla i znów kiedy na nie spojrzę, będą puste.

Poszedłem do kuchni. Tort na stole zapadł się zupełnie. Panie i panowie. Zebraliśmy się dzisiaj, by uczcić tajemnicę życia. Słucham? Nie, nie wolno rzucać kamieni. Tylko kwiaty. Albo pieniądze.

Zmiotłem rozbite skorupki po jajkach i cukier z krzesła, po czym usiadłem przy stole. Za oknem mój lojalny gołąb gruchał i bił skrzydłami w szybę. Może powinienem go jakoś nazwać. Czemu nie, przecież zadawałem sobie wiele trudu, by znaleźć imiona dla rzeczy o wiele mniej realnych niż on. Próbowałem wybrać takie, które wymawiałbym z przyjemnością. Rozejrzałem się. Mój wzrok spoczął na dłużej na menu z chińskiej restauracji oferującej dania na wynos. SŁYNNA KUCHNIA KANTOŃSKA, SECZUAŃSKA I LUDZKA PANA TONGA. Zastukałem w szybę. Gołąb odleciał. *Do widzenia, panie Tong.*

Czytałem prawie całe popołudnie. Opadły mnie wspomnienia. Oczy zaszły mi mgłą, widziałem coraz gorzej. Pomyślałem: Mam omamy. Odsunąłem krzesło i wstałem. Pomyślałem, *mazel tow*, Gursky, w końcu na dobre straciłeś rozum. Podlałem kwiatek. *Żeby coś stracić, najpierw trzeba to mieć.* Ach? Więc *teraz* zacząłeś czepiać się szczegółów? Miałeś, nie miałeś! Posłuchaj sam siebie! Strata stała się niemal twoją drugą naturą. Jesteś w tym mistrzem. A jednak. Gdzie jest dowód, że kiedykolwiek ją miałeś? Gdzie jest dowód, że kiedykolwiek mogłeś ją mieć?

Nalałem do zlewu wody z płynem i umyłem brudne naczynia. Z każdym odkładanym garnkiem i łyżką, odsuwałem też od siebie myśl, której nie mogłem znieść, dopóki w mojej kuchni i głowie nie zapanował względny porządek. A jednak.

Szlomo Wasserman stał się Ignacio da Silvą. Postać, którą nazwałem Duddelsach, była teraz Rodriguezem. Feingol był De Biedmą. Tak zwany Słonim stał się Buenos Aires, miasto, o którym w życiu nie słyszałem, zastąpiło Mińsk. To było niemal zabawne. Ale. Nie śmiałem się.

Przyjrzałem się uważnie charakterowi pisma na kopercie. W przesyłce nie było żadnego listu. Wierzcie mi: sprawdzałem pięć lub sześć razy. Nie było też adresu zwrotnego. Przesłuchałbym Brunona na tę okoliczność, gdybym tylko przypuszczał, że może mi coś powiedzieć. Jeśli przychodzi jakaś przesyłka, która nie mieści się w skrzynce, gospodarz zostawia ją na stole w holu. Bez wątpienia Bruno zauważył ją tam i przyniósł na górę. Jest to zawsze wielkie wydarzenie. Jeśli się nie mylę, ostatni taki przypadek zdarzył się dwa lata temu. Bruno zamówił nabijaną ćwiekami obrożę dla psa. Nie muszę chyba dodawać, że wcześniej przyprowadził do domu sukę. Była nieduża, cieplutka i można ją było kochać. Nazwał ją Bibi. *Chodź, Bibi, chodź!* Słyszałem, jak ją woła. Ale. Bibi nigdy nie przychodziła. Pewnego dnia zabrał ją na wybieg dla psów. *Vamos, Chico!*, zawołał ktoś swojego psa i Bibi popędziła w stronę Portorykańczyka. *Wracaj, Bibi!*, wołał Bruno, ale bez skutku. Postanowił zmienić taktykę. *Vamos, Bibi!*, wrzasnął z całych sił. No i proszę, Bibi wróciła biegiem. Szczekała całą noc i sikała na podłogę, ale Bruno ją kochał.

Pewnego dnia na wybiegu Bibi skakała, biegała, węszyła i robiła kupy, podczas gdy Bruno obserwował ją z dumą. Nagle bramka otworzyła się przed irlandzkim seterem. Suka podniosła głowę. Zanim Bruno się połapał, wystrzeliła przez bramkę i zniknęła na ulicy. Próbował ją gonić. *Biegnij!*, powiedział sobie w duchu. Wspomnienie o szybkości przebiegło przez cały jego system nerwowy, ale ciało odmówiło posłuszeństwa. Po pierwszych krokach nogi ugięły się pod nim. *Vamos Bibi!*, wołał. A jednak. Nie wróciła. W godzinie potrzeby – kiedy siedział na chodniku, próbując zrozumieć, że Bibi go zdradziła, gdyż była tylko zwierzęciem – ja siedziałem w domu i stukałem w maszynę. Przyszedł załamany. Wieczorem poszliśmy na wybieg, żeby na nią czekać. *Wróci,* powiedziałem. Ale. Nigdy nie wróciła. To było dwa lata temu, a Bruno ciągle tam chodzi i czeka na nią.

Staram się zrozumieć różne rzeczy. Teraz, kiedy się nad tym zastanawiam, dochodzę do wniosku, że zawsze się starałem. Tak mogłoby brzmieć moje epitafium. LEO GURSKY: CZŁOWIEK, KTÓ-RY STARAŁ SIĘ ZROZUMIEĆ. Zapadła noc, a ja nadal nic nie rozumiałem. Nie jadłem nic przez cały dzień. Zadzwoniłem do pana Tonga. Do chińskiej restauracji, nie do gołębia. Dwadzieścia minut później siedziałem nad spring rolls. Włączyłem radio. Prosili o datki. W zamian można było dostać przepychacz do zlewu z napisem WNYC. Są rzeczy, które trudno mi opisać. A mimo to upieram się jak osioł. Kiedyś Bruno zszedł na dół i zastał mnie siedzącego przy maszynie do pisania. *Znowu to samo?* Słuchawki zsunęły mu się na tył głowy i wyglądały jak aureola. Poruszałem palcami nad kubkiem gorącej herbaty. *Prawdziwy Vladimir Horowitz*, zauważył Bruno, idąc w stronę lodówki. Otworzył ją i pochylił się, szukając tego, po co przyszedł. Wkręciłem do maszyny nową kartkę. Odwrócił się, nie zamykając drzwi lodówki. Nad górną wargą miał wąsy z mleka. *Proszę grać dalej, maestro*, powiedział, po czym nasunął słuchawki na uszy i wyszedł, włączając po drodze lampę nad stołem. Patrzyłem, jak kołysze się łańcuszek od lampy, i słuchałem dudniącego w jego słuchawkach głosu Molly Bloom: THERE IS NOTHING LIKE A KISS LONG AND HOT... Bruno słucha teraz tylko jej, doszczętnie zdzierając taśmę.

Raz po raz czytałem strony książki, którą napisałem jako młody człowiek. To było tak dawno. Byłem naiwny. Zakochany dwudziestolatek. Spuchnięte serce i głowa. Myślałem, że mogę zrobić wszystko! Dziwne, jak się patrzy na to teraz, gdy zrobiłem to, co zamierzałem.

Pomyślałem: jak jej się udało przetrwać? O ile wiem, jedyny egzemplarz uległ zniszczeniu, gdy woda zalała dom. Rzecz jasna, jeśli nie brać pod uwagę fragmentów wysyłanych w listach do dziewczyny, którą kochałem, po jej wyjeździe do Ameryki. Nie mogłem się oprzeć i posyłałem jej najlepsze strony. Ale. To było tylko kilka fragmentów. A teraz trzymałem w rękach niemal całą książkę! Po angielsku! Z hiszpańskimi nazwiskami! Nie dawało mi to spokoju.

Odbywałem sziwę po śmierci Izaaka, i kiedy tak siedziałem*, usiłowałem zrozumieć. Sam w mieszkaniu, z kartkami na kolanach. Noc przechodziła w dzień, dzień w noc, a ta znów w dzień. Zasypiałem i budziłem się. Ale. Nie zbliżyłem się ani o krok do rozwiązania tajemnicy. Historia mojego życia: Byłem ślusarzem. Mogłem otworzyć każde drzwi w mieście. A jednak nie potrafiłem otworzyć niczego, co tak bardzo pragnąłem otworzyć.

Postanowiłem zrobić listę znanych mi osób, które jeszcze żyły, na wypadek gdybym o kimś zapomniał. Zacząłem szukać papieru i pióra. Potem usiadłem, wygładziłem kartkę i przyłożyłem do niej stalówkę. Ale. W głowie miałem pustkę.

Zamiast listy napisałem: *Pytania do Nadawcy*. Podkreśliłem to dwa razy. Pisałem dalej:

1. *Kim jesteś?*
2. *Gdzie to znalazłeś?*
3. *Jak to przetrwało?*

---

* W okresie siedmiodniowej ścisłej żałoby (jid. *sziwe*) nie wolno opuszczać domu ani pracować, żałobnicy powinni siedzieć na niskich stołkach, to znaczy jak najbliżej ziemi.

4. *Dlaczego jest po angielsku?*

5. *Kto jeszcze to czytał?*

6. ~~*Czy się podobało?*~~

6. *Czy liczba czytelników jest mniejsza, czy większa niż...*

Przerwałem, zastanawiając się. Czy jest taka liczba, która mnie nie rozczaruje? Wyjrzałem przez okno. Po drugiej stronie ulicy wiatr targał gałęziami drzewa. Było popołudnie, krzyczały dzieci. Lubię słuchać ich piosenek. *To zabawa! W wymyślanie!* Śpiewają dziewczynki, klaszcząc w ręce. *Bez powtórzeń! I wahania! Zaczynamy od:* Czekam w napięciu. *Zwierząt!*, krzyczą. Zwierzęta! Myślę. *Koń,* krzyczy jedno. *Małpa!* Krzyczy drugie. Przerzucają się nazwami tam i z powrotem. *Krowa!*, krzyczy pierwsze dziecko. *Tygrys!*, woła natychmiast drugie, gdyż chwila wahania burzy rytm i kończy całą zabawę. *Kucyk! Kangur! Mysz! Lew! Żyrafa!* Jedna dziewczynka waha się. *JAK!*, krzyczę.

Spojrzałem na zapisane pytania. Jakim sposobem, zastanawiałem się, książka, którą napisałem przed sześćdziesięciu laty, trafiła do mojej skrzynki, i to napisana w innym języku?

Nagle uderzyła mnie pewna myśl. Uderzyła mnie w jidysz, ale postaram się jak najlepiej ją przełożyć. Brzmiała mniej więcej tak: MOŻE JESTEM SŁAWNY, WCALE O TYM NIE WIEDZĄC? Zakręciło mi się w głowie. Wypiłem szklankę zimnej wody i zażyłem aspirynę. Nie bądź idiotą, powtarzałem sobie w duchu. A jednak.

Chwyciłem płaszcz. Na szybę spadły pierwsze krople deszczu, więc włożyłem kalosze. Bruno mówi o nich „gumiaki". Ale to jego rzecz. Na dworze wiał przenikliwy wiatr. Szedłem z trudem, walcząc z parasolem. Wiatr odwracał go trzy razy. Ale nie poddawałem się. Raz rzucił mnie na ścianę budynku. A dwa razy uniósł w powietrze.

Dotarłem do biblioteki z mokrą twarzą. Woda kapała mi z nosa. Ten potwór, mój parasol, był zupełnie połamany, więc wrzuciłem go do stojaka. Podszedłem do biurka bibliotekarki. Krok, podciągnięcie spodni, oddech, krok, podciągnięcie... i tak dalej. Krzesło bibliotekarki było puste. Rad nierad musiałem obejść czytelnię wkoło. Wreszcie ją znalazłem. Układała książki na półkach. Z trudem się opanowałem.

Chciałbym dostać wszystko, co napisał Leo Gursky! Krzyknąłem.

Odwróciła się i spojrzała na mnie. Podobnie jak wszyscy w czytelni.

Słucham?

Wszystko, co napisał Leo Gursky, powtórzyłem.

Jestem teraz zajęta. Będzie pan musiał chwilę poczekać.

Poczekałem.

Leo Gursky, powiedziałem. *G-U-R-*

Przesunęła wózek. *Wiem, jak się to pisze.*

Poszedłem za nią do komputera. Wpisała moje nazwisko. Serce waliło mi jak oszalałe. Może i jestem stary. Ale. Moje serce jeszcze potrafi przyśpieszyć.

Mamy książkę o walkach byków autorstwa Leonarda Gursky'ego, powiedziała.

To nie on. A Leopold?

Leopold, Leopold, powtórzyła. *Jest.*

Chwyciłem najbliżej stojące krzesło. Werbel, proszę:

Niezwykłe, fantastyczne przygody Frankie, cudownej dziewczynki bez zębów, powiedziała i uśmiechnęła się. Zwalczyłem pragnienie przywalenia jej kaloszem w głowę. Poszła poszukać książki w dziale z literaturą dziecięcą. Nie zatrzymywałem jej. Umierałem powoli. Położyła książkę przede mną na stoliku. *Miłej lektury,* powiedziała.

Kiedyś Bruno żartował, że gdybym kupił gołębia, w połowie ulicy stałby się synogarlicą, w autobusie, którym jechałbym do domu, papugą, a w moim mieszkaniu, na chwilę przed wyjęciem z klatki, feniksem. *To cały ty,* powiedział, strzepując ze stołu kilka niewidocznych okruchów. Minęło kilka minut. *Nie, to nieprawda,* odparłem. Wzruszył ramionami i wyjrzał przez okno. *Kto słyszał o feniksie?,* powiedziałem. *Może pawiem. Ale raczej nie feniksem.* Był odwrócony ode mnie, ale widziałem, że kąciki jego ust uniosły się w uśmiechu.

Teraz jednak nie mogłem zrobić nic, by zamienić to zero, które przyniosła mi bibliotekarka, w *coś.*

W dniach po zawale serca, zanim znów zacząłem pisać, myślałem tylko o śmierci. Znów mnie oszczędzono i dopiero kiedy minęło największe niebezpieczeństwo, byłem w stanie pomyśleć o nieuniknionym końcu. Wyobrażałem sobie najróżniejsze przyczyny własnej śmierci. Skrzep, który dociera do mózgu. Zawał. Zakrzepica. Zapalenie płuc. Wielki zator w żyle głównej. Widziałem siebie, jak toczę pianę z ust i wiję się na podłodze. Budziłem się w nocy, chwytając za gardło. A jednak. Choćbym nie wiem jak często wyobrażał sobie niewydolność moich organów, nie mogłem w żaden sposób uzmysłowić sobie konsekwencji tej niewydolności. Że to się może przydarzyć właśnie mnie. Zmuszałem się, by przedstawić sobie swoje ostatnie chwile. Przedostatni oddech. Ostatnie westchnienie. A jednak. Po jednym zawsze następowało drugie.

Pamiętam ten pierwszy raz, kiedy zrozumiałem, czym jest śmierć. Miałem dziewięć lat. Mój stryj, brat mojego ojca, niech jego pamięć będzie błogosławiona, umarł we śnie. Bez żadnych konkretnych przyczyn. Potężny mężczyzna, który jadł jak koń i wychodził na mróz, by rozbijać bloki lodu gołymi rękami. Odszedł, kaput. Nazywał mnie Leopo. Wymawiał to jak: *Lej-o-po*. Za plecami ciotki dawał mnie i moim kuzynom kostki cukru. Potrafił naśladować Stalina tak, że wszyscy zrywali boki ze śmiechu.

Ciotka znalazła go rano. Był już sztywny. Trzeba było trzech mężczyzn, by przenieść go do *chewra kadisza**. Razem z bratem wślizgnęliśmy się, by spojrzeć na jego wielkie ciało. Zrobiło na nas większe wrażenie po śmierci niż za życia – gęste włosy na dłoniach, pożółkłe paznokcie, grube podeszwy stóp. Wydawał się tak bardzo ludzki. A jednak. Straszliwie nieludzki. Wszedłem tam pewnego dnia, by przynieść ojcu szklankę herbaty. Siedział przy ciele, którego nie można było zostawić w samotności ani na chwilę. *Muszę iść do łazienki*, powiedział ojciec. *Poczekaj tu, aż wrócę.* Zanim zdążyłem zaprotestować, że nie miałem jeszcze nawet bar micwy, wyszedł. Kilka następnych minut ciągnęło się jak godziny. Stryj leżał na kamieniu koloru surowego mięsa, poprzecinanym białymi żyłkami. W pewnej chwili wydało mi się, że jego pierś lekko się unosi, i o mało nie krzyknąłem. Ale. Nie bałem się tylko jego. Bałem się o siebie. W tym zimnym pomieszczeniu poczułem własną śmierć. W rogu wyłożonym popękanymi kafelkami znajdował się zlew. Tam do ścieku spływały obcięte paznokcie, włosy i grudki brudu z umytych ciał. Kurek

---

* Aram. – bractwo pogrzebowe, bezinteresownie zajmuje się przygotowaniem ciała do pochówku i ceremonią pogrzebową.

był nieszczelny, a ja czułem, jak z każdą spadającą kroplą wycieka ze mnie życie. Pewnego dnia wypłynie całe, do końca. Ogarnęła mnie radość, że żyję, tak przemożna, że miałem ochotę krzyczeć. Nigdy nie byłem zbyt religijnym dzieckiem. Ale. Nagle poczułem nieodparte pragnienie, by błagać Boga, żeby zachował mnie przy życiu jak najdłużej. Kiedy ojciec wrócił, znalazł syna na kolanach, z zamkniętymi oczami i pobielałymi knykciami.

Od tamtej pory zacząłem się bać, że umrę albo ja, albo jedno z moich rodziców. Najbardziej martwiła mnie matka. Była siłą, wokół której kręcił się cały nasz świat. W przeciwieństwie do ojca, który chodził z głową w chmurach, matka szła przez świat napędzana brutalną siłą rozumu. Była sędzią we wszystkich naszych sporach. Jedno słowo dezaprobaty z jej strony potrafiło nas wysłać do kąta, gdzie płakaliśmy i rozczulaliśmy się nad własnym męczeństwem. A jednak. Jeden jej pocałunek i znów byliśmy królami. Bez niej nasze życie zamieniłoby się w chaos.

Strach przed śmiercią towarzyszył mi przez rok. Płakałem, kiedy tylko ktoś upuścił szklankę albo rozbił talerz. A nawet gdy to minęło, pozostał smutek, od którego nie potrafiłem się uwolnić. I nie znaczyło to wcale, że wydarzyło się coś nowego. Jeszcze gorzej: uświadomiłem sobie, że to coś tkwiło we mnie przez cały czas, a ja nawet tego nie zauważyłem. Ciągnąłem za sobą tę świadomość jak kamień uwiązany do kostki. Wszędzie. Wymyślałem smutne piosenki. Opłakiwałem spadające z drzew liście. Wyobrażałem sobie własną śmierć na sto różnych sposobów, ale pogrzeb wyglądał zawsze tak samo: gdzieś w mojej wyobraźni rozwijał się czerwony dywan. Bo po każdej tajemniczej śmierci odkrywano moją wielkość.

Mogło to wyglądać na przykład tak:

Pewnego ranka, kiedy zbyt długo siedziałem przy śniadaniu, a potem zatrzymałem się, by obejrzeć suszące się na sznurze wielkie majtki pani Stanisławskiej, spóźniłem się do szkoły. Rozległ się już dzwonek, ale jedna dziewczynka z mojej klasy klęczała na zakurzonym podwórku. Na plecach miała gruby warkocz. Otulała coś dłońmi. Zapytałem ją, co to takiego. *Złapałam ćmę*, wyjaśniła, nie patrząc na mnie. *A co chcesz z nią zrobić?*, spytałem. *A co to za pytanie?*, odparła. Przemyślałem je raz jeszcze. *Gdyby to był motyl, to byłoby co innego*, powiedziałem. *Wcale nie*, odparła. *Ależ tak. Powinnaś ją wypuścić*, powiedziałem. *To bardzo rzadka ćma*, oświadczyła. *Skąd wiesz?*, spytałem. *Mam przeczucie*, wyjaśniła. Przypomniałem jej, że jest już po dzwonku. *To idź*, powiedziała. *Nikt cię nie zatrzymuje. Nie pójdę, jeśli ty nie pójdziesz. To możesz czekać wiecznie.*

Rozchyliła lekko kciuki i zajrzała do środka. *Pozwól mi zobaczyć*, powiedziałem. Nie odezwała się. *Mogę zobaczyć? Proszę?* Spojrzała na mnie. Miała zielone, przenikliwe oczy. *Dobrze. Ale uważaj.* Uniosła stulone dłonie do mojej twarzy i lekko rozsunęła kciuki. Poczułem zapach mydła na jej skórze. Widziałem tylko kawałek brązowego skrzydła, więc odciągnąłem trochę jeden kciuk. A jednak. Musiała pomyśleć, że chcę uwolnić ćmę, bo nagle zamknęła dłonie. Spojrzeliśmy na siebie przerażeni. Kiedy znów otworzyła dłonie, ćma podskakiwała słabo. Jedno skrzydło odpadło. Dziewczynka wydała stłumiony okrzyk. *To nie* ja, powiedziałem. Kiedy spojrzałem jej w oczy, dostrzegłem w nich łzy. Uczucie, o którym nie wiedziałem jeszcze, że jest tęsknotą, ścisnęło mi żołądek. *Przepraszam*, szepnąłem. Poczułem nagłą chęć, by ją objąć, scałować żal po ćmie i jej złamanym skrzydle. Milczała. Patrzyliśmy sobie w oczy.

Od tamtej pory było tak, jakbyśmy mieli wspólny sekret. Wcześniej widywałem ją w szkole codziennie, ale nigdy nie czułem do niej niczego szczególnego. Jeśli już, to uważałem, że lubi rządzić. Potrafiła być urocza. Ale. Nie potrafiła przegrywać. Nieraz nie chciała ze mną rozmawiać tylko dlatego, że odpowiedziałem na banalne pytanie nauczyciela szybciej niż ona. *Królem Anglii jest Jerzy!,* wykrzykiwałem, a potem przez cały czas musiałem walczyć z jej lodowatym milczeniem.

Ale teraz wydała mi się inna. Uświadomiłem sobie, że ma w sobie szczególną moc. Potrafiła przyciągać światło do miejsca, w którym stała. Po raz pierwszy zauważyłem, że jej palce u stóp są zwrócone lekko do środka. Brud na gołych kolanach. Zgrabna linia płaszcza na szczupłych ramionach. Widziałem ją teraz z bliska, jakbym miał w oczach szkło powiększające. Czarny pieprzyk, niczym kropelka atramentu, nad górną wargą. Różowe, niemal przezroczyste ucho. Jasny meszek na policzkach. Centymetr po centymetrze odkrywała się przede mną. Niemal czekałem, że za chwilę będę mógł obejrzeć komórki jej skóry jak pod mikroskopem, i nagle poczułem obawę, że zbyt wiele odziedziczyłem po ojcu. Nie trwało to jednak długo, bo w miarę jak narastała we mnie świadomość jej ciała, zacząłem także coraz wyraźniej odczuwać swoje. To uczucie niemal zaparło mi dech w piersiach. Rozpaliło się w moich nerwach i ogarnęło mnie całkowicie. Wszystko trwało zapewne krócej niż trzydzieści sekund. A jednak. Kiedy przeminęło, poznałem tajemnicę, która stoi u początku kresu dzieciństwa. Musiały minąć lata, zanim przeżyłem całą radość i ból, które zrodziły się we mnie w niepełne pół minuty.

Dziewczynka bez słowa upuściła ćmę na ziemię i wbiegła do szkoły. Ciężkie żelazne drzwi zatrzasnęły się za nią głucho.

Alma.

Dużo czasu minęło od chwili, gdy po raz ostatni wypowiedziałem to imię.

Postanowiłem sprawić, by mnie pokochała, bez względu na koszty. Ale. Znałem już życie na tyle, by wiedzieć, że nie należy atakować od razu. Przez następne kilka tygodni obserwowałem każdy jej ruch. Cierpliwość zawsze była moją mocną stroną. Pewnego dnia przez całe cztery godziny ukrywałem się pod wychodkiem domu rabina, by sprawdzić, czy sławny cadyk, który przyjechał z Baranowicz, wypróżnia się jak każdy z nas. Odpowiedź brzmiała: tak. Przepełniony entuzjazmem z powodu odkrycia tego niewielkiego cudu, wyczołgałem się spod wychodka, wrzeszcząc „Tak" na całe gardło. Kosztowało mnie to pięć razów w dłonie i godziny klęczenia na kolbach kukurydzy, aż kolana spłynęły mi krwią. Ale. Warto było.

Uważałem siebie za szpiega badającego obcy świat: świat kobiet. Tłumacząc się koniecznością zdobycia dowodów, ukradłem ze sznura olbrzymie majtki pani Stanisławskiej. Siedząc w wychodku, wąchałem je do upojenia. Schowałem twarz w kroczu. Włożyłem je na głowę. Uniosłem je w górę, by powiewały na wietrze niczym flaga nowego narodu. Kiedy matka otworzyła drzwi, właśnie je przymierzałem. Mogłoby się w nie zmieścić trzech takich chłopców jak ja.

Jednym morderczym spojrzeniem – i poniżającą karą, którą była konieczność zwrócenia pani Stanisławskiej skradzionych majtek – matka zakończyła ogólną część moich badań. A jednak. Nadal badałem szczegóły. W tym przypadku moje wysiłki zakończyły się pełnym sukcesem. Dowiedziałem się, że Alma jest najmłodsza z czwórki rodzeństwa i jest ulubienicą ojca. Dowiedziałem się, że ma urodziny dwudziestego pierwszego lutego (przez co była starsza ode mnie o pięć miesięcy i dwadzieścia osiem dni), że uwielbia wiśnie w syropie, które szmuglowano z Rosji, i że kiedyś zjadła w tajemnicy pół słoika. Kiedy jej matka dowiedziała się o tym, kazała jej zjeść drugą połowę, myśląc, że Alma się pochoruje i na zawsze da sobie spokój z wiśniami. Ale tak się nie stało. Zjadła cały słoik i nawet przechwalała się przed jedną dziewczynką z naszej klasy, że mogłaby zjeść jeszcze więcej. Wiedziałem, że jej ojciec chciał, by uczyła się grać na pianinie, ale ona wolała skrzypce i kwestia długo pozostawała nierozwiązana, gdyż każda ze stron twardo obstawała przy swoim, dopóki Alma nie zdobyła pustego futerału na skrzypce (twierdziła, że znalazła go przy drodze) i zaczęła go nosić w obecności ojca. Czasami nawet udawała, że gra na niewidzialnych skrzypcach i w ten sposób udało jej się dopiąć swego. Ojciec w końcu ustąpił i sprowadził skrzypce z samego Wilna. Instrument przywiózł jeden z braci Almy, który uczył się w gimnazjum. Skrzypce zjawiły się w czarnym lśniącym futerale wykładanym bordowym aksamitem i w każdej piosence, którą Alma na nich grała, choćby nie wiem jak była smutna, pobrzmiewała nuta zwycięstwa. Wiedziałem o tym, bo stałem pod jej oknem, czekając, aż zdradzi mi sekret swego serca, z takim samym zapałem, z jakim czekałem na gówno cadyka.

Ale. Nigdy do tego nie doszło. Pewnego dnia obeszła dom i stanęła tuż przede mną. *Widziałam cię tutaj codziennie przez cały tydzień. Wszyscy wiedzą, że gapisz się na mnie przez cały dzień w szkole. Jeśli chcesz mi coś powiedzieć, to dlaczego mi tego nie powiesz wprost, zamiast chować się po kątach jak złodziej?* Rozważyłem swoje możliwości. Mogłem uciec i już nigdy nie wrócić do szkoły, może na-

wet ukryć się na statku płynącym do Australii. Albo mogłem za-
ryzykować i wszystko jej wyznać. Odpowiedź była prosta: płyną-
łem do Australii. Otworzyłem usta, by pożegnać się na zawsze.
A jednak. Powiedziałem: *Chcę wiedzieć, czy wyjdziesz za mnie za
mąż*. Ale. W jej oczach pojawił się taki sam błysk jak w chwilach,
gdy wyjmowała skrzypce z futerału. Minęła długa chwila. Patrzyliśmy sobie bez wstydu w oczy. *Zastanowię się,* powiedziała w końcu i zniknęła za rogiem domu. Usłyszałem trzaśnięcie drzwi. Po
chwili rozległy się pierwsze nuty *Pieśni, których nauczyła mnie matka*
Dworzaka. I choć nie powiedziała „Tak", od tamtej pory wiedziałem, że mam szansę.

Tak w skrócie wyglądał mój koniec fascynacji śmiercią. Nie
znaczy to wcale, że przestałem się jej bać. Tylko przestałem o niej
myśleć. Gdybym miał choć trochę wolnego czasu, którego nie po-
święcałbym na myślenie o Almie, może zamartwiałbym się nie-
uchronnym końcem. Ale nauczyłem się odgradzać murem od takich myśli. Każdy nowy element wiedzy o świecie, jakiej
nabywałem, był kolejnym kamieniem w moim murze, aż pewnego dnia zrozumiałem, że sam siebie wygnałem z miejsca, do którego nigdy nie będę mógł wrócić. A jednak. Ten mur chronił mnie
również od bolesnej przejrzystości dzieciństwa. Nawet w latach,
kiedy ukrywałem się w lasach, na drzewach, w dziurach i piwnicach, a śmierć czaiła się tuż za mną, nigdy nie myślałem o prawdzie: że umrę. Dopiero po przebytym zawale serca, kiedy kamienie muru oddzielającego mnie od dzieciństwa zaczęły się w końcu
kruszyć, powrócił do mnie strach przed śmiercią. I był tak samo
przerażający jak dawniej.

Siedziałem skulony nad *Niezwykłymi, fantastycznymi przygodami Frankie, cudownej dziewczynki bez zębów* Leopolda Gursky'ego,

który nie był mną. Nawet nie uniosłem okładki. Słuchałem deszczu szumiącego w rynnach na dachu.

Wyszedłem z biblioteki. Kiedy przechodziłem przez ulicę, uderzyła mnie nagle moja bezwzględna samotność. Czułem się mroczny i pusty. Porzucony, niezauważony, zapomniany, stałem na chodniku. Byłem niczym. Ludzie mijali mnie pośpiesznie. A każdy, kto przechodził obok, był szczęśliwszy ode mnie. Poczułem dawną zazdrość. Oddałbym wszystko, by być jednym z nich.

Znałem kiedyś pewną kobietę. Zgubiła klucze do domu, a ja pomogłem jej wejść. Znalazła jedną z moich wizytówek, rozrzucałem je wszędzie jak okruchy chleba. Zadzwoniła, a ja pojechałem do niej najszybciej jak mogłem. Było akurat Święto Dziękczynienia, i nie trzeba nam było mówić, że żadne z nas nie ma dokąd pójść. Zamek odskoczył pod moim dotykiem. Może pomyślała, że to oznaka jakiegoś innego talentu. Wewnątrz unosił się zapach smażonej cebuli, a na ścianie wisiał plakat Matisse'a, a może Moneta. Nie! Modiglianiego. Przypomniałem sobie teraz, bo przedstawiał nagą kobietę, a ja, chcąc się przypochlebić, spytałem: *Czy to pani?* Od tak dawna nie byłem z kobietą. Czułem zapach smaru na dłoniach i potu pod pachami. Zaprosiła mnie, żebym usiadł i zrobiła dla nas kolację. Powiedziałem, że muszę się uczesać, i w łazience próbowałem się umyć. Kiedy wyszedłem, stała w ciemnościach w samej tylko bieliźnie. Po drugiej stronie ulicy migał neon, rzucając niebieskie cienie na jej nogi. Powiedziałem jej, że nie będzie mi to przeszkadzać, jeśli nie będzie chciała patrzeć na moją twarz.

Kilka miesięcy później znów do mnie zadzwoniła. Poprosiła, żebym zrobił jej dodatkowy klucz. Bardzo się ucieszyłem ze względu na nią. Że nie będzie już sama. Nie oznacza to wcale, że użalałem się nad sobą. Ale chciałem jej powiedzieć: *Byłoby o wiele prościej, gdybyś go poprosiła, tego, dla którego potrzebujesz ten klucz, żeby poszedł do punktu, gdzie je dorabiają.* A jednak. Zrobiłem dwa. Jeden dałem jej, a drugi zatrzymałem. Przez długi czas nosiłem go w kieszeni, tak tylko, żeby udawać.

Pewnego dnia przyszła mi do głowy myśl, że przecież mogę wejść wszędzie. Nigdy wcześniej o tym nie myślałem. Byłem imigrantem, długo musiałem przezwyciężać strach, że mnie odeślą. Żyłem w ciągłym strachu przed popełnieniem błędu. Kiedyś przepuściłem sześć pociągów, bo nie wiedziałem, jak kupić bilet. Inny człowiek być może wsiadłby bez żadnego wahania. Ale. Nie Żyd z Polski, który bał się, że choćby tylko zapomniał spuścić wodę w toalecie, zostanie deportowany. Starałem się nie podnosić głowy. Zamykałem i otwierałem – to wszystko. Tam, skąd pochodziłem, otwarcie zamka było przestępstwem, tutaj traktowano mnie jak profesjonalistę.

Z czasem czułem się coraz swobodniej. Tu i ówdzie dodawałem mojej pracy nieco blasku. Pół obrotu na koniec, zupełnie pozbawione celu, ale świadczące o finezji. Przestałem się denerwować, nabrałem sprytu. Na każdym instalowanym zamku wycinałem swoje inicjały. Taki podpis, niewielki, tuż nad dziurką od klucza. To nic, że nikt go nie zauważy. Grunt, że ja wiem. Zaznaczałem wszystkie instalowane przeze mnie zamki na mapie miasta, składanej i rozkładanej tyle razy, że niektóre ulice zupełnie się w zgięciach wytarły.

Pewnego wieczoru poszedłem do kina. Przed właściwym filmem wyświetlano dokument o Houdinim. Był to człowiek, który zakopany pod ziemią – potrafił się wyswobodzić z kaftana bezpieczeństwa. Wsadzono go do skrzyni owiniętej łańcuchami, wrzucono do wody, a on i tak się wydostał. Pokazywano, jak ćwiczy i mierzy czas. Powtarzał poszczególne numery tak długo, aż udało mu się wykonać je w ciągu kilkunastu sekund. Od tamtej pory stałem się jeszcze bardziej dumny ze swojej pracy. Przynosiłem najtrudniejsze zamki do domu i mierzyłem czas. Potem dzieliłem wynik na pół i ćwiczyłem, dopóki tego nie osiągnąłem. Ćwiczyłem tak długo, aż bolały mnie palce.

Leżałem w łóżku, wyobrażając sobie coraz trudniejsze wyzwania, gdy nagle mnie oświeciło: jeśli potrafię otworzyć zamek do mieszkania obcej osoby, dlaczego nie miałbym tego zrobić w Kossar's Bialys? Albo w bibliotece publicznej? Albo u Wollwortha? Tak czysto hipotetycznie – co powstrzymywało mnie przed otwarciem zamka do... Carnegie Hall?

Myśli kłębiły mi się w głowie, a całe moje ciało ogarnęło podniecenie. Wejdę tylko i zaraz potem wyjdę. Może zostawię gdzieś mały podpis.

Planowałem to przez wiele tygodni. Kręciłem się po wnętrzu budynku. Zbadałem dosłownie wszystko. Dość powiedzieć: zrobiłem to. Wszedłem przez tylne wejście przy Pięćdziesiątej Szóstej ulicy bardzo wcześnie rano. Zajęło mi to sto trzy sekundy. W domu taki sam zamek otwierałem w czterdzieści osiem. Ale było zimno i zdrętwiały mi palce.

Tamtego wieczoru miał grać wielki Artur Rubinstein. Fortepian stał już na scenie – wielki lśniący steinway. Wyszedłem zza kurtyny. W świetle zielonych znaków z napisem WYJŚCIE widziałem niekończące się rzędy foteli. Usiadłem na stołku i koniuszkiem buta nacisnąłem lekko pedał. Nie odważyłem się położyć palca na klawiszach.

Kiedy podniosłem wzrok, stała tam. Widziałem ją wyraźnie: piętnastoletnią dziewczynę, z włosami zaplecionymi w warkocz, jakieś dwa metry ode mnie. Podniosła skrzypce, które brat przywiózł z Wilna, i oparła na nich brodę. Próbowałem wypowiedzieć jej imię. Ale. Głos uwiązł mi w gardle. Poza tym wiedziałem, że mnie nie słyszy. Uniosła smyczek. Usłyszałem pierwsze nuty Dworzaka. Miała zamknięte oczy. Muzyka płynęła spod jej palców. Grała bezbłędnie, jak nigdy w prawdziwym życiu.

Kiedy umilkła ostatnia nuta, dziewczyna zniknęła. Moje oklaski odbiły się echem w pustej sali. Przestałem klaskać, cisza aż zadźwięczała mi w uszach. Spojrzałem ostatni raz na pustą salę. Potem szybko wyszedłem tą samą drogą.

Nigdy więcej tego nie zrobiłem. Udowodniłem sobie coś i na tym koniec. Od czasu do czasu, gdy przechodziłem obok jakiegoś prywatnego klubu, nie będę tu wymieniał nazw, myślałem sobie: Szalom, dupki. Tu stoi Żyd, który w każdej chwili może wejść do środka. Ale po tamtej nocy już nigdy nie kusiłem losu. Gdyby wtrącili mnie do więzienia, poznaliby prawdę: Nie jestem Houdinim. A jednak. W mojej samotności pociechą jest dla mnie myśl, że drzwi świata nigdy nie są przede mną zamknięte na dobre.

Takiej właśnie pociechy szukałem, stojąc w ulewnym deszczu przed biblioteką. Czyż nie po to kuzyn nauczył mnie rzemiosła? Wiedział, że nie mogę na zawsze pozostać niewidzialny. *Pokaż mi Żyda, który przeżyje*, powiedział pewnego dnia, kiedy patrzyłem, jak otwiera zamek, *a ja pokażę ci czarodzieja*.

Stałem na ulicy i czułem, jak strugi deszczu ciekną mi za kołnierz. Zamknąłem oczy. Drzwi, jedne po drugich, jedne po drugich, jedne po drugich, otwierały się.

*

Po wizycie w bibliotece, po klęsce z *Niezwykłymi, fantastycznymi przygodami Frankie, cudownej dziewczynki bez zębów* wróciłem do domu. Zdjąłem płaszcz i powiesiłem go, żeby wysechł. Nastawiłem wodę. Nagle ktoś za mną chrząknął. Omal nie wyskoczyłem ze skóry. Ale to był tylko Bruno, który siedział w ciemnościach. *Chcesz, żebym dostał zawału?*, wrzasnąłem, włączając światło. Kartki książki, którą napisałem jako chłopiec, leżały rozrzucone na podłodze. *Och nie,* powiedziałem. *To nie to, co...*
Nie dał mi szansy. *Nieźle,* powiedział. *Nie tak, jak ja bym ją opisał, ale co ja mam do gadania. To twoja rzecz.*
Posłuchaj, zacząłem.
Nie musisz nic tłumaczyć, powiedział. *To dobra książka. Podoba mi się styl. Poza tymi fragmentami, które ukradłeś – pełna inwencji. A w czysto literackich kategoriach...*
Zorientowałem się dopiero po chwili. Mówił do mnie w jidysz.
...w czysto literackich kategoriach, co się tu może nie podobać? No cóż, zawsze zastanawiałem się, nad czym pracujesz. Teraz, po tych wszystkich latach, wiem.
To ja się zastanawiałem, nad czym ty pracujesz, powiedziałem, przypominając sobie dawne czasy, kiedy obaj mieliśmy po dwadzieścia lat i chcieliśmy być pisarzami.
Wzruszył ramionami, jak tylko on potrafi. *Nad tym samym co ty.*
Nad tym samym?
Oczywiście.
Nad książką o niej?
Nad książką o niej, powiedział Bruno. Odwrócił wzrok i wyjrzał przez okno. Potem zauważyłem, że trzyma na kolanach

zdjęcie przedstawiające ją i mnie pod drzewem, na którym wyciąłem nasze inicjały: A + L. Ona o tym nie wiedziała. Prawie ich zresztą nie widać. Ale. Są tam.

Potrafiła dochować tajemnicy, powiedział.

I wtedy wszystko sobie przypomniałem. Tamten dzień sprzed sześćdziesięciu lat, kiedy wyszedłem z jej domu we łzach i zobaczyłem go stojącego pod drzewem z notesem w ręce, jak czekał, by do niej pójść, kiedy ja wyjdę. Kilka miesięcy temu byliśmy najbliższymi przyjaciółmi. Siedzieliśmy do późna w nocy z innymi chłopcami, paląc papierosy i spierając się o książki. A jednak. Kiedy zauważyłem go tamtego popołudnia, nie byliśmy już przyjaciółmi. Nawet ze sobą nie rozmawialiśmy. Minąłem go bez słowa, jakby go tam nie było.

Mam tylko jedno pytanie, powiedział Bruno sześćdziesiąt lat później. *Zawsze chciałem to wiedzieć.*

Co takiego?

Zakaszlał. A potem spojrzał na mnie. *Czy powiedziała ci, że jesteś lepszym pisarzem ode mnie?*

Nie, skłamałem. A potem powiedziałem mu prawdę. *Nikt nie musiał mi tego mówić.*

Zapadła długa cisza.

To dziwne. Zawsze myślałem... – urwał.

Co takiego?, spytałem.

Myślałem, że walczymy o coś więcej niż tylko jej miłość, powiedział.

Teraz to ja wyjrzałem przez okno.

Czy jest coś więcej niż jej miłość?, spytałem.

Siedzieliśmy w milczeniu.

Skłamałem, powiedział Bruno. *Mam jeszcze jedno pytanie.*

Jakie?

Dlaczego ciągle stoisz tu jak głupek?

O co ci chodzi?

O twoją książkę, powiedział.

To znaczy?

Idź ją odzyskać.

Uklęknąłem na podłodze i zacząłem zbierać porozrzucane kartki.

Nie tę!

A którą?

Aj waj!, powiedział, klepiąc się w czoło. *Czy ja wszystko muszę ci mówić?*

Na moje wargi powoli wypłynął uśmiech.

Trzysta jeden, powiedział Bruno. Wzruszył ramionami i odwrócił wzrok, ale wydało mi się, że widzę jego uśmiech. *To nie byle co.*

POTOP

1. JAK ROZPALIĆ OGIEŃ BEZ ZAPAŁEK

Szukałam Almy Mereminski w internecie. Pomyślałam, że ktoś mógł coś o niej napisać albo że znajdę jakieś informacje o jej życiu. Wpisałam jej nazwisko w okienko i nacisnęłam Enter. Znalazłam jednak tylko listę imigrantów, którzy przybyli do Nowego Jorku w 1891 roku (Mendel Mereminski) i listę ofiar Holokaustu znajdującą się w Yad Vashem (Adam Mereminski, Fanny Mereminski, Nachum, Zelig, Herszl, Bluma, Ida, z ulgą odnotowałam, że nie ma tam Almy, bo nie chciałam jej stracić, zanim jeszcze zaczęłam jej szukać na dobre).

2. BRAT CIĄGLE RATUJE MI ŻYCIE

Zamieszkał u nas wujek Julian. Przyjechał do Nowego Jorku, żeby skończyć badania do książki o rzeźbiarzu i malarzu Alberto Giacomettim, którą pisze od pięciu lat. Ciocia Frances została w Londynie, by opiekować się psem. Wuj spał w łóżku Ptaka, Ptak w moim, a ja spałam na podłodze w swoim tandetnym śpiworze, choć doświadczona podróżniczka wcale by go nie potrzebowała, bo w razie potrzeby zabiłaby po prostu kilka ptaków i utkała ich pióra za ubranie, by się ogrzać.

Czasami w nocy słyszałam, jak mój brat mówi przez sen. Rzucał jakieś niedokończone zdania, których nie rozumiałam. Tylko raz przemówił całkiem wyraźnie, byłam przekonana, że się obudził. „Nie wchodź tam", powiedział. „Co takiego?", spytałam, siadając. „Tam jest bardzo głęboko", mruknął i odwrócił się do ściany.

3.   ALE DLACZEGO?

Pewnej soboty poszliśmy z Ptakiem i wujem Julianem do Muzeum Sztuki Nowoczesnej. Ptak upierał się, że zapłaci za siebie z pieniędzy zarobionych na lemoniadzie. Wędrowaliśmy po salach, podczas gdy wuj poszedł na górę, by porozmawiać z kustoszem. Ptak zapytał jednego z ochroniarzy, ile fontann jest w budynku. (Pięć). Wydawał z siebie przedziwne dźwięki, naśladując gry wideo, dopóki nie kazałam mu się uspokoić. Potem zaczął liczyć osoby z widocznymi tatuażami. (Osiem). Staliśmy przed obrazem przedstawiającym grupę ludzi leżących na podłodze. „Dlaczego oni tak leżą?", spytał. „Ktoś ich zabił", odparłam, choć tak naprawdę nie wiedziałam, dlaczego tam leżą ani nawet, czy to w ogóle są ludzie. Poszłam obejrzeć inny obraz po drugiej stronie sali. Ptak ruszył za mną. „Ale dlaczego ktoś ich zabił?", spytał. „Bo potrzebowali pieniędzy i obrabowali dom", wyjaśniłam i weszłam na jadące w dół ruchome schody.

Kiedy jechaliśmy metrem do domu, Ptak dotknął mojego ramienia. „Ale dlaczego potrzebowali pieniędzy?".

4. ZAGINIONY NA MORZU

„Dlaczego sądzisz, że Alma z *Historii miłości* żuła naprawdę?", zapytał Misha. Siedzieliśmy na ławce za jego domem, ze stopami zakopanymi w piasku, i jedliśmy przygotowane przez panią Shklovsky kanapki z wołowiną i chrzanem. „Żyła", odparłam. „Ale dlaczego tak sądzisz?". „Żyła, a nie żuła", powtórzyłam. „Dobra". „Odpowiedz na moje pytanie". „To jasne, że żyła". „Ale skąd wiesz?". „Bo tylko tak można wytłumaczyć, dlaczego Litvinoff, który napisał tę książkę, nie nadał jej hiszpańskiego imienia, jak wszystkim innym postaciom". „Dlaczego?". „Bo nie mógł". „Dlaczego nie mógł?". „Nie rozumiesz? Mógł zmienić wszystkie szczegóły, ale nie mógł zmienić jej". „Ale dlaczego?". Jego dociekliwość zaczęła mnie denerwować. „Bo był w niej zakochany! – powiedziałam. – Bo dla niego tylko ona była prawdziwa". Misha przeżuł kawałek wołowiny. „Wydaje mi się, że oglądasz za dużo filmów", powiedział. Ale ja wiedziałam, że mam rację. Nie trzeba być geniuszem, żeby po przeczytaniu *Historii miłości* dojść do takiego wniosku.

5. TO, CO CHCĘ POWIEDZIEĆ, NIE MOŻE MI PRZEJŚĆ PRZEZ GARDŁO

Szliśmy drewnianym pomostem w stronę Coney Island. Był straszny upał i po skroni Mishy spływała kropla potu. Kiedy mijaliśmy grupkę starszych osób grających w karty, Misha ukłonił się. Pomarszczony staruszek w kąpielówkach pomachał do niego. „Myślą, że jesteś moją dziewczyną", oświadczył Misha. W tej samej chwili potknęłam się na obluzowanej desce. Poczułam, że się rumienię, i pomyślałam, że nie ma na świecie drugiej takiej niezgraby. „Ale nie jestem", odparłam, choć wcale nie to chciałam powiedzieć. Odwróciłam wzrok, udając zainteresowanie dzieciakiem, który ciągnął do wody wielkiego dmuchanego rekina. „*Ja* wiem – powiedział Misha. – Ale oni nie". Skończył już piętnaście lat, urósł prawie o dziesięć centymetrów i zaczął golić meszek nad górną wargą. Weszliśmy do oceanu; patrzyłam na jego ciało, kiedy nurkował, i nagle poczułam w żołądku coś, co nie było bólem, lecz czymś zupełnie innym.

„Założę się o sto dolarów, że ona jest w książce telefonicznej", powiedziałam. Nie bardzo w to wierzyłam, ale nie wymyśliłam nic innego, żeby zmienić temat.

6. SZUKANIE KOGOŚ, KTO NAJPRAWDOPODOBNIEJ NIE ISTNIEJE

„Poszukuję numeru Almy Mereminski – powiedziałam. – M-E-R-E-M-I-N-S-K-I". „W której dzielnicy?", spytała kobieta. „Nie wiem", odparłam. W słuchawce rozległo się stukanie klawiszy. Misha obserwował dziewczynę w turkusowym bikini przejeżdżającą obok nas na łyżworolkach. Kobieta w słuchawce zaczęła coś mówić. „Słucham?", spytałam. „Powiedziałam, że znalazłam A. Mereminski przy Sto Czterdziestej Siódmej ulicy w Bronksie. Już podaję numer".

Zapisałam go na ręce. Misha podszedł do mnie. „I co?". „Masz ćwierćdolarówkę?", spytałam. To było głupie, ale zabrnę-

łam już tak daleko. Uniósł brwi i sięgnął do kieszeni spodni. Wykręciłam zapisany na ręce numer. Telefon odebrał mężczyzna.
„Czy mogę rozmawiać z Almą?". „Z kim?". „Szukam Almy Mereminski". „Nie ma tu żadnej Almy". „Dodzwoniła się pani pod
zły numer. Ja jestem Artie", powiedział i odłożył słuchawkę.

Wróciliśmy do mieszkania Mishy. Poszłam do łazienki,
w której unosił się zapach perfum jego siostry, a na sznurkach su-
szyła się poszarzała bielizna ojca. Kiedy wyszłam, Misha siedział
u siebie bez koszuli i czytał książkę po rosyjsku. Gdy poszedł
wziąć prysznic, przysiadłam na łóżku i przerzuciłam zapisane cy-
rylicą strony. Słyszałam szum wody i piosenkę, którą śpiewał Misha, ale nie mogłam odróżnić słów. Położyłam głowę na podusz-
ce, poczułam jego zapach.

7. JEŚLI DALEJ TAK PÓJDZIE

Kiedy Misha był mały, jeździł co lato z rodziną na daczę. Tam razem z ojcem zdejmowali ze strychu siatki i próbowali łapać mo-
tyle. W starym domu pełno było należącej do babci prawdziwej
chińskiej porcelany i motyli w ramkach, które złapały trzy poko-
lenia młodych Shklovskych. Kiedy biegało się boso po domu, słychać było grzechotanie porcelany, a na stopach zbierał się pył
z motylich skrzydeł.

Kilka miesięcy temu, wieczór, w przeddzień piętnastych
urodzin Mishy, postanowiłam zrobić mu kartkę z motylem. Szukałam w internecie zdjęcia jakiegoś rosyjskiego motyla, lecz zamiast niego znalazłam artykuł, w którym była informacja, że
w ciągu ostatnich dwudziestu lat populacja motyli znacznie zma-
lała, jest coraz mniej gatunków i giną dziesięć tysięcy razy szyb-

ciej, niż powinny. Dowiedziałam się też, że codziennie giną średnio siedemdziesiąt cztery gatunki owadów i roślin. Na podstawie tych i innych przerażających statystyk naukowcy wnioskują, że żyjemy właśnie w okresie szóstej masowej zagłady w dziejach Ziemi. W ciągu trzydziestu lat zginie niemal jedna czwarta ssaków na świecie. Niebawem zginie też jeden na osiem gatunków ptaków. W ciągu minionego półwiecza wyginęło dziewięćdziesiąt procent największych ryb.

Postanowiłam zbadać zjawisko masowej zagłady.

Ostatnia dokonała się jakieś sześćdziesiąt pięć milionów lat temu, kiedy z naszą planetą prawdopodobnie zderzył się asteroid, na skutek czego wyginęły dinozaury i połowa zwierząt morskich. Wcześniej doszło do podobnej zagłady w triasie (również wywołanej przez asteroid lub wybuchy wulkanów) – ta zmiotła z powierzchni ziemi dziewięćdziesiąt pięć procent gatunków – a jeszcze wcześniej w okresie późnego dewonu. Obecna masowa zagłada będzie najszybsza w liczącej cztery i pół miliarda lat historii Ziemi i w przeciwieństwie do innych nie została wywołana przyczynami naturalnymi, lecz ignorancją człowieka. Jeśli dalej tak pójdzie, w ciągu stu lat zniknie z ziemi połowa gatunków.

Z tego powodu nie zrobiłam Mishy kartki z motylem.

8. WŚRÓD LODOWCÓW

W lutym, kiedy matka dostała list z prośbą o przetłumaczenie *Historii miłości*, spadło prawie pół metra śniegu; razem z Mishą zbudowaliśmy w parku śnieżną jaskinię. Pracowaliśmy przez wiele godzin, aż zmarzły nam palce, ale nie przerywaliśmy kopania. Kiedy była gotowa, wczołgaliśmy się do środka. Przez wejście wpadało błękitne światło. Siedzieliśmy ramię przy ramieniu. „Może kiedyś zabiorę cię do Rosji", powiedział Misha. „Moglibyśmy wybrać się na wyprawę w góry Uralu", odparłam. „Albo na stepy kazachskie". Kiedy mówiliśmy, z naszych ust wypływały obłoczki pary. „Pokażę ci pokój, w którym mieszkałem z dziadkiem, i nauczę jeździć na łyżwach na Newie", powiedział Misha. „Mogłabym się nauczyć rosyjskiego". Misha skinął głową. „Nauczę cię. Pierwsze słowo: *Daj*". „*Daj*". „Drugie słowo: *Ruku*". „Co to znaczy?". „Najpierw powiedz". „*Ruku*". „*Daj ruku*". „*Daj ruku*. Co to znaczy?". Misha ujął moją dłoń i mocno uścisnął.

9. JEŚLI ONA ŻYŁA NAPRAWDĘ

„Dlaczego myślisz, że Alma przyjechała do Nowego Jorku?", spytał Misha. Skończyliśmy dziesiąte już rozdanie remika i leżeliśmy na podłodze w jego pokoju, wpatrując się w sufit. W kostiumie kąpielowym i między zębami miałam mnóstwo piasku. Misha miał mokre włosy i czułam zapach jego dezodorantu.

„W czternastym rozdziale Litvinoff pisze o sznurku przeciągniętym przez ocean przez dziewczynę, która wyjechała do Ameryki. On pochodził z Polski i moja mama powiedziała, że uciekł przed inwazją Niemców. Naziści zabili prawie wszystkich mieszkańców jego wioski. Gdyby nie uciekł, nie byłoby *Historii miłości*. A jeśli Alma pochodziła z tej samej wioski, a założę się o sto dolarów, że tak...".

„Jesteś mi już winna sto dolarów".

„Chodzi mi o to, że we fragmentach, które czytałam, pojawiają się opowieści o Almie, gdy była jeszcze bardzo młoda, miała może dziesięć lat. Jeśli więc żyła naprawdę, a sądzę, że tak, Li-

tvinoff musiał ją znać jako dziecko. Co oznacza, że prawdopodobnie oboje pochodzili z tej samej wioski. A Yad Vashem nie wyka-
zuje żadnej Almy Mereminski z Polski, która zginęła podczas Holokaustu".

„Kto to jest Yad Vashem?".

„Muzeum Holokaustu w Izraelu".

„No dobra, może ona wcale nie jest Żydówką. A nawet jeśli jest, nawet jeśli jest Polką i Żydówką i przyjechała do Ameryki,
skąd wiesz, że nie trafiła do jakiegoś innego miasta? Na przykład
Ann Arbor?". „Ann *Arbor?*". „Mam tam kuzyna – wyjaśnił Misha. –
Poza tym myślałem, że szukasz Jacoba Marcusa, a nie tej Almy".

„Owszem", odparłam. Poczułam, jak muska moje udo
wierzchem dłoni. Nie wiedziałam, jak mu powiedzieć, że choć zaczęłam szukać kogoś, kto uszczęśliwiłby moją matkę, teraz szukałam także kogoś innego. Jak mu powiedzieć o kobiecie, na której
cześć nadano mi imię. I o mnie.

„Ale może to, że Jacob Marcus chciał mieć tłumaczenie
książki, ma coś wspólnego z Almą – powiedziałam. Nie bardzo
w to wierzyłam, ale nie wiedziałam, o co jeszcze mogłoby tu
chodzić. – Może ją znał. A może próbuje ją odnaleźć".

Cieszyłam się, że Misha nie zapytał, dlaczego Litvinoff, skoro
tak bardzo kochał Almę, nie pojechał za nią do Ameryki; dlaczego
wybrał Chile i ożenił się tam z dziewczyną o imieniu Rosa. Jedyny
powód, jaki przychodził mi do głowy, to ten, że nie miał wyboru.

Za ścianą matka Mishy krzyknęła na ojca. Misha oparł się
na łokciu i spojrzał na mnie. Pomyślałam o lecie, kiedy mieliśmy
trzynaście lat i staliśmy na dachu jego domu. Czuliśmy pod stopami rozpaloną smołę, a Misha z językiem w moich ustach udzielał
mi lekcji rosyjskiego całowania. Teraz znaliśmy się już od dwóch

lat, dotykałam łydką jego goleni i czułam jego brzuch tuż przy żebrach. Misha powiedział: „To chyba nie taka tragedia być moją dziewczyną". Otworzyłam usta, lecz nie spłynęło z nich żadne słowo. Trzeba było siedmiu języków, żebym przyszła na świat; byłoby miło, gdybym potrafiła wypowiedzieć się choć w jednym z nich. Ale nie potrafiłam, więc Misha pochylił się i pocałował mnie.

10. POTEM

Poczułam w ustach jego język. Nie wiedziałam, czy mam go dotknąć swoim językiem, czy też może odsunąć swój na bok, by jego mógł się poruszać bez przeszkód. Zanim zdążyłam podjąć decyzję, on wysunął już język i zamknął usta, a moje zostały otwarte, co wypadło niezręcznie. Pomyślałam, że to już koniec, ale wtedy on znów otworzył usta i zanim zdążyłam się zorientować, zaczął lizać moje wargi. Wtedy ja otworzyłam usta i wysunęłam język, ale było już za późno, bo jego język znów znalazł się w moich ustach. Wreszcie udało nam się znaleźć rytm i otwieraliśmy usta w tym samym czasie, zupełnie jak byśmy chcieli coś powiedzieć, a ja położyłam mu dłoń na karku, jak Eva Maria Saint Cary Grantowi w scenie w pociągu z filmu *Północ, północny zachód*. Trochę się poturlaliśmy po podłodze i jego podbrzusze otarło się o moje, ale trwało to bardzo krótko, bo zaraz potem uderzyłam przypadkiem ramieniem w jego akordeon. Całe usta miałam w ślinie i z trudem łapałam oddech. Za oknem przeleciał samolot kierujący się na lotnisko JFK. Ojciec Mishy zaczął krzyczeć na matkę. „O co oni się kłócą?", spytałam. Misha odsunął głowę. Przez jego twarz przebiegła myśl w języku, którego nie rozumiałam. Zastanowiłam się, czy to coś zmieni między nami.

„*Merde*", powiedział. „Co to znaczy?", spytałam. „To francuskie przekleństwo". Założył mi pasmo włosów za ucho i znów zaczął mnie całować. „Misha?", szepnęłam. „Cii", powiedział i wsunął mi dłoń pod bluzkę w okolicy talii. „Nie rób tego", powiedziałam i usiadłam. A potem powiedziałam: „Lubię kogoś innego". Natychmiast pożałowałam tych słów. Kiedy stało się jasne, że nie mamy już sobie nic do powiedzenia, włożyłam adidasy, w których było pełno piasku. „Moja matka pewnie się zastanawia, gdzie jestem", powiedziałam. Oboje wiedzieliśmy, że to nieprawda. Kiedy wstałam, zza kostiumu wysypał się piasek.

11. MINĄŁ TYDZIEŃ BEZ ROZMOWY Z MISHĄ

Przez wzgląd na stare czasy studiowałam *Rośliny jadalne i kwiaty Ameryki Północnej*. Wyszłam na dach naszego domu, by sprawdzić, czy potrafię zidentyfikować jakieś gwiazdozbiory, ale dookoła paliło się zbyt wiele świateł, więc wróciłam do ogródka i ćwiczyłam w ciemnościach rozbijanie namiotu taty. Udało mi się to zrobić w trzy minuty i pięćdziesiąt cztery sekundy, co oznaczało, że pobiłam swój rekord prawie o minutę. Kiedy skończyłam, położyłam się w środku i próbowałam przypomnieć sobie wszystko, co mogłam, o tacie.

12. WSPOMNIENIA PRZEKAZANE MI PRZEZ OJCA

echad   Smak trzciny cukrowej.
sztaim Zakurzone ulice w Tel Awiwie, kiedy Izrael był jeszcze młodym państwem, a za nimi pola dzikich cyklamenów.
szalosz Kamień, którym rzucił w głowę chłopcu dokuczającemu jego starszemu bratu, dzięki czemu zdobył szacunek dzieci.

arba	Kupowanie kurcząt z jego ojcem w *moszaw** i obserwowanie, jak poruszają nogami, gdy już obcięto im głowy.
hamesz	Szelest kart tasowanych przez jego matkę i jej przyjaciół, gdy w sobotę po szabasie grali w kanastę.
szesz	Wodospady Iguaçú, do których podróżował samotnie, z wielkim wysiłkiem i przy sporych kosztach.
szewa	Pierwsze spojrzenie na kobietę w żółtych szortach, w przyszłości jego żonę i moją matkę, która czytała książkę, siedząc na trawie w kibucu Jawne.
szmone	Dźwięk cykad nocą, ale też i cisza.
tesza	Zapach jaśminu, hibiskusa i kwiatów pomarańczowych.
eser**	Bladość skóry mojej matki.

13. MINĘŁY DWA TYGODNIE, Z MISHĄ NADAL NIE ROZMAWIAMY, WUJ JULIAN NIE WYJECHAŁ I JEST PRAWIE KONIEC SIERPNIA

Historia miłości ma trzydzieści dziewięć rozdziałów, a od czasu wysłania Jacobowi Marcusowi pierwszych dziesięciu matka skończyła następne jedenaście, co w sumie daje dwadzieścia jeden. To oznacza, że jest już za połową i niebawem wyśle mu kolejną przesyłkę.

Zamknęłam się w łazience, jedynym miejscu, w którym mogłam mieć odrobinę prywatności, i próbowałam pracować nad drugim listem do Jacoba Marcusa, ale wszystko, co napisałam, brzmiało źle, trywialnie lub nieprawdziwie. Ale takie przecież było.

---

* Hebr. – wiejskie osiedle w Izraelu.
** Hebr. – liczebniki główne od jeden do dziesięć.

Siedziałam na toalecie z notesem opartym na kolanach. Obok mojej kostki stał kosz na śmieci. Zauważyłam w nim zmiętą kartkę papieru. Wyjęłam ją. *Pies, Frances?,* przeczytałam. *Pies? Twoje słowa są bardzo ostre. Ale przypuszczam, że o to ci właśnie chodziło. Nie jestem „zakochany" we Flo, jak twierdzisz. Przyjaźnimy się od lat i tak się składa, że zależy jej na tych samych rzeczach co mnie. SZTUKA, Fran, pamiętasz sztukę, która – powiedzmy to szczerze – nic cię już nie obchodzi? Tak często mnie krytykujesz, że osiągnęłaś w tym prawdziwe mistrzostwo i nawet nie zauważyłaś, jak bardzo się zmieniłaś. Nie przypominasz już dziewczyny, w której kiedyś...* Tu list się urywał. Zmięłam starannie kartkę i wrzuciłam ją z powrotem do kosza. Zamknęłam oczy. Pomyślałam, że wuj Julian nieprędko skończy swoje badania nad Alberto Giacomettim.

14.   POTEM WPADŁAM NA POMYSŁ

Gdzieś muszą być odnotowane wszystkie zgony. Narodziny i zgony – musi być takie miejsce, biuro gdzieś w mieście, które je wszystkie zapisuje. Muszą istnieć jakieś akta. Akta ludzi, którzy urodzili się i zmarli w Nowym Jorku. Czasami kiedy jedzie się autostradą Brooklyn – Queens o zachodzie słońca widać tysiące nagrobków. Kiedy zapalają się światła i niebo staje się pomarańczowe, można odnieść dziwne wrażenie, że potrzebna miastu elektryczność wytwarzana jest przez pochowane tam osoby.

Pomyślałam więc, że być może odnotowano także jej zgon.

15.   NASTĘPNEGO DNIA BYŁA NIEDZIELA

Padał deszcz, więc siedziałam w domu, czytając *Ulicę krokodyli,* którą pożyczyłam z biblioteki, i zastanawiałam się, czy Misha zadzwoni. Wiedziałam, że wpadłam na jakiś trop, gdy przeczytałam we wstępie, że autor pochodzi z niewielkiej wioski w Polsce. Pomyślałam, że albo Jacob Marcus naprawdę lubi polskich pisarzy, albo chciał mi przekazać jakąś wskazówkę. To znaczy mojej matce. Książka nie była długa i skończyłam ją jeszcze tego popołudnia. O piątej Ptak wrócił do domu cały przemoczony. „Zaczyna się", powiedział. Dotknął mezuzy na drzwiach kuchni i pocałował rękę. „Co się zaczyna?", spytałam. „Deszcz". „Jutro ma przestać", odparłam. Nalał sobie szklankę soku pomarańczowego, wypił do dna i wyszedł. Zanim dotarł do swojego pokoju, ucałował w sumie cztery mezuzy.

Po dniu spędzonym w muzeum wrócił też wuj Julian. „Widziałaś budowlę Ptaka?" – zapytał, biorąc z blatu banana i obierając go nad koszem na śmieci. – Robi wrażenie, nie sądzisz?".

W poniedziałek nie przestało padać, Misha nie zadzwonił, więc włożyłam płaszcz przeciwdeszczowy, znalazłam parasol i wyruszyłam do nowojorskiego Archiwum Miejskiego, gdzie zgodnie z zamieszczoną w internecie informacją przechowywano dane dotyczące narodzin i zgonów.

16. CHAMBERS STREET 31, POKÓJ 103

„Mereminski", powiedziałam do mężczyzny w okrągłych czarnych okularach siedzącego za biurkiem. „M-E-R-E-M-I-N-S-K-I". „M-E-R", powtórzył mężczyzna, zapisując nazwisko. „E-M-I-N-S-K-I", dokończyłam. „I-S-K-Y", powtórzył mężczyzna. „Nie", powiedziałam. „M-E-R-". „M-E-R", powtórzył. „E-M-I-N", powiedziałam. On na to: „E-Y-N". „Nie!", zaprotestowałam. „E-M-I-N". Patrzył na mnie tępo. „Może panu napiszę?", zaproponowałam.

Spojrzał na nazwisko, po czym zapytał, czy Alma M-E-R-E-
M-I-N-S-K-I jest moją babką lub prababką. „Tak", odparłam, bo
doszłam do wniosku, że to przyśpieszy proces. „Czyli?", dopytywał
się. „Prababką", wyjaśniłam. Spojrzał na mnie, ssąc skórkę przy
paznokciu, po czym poszedł na zaplecze. Po chwili wrócił z pudełkiem mikrofilmów. Kiedy wsunęłam do urządzenia pierwsza rolkę,
zaraz się zablokowała. Próbowałam zwrócić na siebie uwagę mężczyzny, machając ręką i wskazując na zablokowany film. Podszedł
i pomógł mi z ciężkim westchnieniem. Przy trzeciej rolce już wiedziałam, o co w tym wszystkim chodzi. Przejrzałam wszystkie
piętnaście rolek. W tym pudełku nie było żadnej Almy Mereminski, więc przyniósł mi następne, a potem jeszcze jedno. Musiałam
iść do łazienki i w drodze powrotnej kupiłam w automacie paczkę
twinkies i puszkę coli. Mężczyzna kupił sobie snickersa. Pragnąc
nawiązać rozmowę, spytałam: „Czy wie pan, jak przetrwać w dziczy?". Skrzywił się lekko i przesunął okulary wyżej. „Co masz na
myśli?". „Czy wie pan na przykład, że niemal wszystkie rośliny
w Arktyce są jadalne? Oczywiście z wyjątkiem pewnych grzybów
– Uniósł brwi, więc ciągnęłam dalej: – „Czy wiedział pan, że można umrzeć z głodu, jedząc tylko mięso z królika? Udokumentowa-
no fakt, że ludzie, którzy próbowali przetrwać, umarli, bo jedli
wyłącznie króliki. Jeśli je się dużo chudego mięsa, na przykład królika, można dostać, no wie pan... No, to może to pana zabić".
Mężczyzna wyrzucił do kosza resztkę snickersa.

Przyniósł mi z zaplecza czwarte pudełko. Po dwóch godzinach rozbolały mnie oczy, ale nadal nic nie znalazłam. „Czy to
możliwe, że ona zmarła po tysiąc dziewięćset czterdziestym
ósmym roku?", spytał mężczyzna wyraźnie poruszony. Powiedziałam mu, że tak. „Dlaczego mi o tym nie powiedziałaś? Jeśli tak,

nie mamy tu świadectwa jej zgonu". „A gdzie mam go szukać?". „W nowojorskim Wydziale Zdrowia – powiedział. – Worth Street sto dwadzieścia pięć, pokój sto trzydzieści trzy. Mają tam świadectwa wszystkich zgonów po tysiąc dziewięćset czterdziestym ósmym roku". Pomyślałam: Wspaniale.

17. NAJWIĘKSZY BŁĄD MOJEJ MATKI.

Kiedy wróciłam do domu, matka leżała na kanapie i czytała książkę. „Co czytasz?", spytałam. „Cervantesa", odparła. „Cervantesa?". „To najsłynniejszy pisarz hiszpański", wyjaśniła, odwracając kartkę. Przewróciłam oczami. Czasami zastanawiam się, dlaczego nie wyszła za słynnego pisarza zamiast za kochającego wędrówki w dziczy inżyniera. Gdyby to zrobiła, wszystko wyglądałoby zupełnie inaczej. W tej chwili siedziałaby prawdopodobnie przy kolacji ze swoim sławnym mężem pisarzem i rozmawiała o dobrych i złych stronach innych sławnych pisarzy, podejmując przy tym trudną decyzję, komu przyznać pośmiertnego Nobla.

Późnym wieczorem zadzwoniłam do Mishy, lecz po pierwszym dzwonku odłożyłam słuchawkę.

18. NADSZEDŁ WTOREK

Nadal padało. Po drodze do metra minęłam pustą parcelę, gdzie Ptak zawiesił płachtę nad kupą śmieci, która sięgała już blisko dwóch metrów. Po bokach wisiały worki na śmieci i stare sznurki. Ze środka wystawał maszt, prawdopodobnie czekając na flagę.

Stoisko z lemoniadą nadal tam stało razem z tabliczką z napisem:

ŚWIEŻA LEMONIADA 50 CENTÓW PROSZĘ SIĘ OBSŁUŻYĆ SA-
MEMU (ZWICHNIĘTY NADGARSTEK). Ostatnio pojawiła się dodat-
kowa informacja: CAŁY DOCHÓD PRZEZNACZONY NA CELE CHARY-
TATYWNE. Stolik był jednak pusty, nigdzie nie było też widać Ptaka.
W metrze, gdzieś pomiędzy stacjami Carroll i Bergen, postanowiłam zadzwonić do Mishy, jakby nigdy nic. Kiedy wysiadłam
z pociągu, znalazłam działający automat telefoniczny i wykręciłam
jego numer. Serce waliło mi jak młotem, gdy usłyszałam dzwonek.
Odebrała matka. „Dzień dobry pani – powiedziałam, siląc się na obo-
jętny ton. – Czy Misza jest w domu?". Usłyszałam, jak go woła. Po
chwili, która wydała mi się wiecznością, podszedł do telefonu.
„Cześć", powiedziałam. „Cześć". „Jak się masz?". „Dobrze". „Co robisz?". „Czytam". „Co?". „Komiksy". „Zapytaj mnie, gdzie jestem".
„Gdzie?" „Przed budynkiem Nowojorskiego Wydziału Zdrowia".
„Co tam robisz?". „Będę szukać akt Almy Mereminski". „Więc nadal jej szukasz", powiedział Misha. „Tak". Zapadła niezręczna cisza.
Po chwili powiedziałam: „Dzwonię, żeby zapytać, czy chcesz dziś
wieczór wypożyczyć *Topaz*". „Nie mogę". „Dlaczego?". „Mam inne
plany". „Jakie?". „Idę do kina". „Z kim?". „Z dziewczyną". Mój żołądek wykonał gwałtowne salto. „Z którą?". Pomyślałam: Proszę,
tylko nie z... „Z Lubą – powiedział. – Może ją pamiętasz, poznałaś
ją kiedyś". Jasne, że pamiętałam. Jak można zapomnieć dziewczynę,
która ma ponad metr siedemdziesiąt wzrostu, jasne włosy i twierdzi,
że pochodzi w prostej linii od Katarzyny Wielkiej?

Dzień zapowiadał się fatalnie.

„M-E-R-E-M-I-N-S-K-I", powiedziałam do kobiety siedzącej
za biurkiem w pokoju 133. Pomyślałam: Jak on może lubić
dziewczynę, która nie potrafiłaby zdać Uniwersalnego Testu Jadalności, nawet gdyby od tego zależało jej życie? „M-E-R-E", za-

częła kobieta, więc dodałam: „M-I-N-S", myśląc: Ona pewnie nawet nie słyszała o *Oknie na podwórze*. „M-Y-M-S", powiedziała kobieta. „Nie – rzuciłam. – M-I-N-S". „M-I-N-S", powtórzyła kobieta. „K-I", dokończyłam. A ona powtórzyła: „K-I".

Minęła godzina, a my nie znalazłyśmy świadectwa zgonu Almy Mereminski. Minęło kolejne pół godziny i nadal nic. Samotność ustąpiła miejsca przygnębieniu. Po dwóch godzinach kobieta oświadczyła, że jest na sto procent pewna, że nie ma żadnej Almy Mereminski, która zmarła w Nowym Jorku po 1948 roku.

Tego wieczoru wypożyczyłam *Północ, północny zachód* i obejrzałam go po raz jedenasty. Potem poszłam spać.

19. SAMOTNI NIE ŚPIĄ PÓŹNĄ NOCĄ

Kiedy otworzyłam oczy, stał nade mną wuj Julian. „Ile masz lat?", spytał. „Czternaście. W przyszłym miesiącu będę miała piętnaście". „Piętnaście w przyszłym miesiącu – powiedział, jakby rozwiązywał w myślach zadanie matematyczne. Co chcesz robić, kiedy dorośniesz?". Nadal miał na sobie przemoczony trencz. Kropelka wody spadła mi prosto na oko. „Nie wiem". „Daj spokój, musisz mieć jakieś plany". Usiadłam w śpiworze, potarłam oko i spojrzałam na cyfrowy zegarek. Ma specjalny przycisk, którym podświetla się cyfry. Ma też wbudowany kompas. „Jest trzecia dwadzieścia cztery nad ranem", powiedziałam. Ptak spał w moim łóżku. „Wiem. Zastanawiałem się tylko. Powiedz mi, a obiecuję, że dam ci spokojnie spać. Kim chcesz być?". Pomyślałam: Kimś, kto potrafi przeżyć w minusowej temperaturze, zdobyć jedzenie, zbudować śnieżną jaskinię i rozpalić ogień bez pomocy żadnych narzędzi. „Nie wiem.

Może malarką", powiedziałam, żeby sprawić mu przyjemność i żeby zostawił mnie w spokoju. „Zabawne – powiedział. – Miałem nadzieję, że to powiesz".

20. LEŻĘ W CIEMNOŚCIACH

Myślałam o Mishy i Lubie, o moich rodzicach i o tym, dlaczego Zvi Litvinoff pojechał do Chile i ożenił się z Rosą zamiast z Almą, którą kochał.

Usłyszałam, jak wuj Julian kaszle w pokoju po drugiej stronie korytarza.

A potem, pomyślałam: Chwileczkę.

21. ONA PEWNIE WYSZŁA ZA MĄŻ

Już wiem! Dlatego nie znalazłam świadectwa zgonu Almy Mereminski. Dlaczego wcześniej nie przyszło mi to do głowy?

22. BYĆ NORMALNYM

Sięgnęłam pod łóżko i wyjęłam z plecaka latarkę razem z trzecim tomem *Jak przetrwać w dziczy*. Kiedy włączyłam latarkę, coś zwróciło moją uwagę. Nad podłogą, wsunięte między ramę łóżka i ścianę. Weszłam pod łóżko i zaświeciłam latarkę, by lepiej widzieć. Był to zwykły zeszyt. Na okładce widniał napis: יהוה*, a obok niego PRYWATNE. Kiedyś Misha powiedział mi, że w rosyjskim nie ma słowa oznaczającego prywatność. Otworzyłam zeszyt.

---

* Tetragram. Patrz przyp. na str. 52.

9 kwietnia

יהוה

Przez trzy dni z rzędu byłem normalną osobą. Oznacza to, że nie wspiąłem się na dach żadnego budynku, nie napisałem B-g na niczym, co nie należy do mnie, ani nie odpowiedziałem na zupełnie zwyczajne pytanie cytatem z Tory. Oznacza to też, że nie zrobiłem niczego, co zasłużyłoby na przeczącą odpowiedź na pytanie: CZY TAK ZROBIŁABY NORMALNA OSOBA? Jak dotąd nie było to wcale zbyt trudne.

10 kwietnia

יהוה

To już czwarty dzień z rzędu, gdy zachowuję się normalnie. Podczas lekcji WF-u Josh K. przygwoździł mnie do ściany i zapytał, czy uważam się za geniusza, a ja odparłem, że wcale nie uważam się za geniusza. Nie chciałem zniszczyć sobie całego normalnego dnia, więc nie powiedziałem mu, że może jestem Mesjaszem. Mój nadgarstek miewa się coraz lepiej. Jeśli chcecie wiedzieć, jak go skręciłem, to powiem wam, że stało się to, gdy wspiąłem się na dach, bo przyszedłem do szkoły żydowskiej wcześnie, drzwi były zamknięte, a na ścianie była przymocowana drabina. Była zardzewiała, ale poza tym w porządku. Na środku dachu była wielka kałuża wody, więc postanowiłem sprawdzić, co się stanie, gdy odbiję w niej małą piłeczkę, a potem spróbuję ją złapać. Ale było zabawnie! Odbiłem piętnaście razy, ale potem spadła na ziemię. Położyłem się na dachu i patrzyłem w niebo. Naliczyłem trzy samoloty. Kiedy mi się znudziło, postanowiłem zejść na dół. Było to trudniejsze niż wchodzenie na górę, bo musiałem iść tyłem. W połowie drogi znalazłem się przy oknie jednej z klas. Zobaczyłem przy tablicy panią Zucker, więc wiedziałem, że to czwarta klasa (jeśli chcecie wiedzieć, w tym roku jestem w szóstej). Nie słyszałem, co pani Zucker mówi, więc próbowałem czytać z jej ust. Musiałem się mocno przechylić, żeby lepiej widzieć. Przycisnąłem twarz do szyby i nagle wszyscy się odwrócili, chcąc na mnie spojrzeć. Pomachałem im i wtedy straciłem równowagę. Spadłem na ziemię, a rabi Wizner powiedział, że to prawdziwy cud, że niczego sobie nie złamałem. Ja jednak wiedziałem, że ciągle jestem bezpieczny, bo B-g nie pozwoliłby, żeby mi się coś stało. Wiem, gdyż niemal na pewno jestem lamed wownikiem.

11 kwietnia

יהוה

Dziś piąty dzień mojej normalności. Alma mówi, że gdybym był normalny, moje życie byłoby o wiele łatwiejsze, nie mówiąc o życiu innych. Zdjąłem już bandaż z nadgarstka. Boli tylko trochę. Prawdopodobnie bolało o wiele więcej, kiedy złamałem sobie nadgarstek, ale nie pamiętam.

Przerzuciłam kilka kartek, aż dotarłam do:

27 czerwca

יהוה

Jak dotąd na sprzedaży lemoniady zarobiłem $295,50. To 591 kubków! Moim najlepszym klientem jest pan Goldstein, który kupuje dziesięć kubków na raz, bo bardzo chce mu się pić. I wujek Julian, który kiedyś dał mi 20 dolarów napiwku. Muszę jeszcze zebrać $384,50.

28 czerwca

יהוה

Dziś o mało co nie zrobiłem czegoś nienormalnego. Kiedy mijałem budynek przy Czwartej ulicy, zauważyłem opartą o rusztowanie deskę. W pobliżu nie było nikogo i bardzo chciałem ją wziąć. To nie byłaby prawdziwa kradzież, bo ta specjalna rzecz, którą buduję, pomoże ludziom i B-g chce, żebym ją zbudował. Wiem jednak, że gdybym ukradł deskę i ktoś to zauważył, miałbym kłopoty. Alma musiałaby po mnie przyjść i byłaby zła. Ale założę się, że nie będzie już zła, gdy zacznie padać, a ja jej powiem, co to jest ta specjalna rzecz, którą zacząłem budować. Zebrałem już mnóstwo materiałów, głównie rzeczy, które ludzie wyrzucają. Potrzebuję jeszcze dużo styropianu, który unosi się na powierzchni wody, ale trudno go znaleźć. Czasami martwię się, że zacznie padać, zanim skończę budować.

Gdyby Alma wiedziała, co się wydarzy, chyba nie byłaby taka zła, że napisałem יהוה *na jej zeszycie. Przeczytałem wszystkie trzy tomy JAK PRZETRWAĆ W DZICZY. Są bardzo dobre i pełne bardzo pożytecznych informacji. Jedna część mówi o tym, co zrobić po wybuchu bomby nuklearnej. Nie sądzę, żeby do tego doszło, ale to na wszelki wypadek przeczytałem bardzo uważnie. Postanowiłem, że jeśli bomba wybuchnie, zanim dotrę do Izraela, i wszędzie opadnie popiół jak śnieg, będę robił w nim anioły. Będę wchodził do wszystkich domów, bo nikogo w nich przecież nie będzie. Nie będę chodził do szkoły, ale to nic, bo i tak nie uczymy się tam niczego ważnego, na przykład co się z nami dzieje po śmierci. Ale ja tylko tak żartuję, bo przecież bomba nie wybuchnie. Za to będzie potop.*

23.   ZA OKNEM NADAL PADAŁ DESZCZ

TU JESTEŚMY RAZEM

W swój ostatni poranek w Polsce, gdy jego przyjaciel naciągnął czapkę na oczy i zniknął za rogiem, Litvinoff wrócił do swojego pokoju. Był już pusty; meble sprzedano lub rozdano. Przy drzwiach stały walizki. Litvinoff wyjął spod płaszcza szary pakunek. Był zaklejony, a na wierzchu widniał napis skreślony znajomym charakterem pisma jego przyjaciela: *Przechować dla Leopolda Górskiego do następnego spotkania.* Litvinoff wsunął paczkę do kieszeni walizki. Podszedł do okna i po raz ostatni spojrzał na malutki prostokąt nieba. W oddali rozległ się dźwięk dzwonów kościelnych, tak jak słyszał setki razy przedtem, gdy pracował lub odpoczywał; tak często, że czuł, jakby stał się częścią jego umysłu. Powiódł palcami po ścianie, naznaczonej jaśniejszymi plamami po obrazach i artykułach z gazet, które na niej przyklejał. Zatrzymał się, by spojrzeć na swoje odbicie w lustrze, by później móc sobie przypomnieć, jak wyglądał tego dnia. Poczuł nagły ucisk w gardle. Nie wiadomo który już raz sprawdził w kieszeni paszport i bilety. Potem spojrzał na zegarek, westchnął, wziął walizki i wyszedł.

Początkowo Litvinoff nie myślał za często o swoim przyjacielu, a to dlatego, że umysł zaprzątało mu zbyt wiele spraw. Dzięki układom ojca, któremu winien był przysługę ktoś, kto znał kogoś, dostał wizę hiszpańską. Z Hiszpanii pojechał do Lizbony, a stamtąd zamierzał popłynąć do Chile, gdzie mieszkał kuzyn jego ojca. Kiedy wsiadł na pokład statku, inne sprawy zajęły jego uwagę: ataki choroby morskiej, strach przed ciemną wodą, medytacje nad horyzontem, spekulacje dotyczące życia na dnie oceanu, napady nostalgii, pojawienie się wieloryba, urocza ciemnowłosa Francuzka.

Kiedy statek wpłynął wreszcie do portu w Valparaiso i Litvinoff zszedł na drżących nogach ("morskie nogi" powtarzał sobie nawet wiele lat później, gdy drżenie wracało bez wyraźnej przyczyny) na ląd, musiał się zająć czym innym. Pierwsze miesiące w Chile spędził, imając się najróżniejszych prac: najpierw w wytwórni kiełbasy, z której wyrzucono go trzeciego dnia, gdy wsiadł do złego tramwaju i spóźnił się piętnaście minut, a potem w sklepie spożywczym. Pewnego dnia w drodze do majstra, który podobno szukał robotników, Litvinoff zgubił się i stanął nagle przed biurami redakcji miejskiego dziennika. Okna były otwarte i ze środka dobiegło go stukanie maszyn do pisania. Poczuł ukłucie tęsknoty. Pomyślał o swoich kolegach z redakcji, co przypomniało mu jego biurko z nacięciami w blacie, po których przesuwał palcami, chcąc się skupić, a to z kolei maszynę do pisania, która miała lepki klawisz S, na skutek czego w jego materiałach zawsze pojawiały się zdania w stylu: *niessspodziewana śmierć pozosstawiła pussstkę w życiu sssetek osssób, którym sssłużył pomocą*, to zaś przypomniało mu zapach tanich cygar szefa, co z kolei przywoływało wspomnienie awansu z niezależnego dziennikarza na autora nekrologów, które przywiodły mu na myśl Izaaka Babla. Nie pozwolił sobie na więcej, zwalczył tęsknotę i szybko ruszył przed siebie.

Wreszcie znalazł pracę w aptece – jego ojciec był aptekarzem i Litvinoff nauczył się przy nim dość, by móc pomagać staremu niemieckiemu Żydowi, który prowadził aptekę w cichej części miasta. Dopiero, gdy stać go było na wynajęcie samodzielnego pokoju, Litvinoff rozpakował walizki. W kieszeni jednej z nich znalazł szary pakunek z adnotacją napisaną ręką przyjaciela. Ogarnęła go fala smutku. Z niewiadomych przyczyn przypomniał sobie nagle białą koszulę, którą zostawił na sznurze na podwórku w Mińsku.

Próbował sobie przypomnieć, jak wyglądała w lustrze jego twarz tego ostatniego dnia. Ale nie mógł. Zamykając oczy, przywoływał wspomnienia. Ale ukazywał mu się tylko wyraz twarzy przyjaciela, stojącego na rogu ulicy. Z westchnieniem schował pakunek do pustej walizki, zasunął zamek i położył ją na półce w szafie.

Pieniądze, które pozostawały mu po opłaceniu pokoju i utrzymania, Litvinoff odkładał na sprowadzenie swojej młodszej siostry Miriam. Najbliżsi sobie wiekiem i najbardziej do siebie podobni z całego rodzeństwa, w dzieciństwie często byli brani za bliźnięta, mimo że Miriam miała jaśniejsze włosy i nosiła okulary w szylkretowej oprawie. Uczyła się w szkole prawniczej w Warszawie, dopóki nie zabroniono jej uczęszczać na zajęcia.

Jedynym wydatkiem, na jaki Litvinoff sobie pozwolił, było małe radio. Co wieczór przejeżdżał wskazówką po skali, przemierzając w ten sposób całą Amerykę Południową, aż znalazł nową stację: GŁOS AMERYKI. Słabo znał angielski, ale wystarczyło mu to w zupełności. Z przerażeniem słuchał doniesień o postępach nazistów. Hitler napadł na Polskę i złamał pakt z Rosją. Sytuacja ze złej zmieniała się w przerażającą.

Nieliczne listy od przyjaciół i krewnych teraz przychodziły jeszcze rzadziej i trudno było się zorientować, co się naprawdę dzieje. W przedostatnim liście od siostry – w którym pisała, że zakochała się w studencie prawa i wyszła za niego za mąż – znalazł złożone na pół zdjęcie, zrobione, gdy byli jeszcze dziećmi. Na odwrocie napisała: *Tu jesteśmy razem.*

Rankami Litvinoff parzył kawę, słuchając szczekania bezpańskich psów walczących w zaułku. Czekał na tramwaj, pocąc się w porannym upale. Lunch jadł na zapleczu apteki, w otoczeniu pudełek z pigułkami, pudrów, syropów i gumek, a wieczorem, kiedy już umył podłogę i wypolerował wszystkie słoiki, tak że widział w nich odbicie twarzy siostry, wracał do domu. Z nikim się nie zaprzyjaźnił. Już go to nie interesowało. Kiedy nie pracował, słuchał radia. Słuchał, aż padał ze zmęczenia i zasypiał na krześle, lecz nawet wtedy słuchał, a jego sny nabierały kształtu na tle głosu płynącego z radia. Wokół niego żyli inni uchodźcy, zmagający się z takim samym strachem i bezradnością, lecz Litvinoff nie znajdował w tym żadnej pociechy, gdyż na świecie żyją dwa gatunki ludzi: ci, którzy wolą być smutni wśród innych, i ci, którzy wolą smucić się w samotności. Litvinoff wolał być sam. Kiedy zapraszano go na kolację, wymawiał się. Gdy jego gospodyni zaprosiła go pewnej niedzieli na herbatę, powiedział, że musi skończyć pisanie. „Pan pisze? – spytała zaskoczona. – A co?". Każde kłamstwo było równie dobre, więc nie zastanawiając się, powiedział: „Wiersze".

I tak zrodziła się pogłoska, że jest poetą. Litvinoff bardzo się z niej w duchu cieszył, pochlebiała mu i nie zrobił nic, by ją zdementować. Kupił nawet sobie kapelusz, w stylu Alberto Santosa-

-Dumonta, który zdaniem Brazylijczyków odbył pierwszy udany lot samolotem i którego panama, z rondem podwiniętym przez prąd powietrza podczas lotu, była modna w środowisku literatów. Czas mijał. Stary niemiecki Żyd umarł we śnie, aptekę zamknięto, a Litvinoff dostał posadę nauczyciela w szkole żydowskiej. Zawdzięczał ją po części plotkom o swojej działalności literackiej. Skończyła się wojna. Powoli Litvinoff dowiadywał się, co się stało z jego siostrą Miriam, rodzicami i pozostałą czwórką rodzeństwa (los najstarszego brata, mógł odtworzyć tylko na podstawie prawdopodobieństwa). Nauczył się żyć z prawdą. Nie zaakceptować ją, ale z nią żyć. To tak, jakby żyć ze słoniem. Jego pokój był malutki i co rano musiał przeciskać się obok prawdy, by dojść do łazienki. Żeby wyjąć z komody bieliznę, musiał wczołgiwać się pod prawdę, modląc się, by właśnie w tej chwili nie postanowiła usiąść mu na twarzy. Nocą, kiedy zamykał oczy, czuł, że czai się nad nim.

Schudł i jakby wszystko się w nim skurczyło, z wyjątkiem uszu i nosa, który zakrzywił się i stał się jeszcze dłuższy, nadając mu melancholijny wygląd. Kiedy skończył trzydzieści dwa lata, włosy zaczęły mu wychodzić garściami. Zrezygnował z panamy z podwiniętym rondem i nosił teraz gruby płaszcz. W jego wewnętrznej kieszeni spoczywał zniszczony i pomięty kawałek papieru, który miał przy sobie od lat i który zaczął się przecierać na zgięciach. W szkole dzieci rzucały sobie znaczące spojrzenia za jego plecami, gdy przypadkiem się o któreś otarł.

W takim właśnie stanie zaczęła go zauważać Rosa, gdy przesiadywał w kafejkach nad morzem. Chodził tam popołudniami, tłumacząc się koniecznością przeczytania jakiejś powieści lub zbiorku poezji (najpierw robił to z obowiązku wobec swojej reputacji, potem kierowany rosnącym zainteresowaniem). Naprawdę jednak pragnął ukraść trochę czasu przed powrotem do domu, gdzie czekała na niego prawda. W kafejce pozwalał sobie na chwilę zapomnienia. Obserwował fale i studentów, czasami podsłuchiwał ich spory, które były takie same jak te, które toczył, będąc studentem przed stu laty (to jest przed dwunastoma). Znał nawet imiona niektórych z nich. Między innymi Rosy. Jakże mógł go nie znać? Stale ktoś ją wołał.

Tamtego popołudnia, gdy podeszła do jego stolika i zamiast go minąć, by się przywitać z jakimś młodym człowiekiem, przystanęła z wdziękiem i zapytała, czy może się przysiąść, Litvinoff pomyślał, że to jakiś żart. Miała czarne lśniące włosy, przycięte tuż przy linii brody, co podkreślało jej duży nos. Miała na sobie zieloną sukienkę (później Rosa spierała się, że sukienka była czerwona w czarne groszki, ale Litvinoff za nic nie chciał się rozstać ze wspomnieniem sukienki bez rękawów ze szmaragdowego szyfonu). Dopiero po półgodzinie, kiedy przyjaciele Rosy przestali zwracać na nich uwagę i wrócili do swoich rozmów, Litvinoff przekonał się, że jej gest był jak najbardziej szczery. W ich rozmowie zapadła niezręczna cisza. Rosa uśmiechnęła się.

„Nie przedstawiłam się", powiedziała.

„Masz na imię Rosa", odparł Litvinoff.

Następnego popołudnia, zgodnie z obietnicą, Rosa przyszła na drugie spotkanie. Kiedy spojrzała na zegarek i uświadomiła sobie, jak bardzo jest późno, umówili się na trzecie, a potem wiedzieli już doskonale, że spotkają się po raz czwarty. Podczas piątego, oczarowany młodzieńczą spontanicznością Rosy – w połowie gorącej dyskusji o tym, kto jest większym poetą: Neruda czy Dario – Litvinoff zaskoczył sam siebie, proponując, by poszli razem na koncert. Kiedy Rosa zgodziła się ochoczo, oświeciło go nagle, że najwyraźniej zdarzył się cud i ta urocza dziewczyna być może coś do niego *czuje*. W jego piersiach jakby nagle rozległ się gong, a radosna wieść rozeszła się po całym ciele. Kilka dni po koncercie wybrali się do parku na piknik. W następną sobotę przyszła kolej na wyprawę rowerową. Na siódmej randce poszli do kina. Po zakończeniu seansu Litvinoff odprowadził Rosę do domu. Stali na ulicy, omawiając jeszcze talent aktorski Grace Kelly i jej niezwykłą urodę, kiedy nagle Rosa pochyliła się i pocałowała go. A przynajmniej próbowała pocałować, lecz zupełnie tym zaskoczony Litvinoff cofnął się, pozostawiając Rosę na czubkach palców, pochyloną pod dziwnym kątem i z wyciągniętą szyją. Przez cały wieczór z rosnącą przyjemnością obserwował zmieniającą się odległość pomiędzy różnymi częściami ich ciał. Były to jednak zmiany tak nieznaczne, że gwałtowny atak nosa Rosy doprowadził go niemal do łez. Uświadomiwszy sobie swój błąd, na ślepo wyciągnął szyję. Jednakże Rosa, pogodziwszy się właśnie z porażką, wycofała się na bezpieczne terytorium. Litvinoff niemal zawisł w powietrzu. W tym czasie zapach perfum Rosy mile połechtał go w nos, a on szybko wrócił do dawnej pozycji. A raczej zaczął szybko wracać, kiedy Rosa, nie chcąc już ryzykować, wysunęła usta w przestrzeń, zapominając na moment o swoim nosie. Przypomniała sobie o nim ułamek sekundy później, kiedy zderzył się z nosem Litvinoffa, w chwili gdy jego usta dotknęły jej ust, i tak podczas swego pierwszego pocałunku zawarli też braterstwo krwi.

Kiedy Litvinoff wracał autobusem do domu, kręciło mu się w głowie ze szczęścia. Uśmiechał się do wszystkich, którzy na niego patrzyli. Idąc ulicą, pogwizdywał. Kiedy jednak wsuwał klucz do zamka, poczuł nagły chłód w sercu. Stał w ciemnym pokoju, nie włączając światła. *Na miłość boską*, pomyślał. *Gdzie ty masz głowę? Co ty możesz zaoferować takiej dziewczynie, nie bądź głupi, rozpadłeś się na kawałeczki, które poginęły, i teraz nie masz już nic do dania, nie możesz ukryć tego na zawsze, prędzej czy później ona odkryje prawdę: jesteś tylko skorupą człowieka, ona musi się tylko z tobą zderzyć, by się przekonać, że w środku jesteś pusty.*

Przez długi czas stał z głową opartą o szybę, myśląc o wszystkim. Potem zdjął ubranie. W ciemnościach po omacku wyprał bieliznę i powiesił ją na kaloryferze. Przekręcił gałkę radia, które zalśniło w ciemności i ożyło, lecz po minucie wyłączył je i tango rozpłynęło się w ciszy. Siedział nagi w fotelu. Na jego skurczonym penisie wylądowała mucha. Mruknął kilka słów. Bardzo dobrze mu to zrobiło, więc mruknął coś jeszcze. Znał te słowa na pamięć, bo nosił je zapisane na kartce papieru w kieszeni na piersi od tamtej nocy, wiele lat temu, kiedy siedział przy swoim przyjacielu i modlił się, by nie umarł. Wypowiadał je tyle razy, czasami nawet bezwiednie, że często nie pamiętał, iż nie są to jego słowa.

Tamtej nocy Litvinoff wyjął z szafy walizkę. Sięgnąwszy do kieszeni, poszukał szarego pakunku. Wyjął go, usiadł w fotelu i położył pakunek na kolanach. Choć nigdy go nie otwierał, wiedział doskonale, co jest w środku. Osłaniając oczy przed nagłym blaskiem, wyciągnął rękę i włączył światło.

Przechować dla Leopolda Górskiego do następnego spotkania.

Później wielekroć próbował pogrzebać to zdanie w śmieciach, pod skórkami z pomarańczy i filtrami do kawy, ale zawsze wypływało na powierzchnię. Pewnego ranka Litvinoff wziął więc puste opakowanie, którego zawartość spoczywała bezpiecznie na jego biurku. Walcząc ze łzami, zapalił zapałkę i patrzył, jak płomienie pochłaniają napisane ręką przyjaciela słowa.

UMRZEĆ ZE ŚMIECHU

Co tam jest napisane?

Staliśmy pod tablicą na dworcu Grand Central, więc musiałem zgadywać, bo prędzej założyłbym nogi za uszy niż zadarł głowę, by zobaczyć, co jest napisane na górze.

Co tam jest napisane?, powtórzył Bruno, szturchając mnie łokciem w żebra, kiedy uniosłem lekko brodę, by sprawdzić informacje zamieszczone na tablicy odjazdów pociągów. Moja górna warga oderwała się od dolnej, by uwolnić się od ciężaru szczęki. *Pośpiesz się,* powiedział Bruno. *Wstrzymaj konie,* odparłem, choć w moim wykonaniu, z otwartymi ustami, zabrzmiało to jak *Szczymaj onie.* Udało mi się dostrzec tylko cyfry. *Dziewiąta czterdzieści pięć*, powiedziałem, co zabrzmiało jak *Dziewiąta szerdzieści pień.* *A która jest teraz?*, dopytywał się Bruno. Spojrzałem na zegarek. *dziewiąta czterdzieści trzy*, odparłem.

Zaczęliśmy biec. A raczej nie biec, lecz poruszać się tak, jak może się poruszać dwóch staruszków, którzy chcą zdążyć na pociąg. Wysunąłem się do przodu, lecz Bruno sapał tuż za mną. Po chwili znalazł trudny do opisania sposób poruszania rękami tak, by zwiększyć szybkość, i wysunął się przede mnie. Na ułamek sekundy zatrzymałem się, podczas gdy on śmigał jak wiatr. Wbiłem wzrok w jego kark, kiedy nagle zupełnie bez ostrzeżenia zniknął mi z oczu. Obejrzałem się. Bruno leżał na ziemi, bez jednego buta. *Leć!*, krzyknął. Zawahałem się, nie wiedząc, co robić. *LEĆ!*, krzyknął jeszcze raz. Ruszyłem więc ostro przed siebie. Po chwili Bruno znów wysunął się przede mnie i z butem w jednej ręce śmiesznie pompował ramionami.

Proszę wsiadać. Odjazd pociągu z peronu dwudziestego drugiego. Bruno popędził w stronę schodów prowadzących na peron. Ja biegłem tuż za nim. Mieliśmy wszelkie powody, by uwierzyć, że zdążymy. A jednak. Zmieniając niespodziewanie plany, Bruno zatrzymał się tuż przy pociągu. Nie mogąc zwolnić, minąłem go i wpadłem do wagonu. Drzwi natychmiast się zamknęły. Bruno uśmiechnął się do mnie przez szybę. Walnąłem w nią pięścią. *Cholera jasna, Bruno.* Pomachał do mnie. Wiedział, że sam bym nie pojechał. A jednak. Wiedział, że muszę jechać. Sam. Pociąg ruszył. Bruno coś powiedział. Próbowałem odczytać słowa z ruchu warg. *Życzę,* powiedział. Czego mi życzysz?, chciałem krzyknąć. Powiedz mi, czego mi życzysz. I powiedział: *Powodzenia.*

Pięć dni po otrzymaniu przesyłki z książką, którą napisałem pół wieku temu, ruszyłem w drogę, by odzyskać książkę, którą napisałem pół wieku później. Albo ujmując to inaczej: tydzień po śmierci mojego syna znalazłem się w drodze do jego domu. Jakkolwiek by to ująć, byłem sam.

Znalazłem miejsce przy oknie i próbowałem złapać oddech. Pędziliśmy przez tunel. Oparłem głowę o szybę. Ktoś wydrapał na niej napis „niezłe cycki". Nie sposób nie pomyśleć: Czyje? Pociąg wyjechał w szarość deszczu. Po raz pierwszy w życiu wsiadłem do pociągu bez biletu.

Na stacji Yonkers wszedł mężczyzna i usiadł obok mnie. Wyjął kieszonkowe wydanie jakiejś książki. Poczułem, że ściska mnie w żołądku. Jeszcze nic nie jadłem, jeśli nie liczyć kawy, którą wypiłem z Brunonem w Dunkin' Donuts. Było wcześnie. Byliśmy pierwszymi klientami. *Mam ochotę na pączka z galaretką i z cukrem pudrem,* powiedział Bruno. *Proszę o jednego pączka z gala retką i jednego z cukrem pudrem. A dla mnie małą kawę.* Mężczyzna w papierowej czapeczce odwrócił się. *Będzie taniej, jeśli weźmie pan średnią,* powiedział. Niech Bóg cię błogosław, Ameryko. *Dobrze,* powiedziałem. *Niech będzie średnia.* Mężczyzna wyszedł na zaplecze i wrócił z kawą. *Zjem jednego z kremem i jednego z lukrem,* powiedział Bruno. Spojrzałem na niego. *No co?,* spytał, wzruszając ramionami. *Poproszę o jednego z kremem...,* zacząłem. *I jeden waniliowy,* powiedział Bruno. Odwróciłem się i zmierzyłem go wzrokiem. *Mea culpa,* rzucił. *Waniliowy. Idź i usiądź,* powiedziałem. Ale on stał. *SIADAJ,* rzuciłem. *I racuszek,* powiedział. Szybko uporał się z pączkiem z kremem. Oblizał palce i podniósł racuszek do światła. *To racuszek, nie diament,* powiedziałem. *Nie jest świeży,* powiedział Bruno. *Ale możesz go zjeść,* odparłem. *Wymień go na placek z jabłkiem,* powiedział.

Pociąg wyjechał już z miasta. Po obu stronach pojawiły się zielone pola. Deszcz padał od kilku dni bez przerwy.

Wiele razy wyobrażałem sobie miejsce, gdzie mieszka Izaak. Znalazłem je na mapie. Raz zadzwoniłem nawet do informacji: *Jeśli chcę się dostać z Manhattanu do mojego syna,* zapytałem, *jak mam jechać?* Wyobrażałem sobie wszystko w najdrobniejszych szczegółach. Szczęśliwy czas! Przyjechałbym z prezentem. Może ze słoikiem dżemu. Nie bawilibyśmy się w konwenanse. Nie czas. Może pogralibyśmy w piłkę na trawniku. Nie potrafię łapać. I szczerze mówiąc, rzucać też nie. A jednak. Rozmawialibyśmy o bejsbolu. Śledziłem rozgrywki od czasu, gdy Izaak był małym chłopcem. Kiedy kibicował Dodgersom, ja też im kibicowałem. Chciałem oglądać to, co on oglądał, i słuchać tego, czego on słuchał. Starałem się być na bieżąco w muzyce. The Beatles, Rolling Stones, Bob Dylan – *Lay, Lady, Lay*. Nie trzeba było być geniuszem, żeby to zrozumieć. Co wieczór wracałem do domu i zamawiałem jedzenie u pana Tonga. Potem wyjmowałem płytę z okładki, delikatnie brałem w palce igłę i słuchałem.

Za każdym razem, gdy Izaak się przeprowadzał, wytyczałem na planie trasę z mojego mieszkania. Pierwszy raz miał jedenaście lat. Miałem zwyczaj stać po drugiej stronie ulicy przed jego szkołą w Brooklynie i czekać, żeby tylko na niego popatrzeć, a przy odrobinie szczęścia może i usłyszeć jego głos. Pewnego dnia czekałem jak zwykle, ale on się nie pojawił. Pomyślałem, że może wpadł w jakieś tarapaty i musiał zostać za karę dłużej. Zapadł zmierzch, w szkole pogasły światła, a on nadal się nie pojawił. Wróciłem pod szkołę następnego dnia i znów czekałem, ale on się nie pojawił. Tamtej nocy wyobrażałem sobie najgorsze. Nie mogłem spać, po głowie chodziły mi nieszczęścia, które mogły się przydarzyć mojemu dziecku. Choć obiecywałem sobie, że nigdy tego nie zrobię, następnego ranka wstałem wcześniej i przeszedłem koło jego domu. Nie przeszedłem. Stałem po drugiej stronie ulicy. Czekałem, aż wyjdzie on lub Alma albo nawet ten *szlemiel*, jej mąż. A jednak. Nikt się nie pokazał. Wreszcie zatrzymałem chłopca, który wyszedł z budynku. *Znasz Moritzów?*, spytałem. Spojrzał na mnie. *Tak. I co z tego?*, rzucił. *Nadal tu mieszkają?*, spytałem. *A co to pana obchodzi?*, powiedział i ruszył przed siebie, odbijając o chodnik gumową piłeczkę. Chwyciłem go za kołnierz. W jego oczach pojawił się strach. *Przenieśli się na Long Island,* rzucił i ruszył pędem przed siebie.

Tydzień później dostałem list od Almy. Miała mój adres, bo raz do roku wysyłałem jej kartkę na urodziny. *Najlepsze życzenia,* pisałem, *od Leo.* Rozerwałem kopertę. *Wiem, że go obserwujesz,* pisała. *Nie pytaj skąd, ale wiem. Wciąż czekam na dzień, kiedy będzie chciał poznać prawdę. Czasami widzę w jego oczach Ciebie. I myślę, że jesteś jedyną osobą, która potrafi odpowiedzieć na jego pytania. Słyszę Twój głos, jakbyś stał obok mnie.*

Nie wiem, ile razy czytałem ten list. Ale nie o to chodzi. Najważniejsze było to, że w lewym górnym rogu koperty Alma napisała adres zwrotny: *121 Atlantic Avenue, Long Beach, NY.*

Wyjąłem plan i nauczyłem się wszystkich szczegółów podróży. Snułem fantazje na temat katastrof, trzęsień ziemi, powodzi i chaosu, który zapanował nad światem, bym miał powód, żeby do niego pojechać i ukryć go pod płaszczem. Kiedy porzuciłem nadzieję, że połączy nas splot niezwykłych okoliczności, zacząłem marzyć o przypadkowym spotkaniu. Przekalkulowałem wszystkie sposoby, dzięki którym nasze drogi mogłyby się przeciąć – siedziałem obok niego w metrze lub w poczekalni u lekarza. Na koniec doszedłem jednak do wniosku, że wszystko zależy ode mnie. Kiedy odeszła Alma, a dwa lata później Mordechaj, nic mnie już nie powstrzymywało. A jednak.

Po dwóch godzinach pociąg wjechał na stację. Zapytałem kobietę siedzącą w kasie, gdzie mogę znaleźć taksówkę. Już od tak dawna nie wyjeżdżałem z miasta. Stałem, zachwycony otaczającą mnie zielenią.

Jechaliśmy jakiś czas. Skręciliśmy z głównej drogi w mniejszą, potem w jeszcze mniejszą. W końcu w otoczony drzewami wyboisty podjazd w samym środku pustkowia. Trudno mi było wyobrazić sobie mojego syna mieszkającego w takim miejscu. Powiedzmy, że przyjdzie mu ochota na pizzę, to gdzie ją zje? Powiedzmy, że będzie chciał posiedzieć samotnie w ciemnym kinie albo pooglądać dzieciaki całujące się na Union Square?

Zobaczyłem przed sobą biały dom. Lekki wiatr gonił chmury po niebie. Pomiędzy gałęziami drzew dostrzegłem jezioro. Wyobrażałem sobie jego dom wiele razy. Ale nigdy z jeziorem. Ten nadmiar aż sprawił mi ból.

Może mnie pan tu wysadzić, powiedziałem, zanim dotarliśmy do polany. W głębi serca spodziewałem się, że ktoś będzie w domu. O ile wiedziałem, Izaak mieszkał sam. Ale nigdy nic nie wiadomo. Taksówka zatrzymała się. Zapłaciłem i wysiadłem, a kierowca tyłem wyjechał z podjazdu. Wymyśliłem historyjkę o zepsutym samochodzie i konieczności skorzystania z telefonu, wziąłem głęboki oddech i podniosłem kołnierz płaszcza, by ochronić się od deszczu.

Zapukałem. Potem nacisnąłem przycisk dzwonka. Wiedziałem, że Izaak nie żyje, ale jakaś cząstka mnie nadal miała nadzieję. Wyobraziłem sobie jego twarz, kiedy otworzy drzwi. Co bym do niego powiedział, do mojego jedynego dziecka? Wybacz mi, ale twoja matka nie kochała mnie tak, jak chciałem być kochany; może ja też nie kochałem jej tak, jak tego potrzebowała? A jednak. Nikt nie otworzył drzwi. Czekałem, żeby się upewnić, że w środku nie ma nikogo. Kiedy nadal nikt się nie zjawiał, obszedłem dom od tyłu. Na trawniku rosło drzewo, które przypomniało mi o tym, na którym kiedyś wyciąłem nasze inicjały, A + L, a ona nigdy się o tym nie dowiedziała, tak jak ja przez pięć lat nie wiedziałem, że równanie z naszych inicjałów przyniosło wynik w postaci dziecka.

Trawa była śliska. W oddali zauważyłem łódkę przywiązaną do pomostu. Spojrzałem na wodę. Musiał być dobrym pływakiem, odziedziczył to po ojcu, pomyślałem z dumą. Mój ojciec, który miał wielki szacunek dla natury, kilka dni po naszych narodzinach wrzucał nas do rzeki, zanim – jak twierdził – zerwiemy na dobre nasze związki z amfibiami. Moja siostra przypisywała temu swój trwały uraz do wody. Lubię myśleć, że ja zrobiłbym to zupełnie inaczej. Trzymałbym mojego syna w ramionach. Powiedziałbym mu: *Niegdyś byłeś rybą. Rybą?*, spytałby on. *Właśnie, rybą. Skąd wiesz? Bo ja też byłem rybą. Ty też? Oczywiście. Dawno temu. Bardzo dawno? Bardzo. Będąc rybą, potrafiłeś doskonale pływać. Naprawdę? Tak. Byłeś świetnym pływakiem. Prawdziwym mistrzem. Kochałeś wodę. Dlaczego? Dlaczego co? Dlaczego kochałem wodę? Bo była twoim życiem!* W czasie naszej rozmowy pozwoliłbym mu zanurzać jeden palec po drugim, aż – nie zdając sobie z tego sprawy – pływałby już razem ze mną.

A potem pomyślałem: Może to właśnie znaczy być ojcem – nauczyć swoje dziecko żyć bez ciebie. Jeśli tak, to nie było lepszego ojca niż ja.

W tylnych drzwiach był tylko jeden zamek, bardzo prosty, w przeciwieństwie do podwójnego we frontowych. Zapukałem po raz ostatni i zabrałem się do pracy. Otwarcie zamka zajęło mi minutę. Przekręciłem gałkę i pchnąłem drzwi. Stałem w progu bez ruchu. *Halo?*, zawołałem. Odpowiedziała mi cisza. Poczułem dreszcz biegnący wzdłuż kręgosłupa. Wszedłem i zamknąłem za sobą drzwi. W domu pachniało drewnem i dymem.

To dom Izaaka, powiedziałem sobie w duchu. Zdjąłem płaszcz i powiesiłem go na wieszaku obok innego. Z brązowego tweedu z brązową jedwabną podszewką. Podniosłem rękaw i dotknąłem nim policzka. Pomyślałem: To jego płaszcz. Przyłożyłem rękaw do nosa i powąchałem. Poczułem delikatny zapach wody kolońskiej. Zdjąłem płaszcz z wieszaka i przymierzyłem go. Rękawy były za długie. Ale. To nie miało znaczenia. Podciągnąłem je. Zdjąłem oblepione błotem buty. Pod wieszakiem stała para adidasów z podwiniętymi czubkami. Wsunąłem je na stopy. Rozmiar co najmniej jedenaście, może nawet jedenaście i pół. Mój ojciec miał małe stopy. Kiedy moja siostra wyszła za mąż za chłopaka z sąsiedniej wioski, przez całe wesele patrzył z żalem na stopy swojego nowego zięcia. Mogę sobie tylko wyobrazić jego zdumienie, gdyby zobaczył stopy wnuka.

I tak wszedłem do domu mojego syna: w jego płaszczu i butach. Jeszcze nigdy nie byłem tak blisko niego. I tak daleko.

Klapiąc butami, przeszedłem przez wąski korytarz prowadzący do kuchni. Stojąc na środku, czekałem na policyjne syreny, które się nie rozległy.

W zlewozmywaku znalazłem brudny garnek. Na suszarce odwróconą do góry dnem szklankę, a na spodeczku wysuszoną torebkę herbaty. Na kuchennym stole rozsypaną sól. Zauważyłem przyklejoną do szyby pocztówkę. Zdjąłem ją i przeczytałem. *Drogi Izaaku! Piszę do Ciebie z Hiszpanii, gdzie mieszkam od miesiąca. Chcę Ci powiedzieć, że nie czytałam Twojej książki i nie zamierzam.*

Nagle za mną rozległ się jakiś huk. Uniosłem rękę do piersi. Pomyślałem, że jeśli się odwrócę, zobaczę ducha Izaaka. Ale to były tylko drzwi, które otworzył wiatr. Drżącymi rękami przykleiłem pocztówkę z powrotem i stałem na środku kuchni, czując pulsowanie w uszach. Deski podłogi zaskrzypiały pod moim ciężarem. Wszędzie były książki. A prócz nich długopisy, niebieski szklany wazon, popielniczka z hotelu Dolder Grand w Zurychu, zardzewiały element wiatrowskazu, mała miedziana klepsydra, pieniążkowce na parapecie, lornetka, pusta butelka po winie, która służyła jako lichtarz. Dotykałem po kolei różnych przedmiotów. Na koniec zostają po nas tylko rzeczy. Może dlatego nigdy nie potrafiłem niczego wyrzucić. Może dlatego gromadziłem dosłownie wszystko: z nadzieją, że kiedy umrę, moje rzeczy zaświadczą, że wiodłem życie o wiele bujniejsze niż w rzeczywistości.

Zakręciło mi się w głowie i złapałem się komody. Wróciłem do kuchni. Nie byłem głodny, ale otworzyłem lodówkę, bo lekarz powiedział mi, że nie powinienem długo pościć. To miało coś wspólnego z ciśnieniem krwi. Poczułem silny odór. W lodówce zepsuły się resztki kurczaka. Wyrzuciłem je razem z kilkoma brązowymi już brzoskwiniami i zapleśniałym serem. Potem umyłem brudny garnek. Nie wiem, jak opisać uczucie, które towarzyszyło tym prostym czynnościom w domu mojego syna. Wykonywałem je wszystkie z miłością. Szklankę wstawiłem do szafki. Wyrzuciłem torebkę herbaty, wypłukałem spodeczek. Różni ludzie – mężczyzna z żółtą muszką lub przyszły biograf – prawdopodobnie chcieli zostawić wszystko bez zmian. Może pewnego dnia otworzą tu nawet muzeum, a eksponaty przyniosą tacy ludzie jak ci, którzy ocalili szklankę, z której swój ostatni w życiu łyk wypił Kafka, lub talerz, z którego ostatnie okruchy zjadł Mandelsztam. Izaak był wielkim pisarzem. Pisarzem, jakim ja nigdy nie mógłbym być. A jednak. Był też moim synem.

Poszedłem na górę. Z każdym otwarciem drzwi i szuflady dowiadywałem się o Izaaku czegoś nowego, każda nowa rzecz czyniła jego nieobecność coraz bardziej realną, a im bardziej była realna, tym trudniej było w nią uwierzyć. Otworzyłem szafkę w łazience. Stały w niej dwa opakowania talku. Nie wiem nawet, co to takiego i do czego się go używa, ale ten drobny fakt z jego życia poruszył mnie bardziej niż jakikolwiek szczegół, który sobie wyobrażałem. Otworzyłem szafę i ukryłem twarz w koszulach. Lubił kolor niebieski. Wziąłem do ręki parę brązowych butów. Obcasy były niemal zupełnie zdarte. Wsunąłem nos do środka i powąchałem. Na nocnym stoliku znalazłem zegarek i włożyłem go na rękę. Skórzany pasek był wytarty przy dziurce, na którą go zapinał. Miał grubszy nadgarstek niż ja. Kiedy on tak urósł? Co robiłem ja, a co on wtedy, gdy mój syn mnie przerósł?

Łóżko było starannie zasłane. Czy w nim właśnie umarł? A może przeczuwał nadciągającą śmierć, wstał, by znów przywitać dzieciństwo, i wtedy go powaliła? Na którą rzecz spojrzał po raz ostatni? Na zegarek zapięty teraz na mojej ręce, który zatrzymał się o 12.38? Na jezioro za domem? Na czyjąś twarz? Czy czuł ból?

Tylko raz ktoś umarł w moich ramionach. Zimą 1941 roku pracowałem jako dozorca w szpitalu. Bardzo krótko. W końcu straciłem tę pracę. Ale pewnego wieczoru, w ostatnim tygodniu, myłem właśnie podłogę, gdy usłyszałem, że ktoś się dusi. Dźwięk dobiegał z pokoju kobiety, która cierpiała na jakąś chorobę krwi. Podbiegłem do niej. Wiła się na łóżku w konwulsjach. Wziąłem ją w ramiona. Chyba mogę powiedzieć, że żadne z nas nie miało wątpliwości, co się zaraz wydarzy. Kobieta miała syna. Wiedziałem o tym, bo widziałem raz, jak przyszedł ją odwiedzić razem z ojcem. Mały chłopczyk w wypastowanych butach i płaszczyku ze złotymi guzikami. Cały czas bawił się samochodzikiem, zupełnie nie zwracając uwagi na matkę, chyba że coś do niego powiedziała. Może był na nią zły, że na tak długo zostawiła go samego z ojcem. Kiedy patrzyłem na jej twarz, myślałem właśnie o nim, o chłopcu, który będzie dorastał, nie umiejąc sobie wybaczyć. Poczułem pewną ulgę i dumę, nawet wyższość, na myśl o tym, że spełniam zadanie, którego on nie mógł spełnić. A niecały rok później synem, którego matka umarła bez niego, stałem się ja. Usłyszałem za sobą hałas. Skrzypnięcie. Tym razem nie odwróciłem się. Zamknąłem oczy. *Izaak,* szepnąłem. Dźwięk własnego głosu przeraził mnie, ale nie zamilkłem. *Chcę ci powiedzieć...,* urwałem. Co chcę ci powiedzieć? Prawdę? Jaką prawdę? Że twoja matka pomyliła mi się z życiem? Nie. *Izaak,* powiedziałem. *Prawda jest czymś, co wymyśliłem, żeby móc żyć.*

Odwróciłem się i zobaczyłem swoje odbicie w lustrze na ścianie. Głupiec w kostiumie głupca. Przyjechałem, by odzyskać moją książkę, ale teraz wcale nie dbałem o to, czy ją znajdę, czy nie. Pomyślałem: Niech zginie jak wszystko. To już nie ma znaczenia, najmniejszego.

A jednak.

W rogu lustra dostrzegłem jego maszynę do pisania. Nie trzeba mi było mówić, że jest taka jak moja. Przeczytałem w jednym z wywiadów, że Izaak od blisko dwudziestu pięciu lat pisze na tym samym modelu olympii. Kilka miesięcy później zobaczyłem taki model na wyprzedaży w sklepie z rzeczami używanymi. Mężczyzna prowadzący sklep powiedział, że maszyna nieźle się sprawuje, więc ją kupiłem. Na początku tylko lubiłem na nią patrzeć, wiedząc, że mój syn też na nią patrzy. Dzień po dniu uśmiechała się do mnie, jakby klawisze były zębami. Potem miałem zawał serca, a ona uśmiechała się nadal, więc pewnego dnia wkręciłem kartkę papieru i napisałem zdanie.

Przeszedłem przez korytarz. Pomyślałem: A jeśli znajdę moją książkę tam, na jego biurku? Uderzyła mnie niezwykłość tej sytuacji. Ja w jego płaszczu, moja książka na jego biurku. On z moimi oczami, ja w jego butach.

Chciałem tylko uzyskać dowód, że ją przeczytał.

Usiadłem na krześle przed maszyną. W domu było zimno. Otuliłem się płaszczem Izaaka. Wydało mi się, że słyszę śmiech, ale powiedziałem sobie w duchu, że to tylko trzeszczenie małej łodzi. Wydało mi się, że słyszę kroki na dachu, ale powiedziałem sobie, że to tylko zwierzę szukające jedzenia. Pokiwałem się trochę, tak jak kiwał się mój ojciec podczas modlitwy. Kiedyś powiedział mi: *Kiedy Żyd się modli, zadaje Bogu nieustające pytanie.*

Zapadły ciemności. Padał deszcz.

Nigdy go nie zapytałem: Jakie pytanie?

A teraz jest za późno. Bo straciłem cię, *tate*. Straciłem cię pewnego dnia wiosną 1938 roku, w deszczowy dzień, który potem rozbłysnął słońcem. Wyszedłeś, by zbierać okazy mające potwierdzić twoją teorię na temat deszczu, instynktu i motyli. A potem zniknąłeś. Znaleźliśmy cię pod drzewem z twarzą ubrudzoną błotem. Wiedzieliśmy, że jesteś już wolny, nie męczą cię niepotwierdzone teorie. I pochowaliśmy cię na cmentarzu, gdzie leżał twój ojciec i jego ojciec, w cieniu dużego kasztana. Trzy lata później straciłem *mame*. Kiedy widziałem ją po raz ostatni, miała na sobie swój żółty fartuch. Pakowała walizkę, dom był ruiną. Kazała mi iść do lasu. Spakowała mi jedzenie i kazała włożyć płaszcz, choć był lipiec. „Idź", powiedziała. Byłem za duży, by jej słuchać, ale posłuchałem jak dziecko. Powiedziała, że ruszy za mną następnego dnia. Wybraliśmy miejsce w lesie, które znaliśmy oboje. Wielki orzech, który bardzo lubiłeś, *tate*, bo twierdziłeś, że ma ludzkie cechy. Nie zadałem sobie trudu, by się pożegnać. Wolałem wierzyć w to, co było łatwiejsze. Czekałem. Ale. Ona nigdy nie przyszła. Od tamtej pory żyję z poczuciem winy, bo zbyt późno zrozumiałem: uznała, że będzie dla mnie ciężarem. Straciłem Fryca. Studiował w Wilnie, *tate* – ktoś, kto znał kogoś, powiedział mi, że ostatni raz widziano go w pociągu. Straciłem Sarę i Hanę. Dopadły je psy. Straciłem Herszla w deszczu. Josefa w szczelinie czasu. Straciłem śmiech. Straciłem buty. Zdjąłem je, kładąc się spać, buty, które dał mi Herszl, a kiedy się obudziłem już ich nie było. Przez kilka dni wędrowałem boso, aż w końcu się złamałem i ukradłem komuś buty. Straciłem jedyną kobietę, którą kiedykolwiek chciałem kochać. Straciłem lata. Straciłem książki. Straciłem dom, w którym się urodziłem. I straciłem Izaaka. Czy to możliwe, że gdzieś po drodze, nawet o tym nie wiedząc, straciłem też rozum?

Nigdzie nie mogłem znaleźć mojej książki. Poza mną samym nigdzie nie było ani śladu mnie.

JAK NIE, TO NIE

1. JAK WYGLĄDAM NAGO

Kiedy obudziłam się w śpiworze, deszcz przestał padać, a moje
łóżko było puste. Pościel leżała odrzucona. Spojrzałam na zegarek. Była 10.03. Był też 30 sierpnia, co oznaczało, że pozostało
jeszcze dziesięć dni do rozpoczęcia szkoły, miesiąc do moich piętnastych urodzin i tylko trzy lata do mojego wyjazdu do college'u i początku nowego życia, co na tym etapie wydawało się
bardzo mało prawdopodobne. Z tego oraz z innych powodów
rozbolał mnie brzuch. Zajrzałam przez korytarz do pokoju Ptaka. Wujek Julian spał w okularach z drugim tomem *Zagłady Żydów europejskich* opartym na piersiach. Ptak dostał tę książkę
w prezencie od kuzynki mojej matki, która mieszka w Paryżu
i która bardzo się Ptakiem zainteresowała po wspólnej herbacie
u niej w hotelu. Powiedziała nam, że jej mąż walczył w Ruchu
Oporu, a Ptak przestał budować domek z kostek cukru i spytał:
„Komu się opierał?".

W łazience zdjęłam T-shirt i majtki, stanęłam na toalecie i spojrzałam na swoje odbicie w lustrze. Próbowałam wymyślić pięć określeń opisujących mój wygląd. Jednym z nich było *mizerna*, a innym *mam odstające uszy.* Zastanowiłam się, czy przypadkiem nie powinnam zacząć nosić kolczyka w nosie. Kiedy uniosłam rękę nad głowę, zapadła mi się klatka piersiowa.

2. MATKA POTRAFI PRZEJRZEĆ MNIE NA WYLOT

Na dole matka, ubrana w kimono, siedziała w słońcu i czytała gazetę. „Czy ktoś do mnie dzwonił?", spytałam. „Świetnie, dziękuję, a ty?", odparła. „Ale ja wcale nie pytałam, jak się masz", powiedziałam. „Wiem". „Nie zawsze trzeba okazywać galanterię wobec członków rodziny". „Dlaczego nie?". „Byłoby o wiele lepiej, gdyby ludzie mówili to, co myślą". „Chcesz przez to powiedzieć, że nie obchodzi cię, jak się czuję?" Spojrzałam na nią wściekła. „Świetniedziękujęaty?", powiedziałam. „Świetnie, dziękuję", odparła matka. „Czy ktoś dzwonił?". „Na przykład kto?". „Ktokolwiek". „Czy coś się stało między tobą i Mishą?". „Nie", odparłam, otwierając lodówkę. Przyjrzałam się uważnie zwiędłemu selerowi. Wrzuciłam angielską bułeczkę do tostera, a matka przewróciła stronę gazety, czytając nagłówki. Ciekawe, czy zauważy, jeśli spalę bułeczkę na węgiel.

„*Historia miłości* zaczyna się, gdy Alma ma dziesięć lat, prawda?", spytałam. Matka podniosła wzrok i skinęła głową. „A ile ma lat, gdy się kończy?". „Trudno powiedzieć. W książce są różne Almy". „A ile lat ma najstarsza?". „Niewiele. Może dwadzieścia". „Książka kończy się więc, gdy Alma ma zaledwie dwadzieścia lat?". „W pewnym sensie. Ale to o wiele bardziej skomplikowane. W niektórych rozdziałach w ogóle nie ma o niej wzmianki. A związek między czasem powieściowym i historycznym jest w książce bardzo luźny". „Ale w żadnym rozdziale Alma nie ma więcej niż dwadzieścia lat?". „Nie – odparła matka. – Chyba nie".

Zanotowałam sobie w pamięci, że jeśli Alma Mereminski jest postacią prawdziwą, Litvinoff najprawdopodobniej zakochał się w niej, gdy oboje mieli po dziesięć lat, a gdy mieli dwadzieścia, wyjechała do Ameryki i wtedy musiał ją widzieć ostatni raz. Jeśli nie, to dlaczego książka kończy się, gdy jest taka młoda?

Zjadłam bułeczkę z masłem orzechowym, stojąc przed tosterem. „Alma?", powiedziała matka. „Słucham?". „Chodź, uściskaj mnie", powiedziała. Zrobiłam to, choć nie miałam zbyt wielkiej ochoty. „Kiedy ty tak urosłaś?". Wzruszyłam ramionami w nadziei, że nie będzie drążyć tematu. „Idę do biblioteki", powiedziałam. Skłamałam, ale ze sposobu, w jaki na mnie patrzyła, poznałam, że wcale nie słyszała, co mówię, bo to nie mnie widziała.

3. WSZYSTKIE MOJE KŁAMSTWA KIEDYŚ DO MNIE WRÓCĄ

Na ulicy minęłam Hermana Coopera, który siedział na tarasie przed domem. Przez całe lato był w Maine, gdzie się opalił i zrobił prawo jazdy. Zapytał, czy mam ochotę kiedyś się z nim przejechać. Mogłam mu przypomnieć plotki, jakie o mnie opowiadał. Kiedy miałam sześć lat, powiedział, że jestem adoptowana i pochodzę z Puerto Rico, a kiedy miałam dziesięć, że podniosłam spódnicę u niego w piwnicy i pokazałam mu wszystko. Zamiast tego jednak powiedziałam, że cierpię na chorobę lokomocyjną.

Raz jeszcze udałam się na Chambers Street 31, tym razem, by sprawdzić, czy istnieje w archiwach świadectwo ślubu Almy Mereminski. W pokoju 103 za biurkiem siedział ten sam mężczyzna w ciemnych okularach. „Dzień dobry", powiedziałam. Podniósł wzrok. „Panna Rabbit Meat. Jak się masz?". „Świetniedziękujęapan?", odparłam. „Chyba dobrze – powiedział. Przewrócił stronę magazynu i dodał: – Jestem trochę zmęczony i chyba się przeziębiłem. Rano, gdy się obudziłem, moja kotka zwymiotowała, co nie byłoby najgorsze, gdyby nie zrobiła tego na moje buty". „Och", powiedziałam. „Na dodatek właśnie się dowiedziałem, że odetną mi kablówkę, bo trochę się spóźniłem z zapłaceniem rachunku, co oznacza, że nie obejrzę wszystkich ulubionych programów. No i jeszcze kwiatek, który dostałem od matki na święta, trochę zbrązowiał, a jeśli uschnie, matka do końca życia nie da mi spokoju". Czekałam, milcząc, na wypadek gdyby chciał coś jeszcze dodać, ale nie, więc powiedziałam: „Może ona wyszła za mąż". „Kto?". „Alma Mereminski". Zamknął magazyn i spojrzał na mnie. „Nie wiesz, czy twoja prababka wyszła za mąż?". Zastanowiłam się przez chwilę. „Prawdę mówiąc, ona nie była moją prababką", powiedziałam. „Myślałem, że..". „Nie jesteśmy nawet spokrewnione". Był zdezorientowany i trochę zły. „Przepraszam. To bardzo długa historia", wyjaśniłam i jakaś cząstka mnie pragnęła, by mnie spytał, dlaczego jej szukam, tak abym mogła mu powiedzieć całą prawdę: że nie mam żadnej pewności, że zaczęłam szukać kogoś, kto uszczęśliwiłby moją matkę, i choć jeszcze z tego nie zrezygnowałam, przy okazji zaczęłam szukać kogoś innego, co ma pewien związek z pierwszym poszukiwaniem, ale także trochę się od niego różni, bo ma związek ze mną. On jednak tylko westchnął i spytał: „Czy wyszła za mąż przed 1937 rokiem?". „Nie jestem pewna". Westchnął jeszcze raz, osadził okulary wyżej na nosie i powiedział, że w pokoju 103 mają tylko dokumenty dotyczące małżeństw zawartych przed 1937 rokiem.

Mimo to poszukaliśmy, ale nie znaleźliśmy żadnego dokumentu dotyczącego Almy Mereminski. „Musisz iść do Biura Urzędnika Miejskiego – powiedział ponuro. – Tam mają wszystkie późniejsze dokumenty". A gdzie to jest?". „Centre Street jeden ,pokój dwieście pięćdziesiąt dwa". Nigdy nie słyszałam o Centre Street, więc spytałam, jak tam trafić. Nie było daleko, postanowiłam więc pójść pieszo i kiedy tak szłam, wyobrażałam sobie porozrzucane po całym mieście pokoje i przechowywane w nich materiały archiwalne, o których nikt nigdy nie słyszał, takie jak ostatnie słowa, niewinne kłamstwa i fałszywi potomkowie Katarzyny Wielkiej.

4. ZMIAŻDŻONA ŻARÓWKA

Mężczyzna siedzący za biurkiem w Biurze Urzędnika Miejskiego był stary. „W czym mogę pomóc?", spytał, gdy przyszła moja kolej. „Chcę się dowiedzieć, czy kobieta o nazwisku Alma Mereminski wyszła za mąż i zmieniła nazwisko", powiedziałam. Skinął głową i coś zapisał. „M-E-R", zaczęłam, a on szybko dokończył: „E-M-I-N-S-K-I. Czy może kończy się na Y?". „Na I". „Tak myślałem – powiedział. – Kiedy wyszła za mąż?". „Nie wiem. Z pewnością po tysiąc dziewięćset trzydziestym siódmym roku. Jeśli jeszcze żyje, ma chyba ponad osiemdziesiąt lat". „Pierwsze małżeństwo?". „Chyba tak". Zapisał coś w notesie. „Jakieś wskazówki dotyczące mężczyzny, za którego wyszła?". Pokręciłam głową. Polizał palec, przewrócił kartkę w notesie i znów coś zapisał. „A ślub był cywilny, z udziałem księdza, czy może rabina?". „Prawdopodobnie rabina", powiedziałam. „Tak też myślałem".

Otworzył szufladę i wyjął rolkę dropsów. „Miętówkę?". Pokręciłam głową. *„Weź"*, powiedział, więc posłusznie wzięłam cukierek. Mężczyzna wsunął miętówkę do ust i zaczął ją ssać. „Może pochodzi z Polski?". „Skąd pan wie?". „To proste – odparł. – Z takim nazwiskiem". Przesunął językiem miętówkę spod jednego policzka pod drugi. „Czy możliwe, że przyjechała tu jeszcze przed wojną, w tysiąc dziewięćset trzydziestym dziewiątym, czterdziestym roku? Miałaby wtedy...". Polizał palec, przewrócił stronę, a potem wyjął kalkulator i nacisnął guziczki końcem ołówka. „Dziewiętnaście, dwadzieścia lat. Najwyżej dwadzieścia jeden".

Zapisał te liczby w notesie. Cmoknął i pokręcił głową. „Musiała być bardzo samotna, biedactwo". Spojrzał na mnie pytająco. Miał blade, załzawione oczy. „Chyba tak", odparłam. „Oczywiście, że tak! – wykrzyknął. – Kogo tu zna? Nikogo! Może tylko jakiegoś kuzyna, który nie chce jej znać. Mieszka teraz w Ameryce, jest wielki macher, po co mu ta uciekinierka? Jego syn mówi po angielsku bez akcentu, kiedyś zostanie bogatym prawnikiem, ta chuda jak szczapa *miszpoche* z Polski, która puka do jego drzwi, to ostatnie, czego potrzebuje". Wydawało mi się, że raczej nie powinnam nic mówić, więc milczałam. „Może raz czy drugi, kuzyn szczęśliwie zaprosi ją na szabas, a jego żona narzeka, bo sami nie mają co do garnka włożyć, i musi znów błagać rzeźnika, żeby dał jej kurczaka na kredyt. To ostatni raz, mówi do męża, daj kurze grzędę, i tak dalej. Nie mówię już o tym, że w Polsce mordercy zabiją jej rodzinę, wszystkich po kolei, niech spoczywają w pokoju".

Nie wiedziałam, co powiedzieć, ale on wyraźnie czekał, więc odważyłam się na: „To musiało być straszne". „O tym właśnie mówię – cmoknął raz jeszcze i ciągnął: – Biedactwo. Był taki Goldfarb, Arthur Goldfarb, chyba jego cioteczna wnuczka przyszła tu kilka dni temu. To był lekarz, miała jego zdjęcie, przystojny gość, ale okazało się, że *szidech* nie był dobry i doktor rozwiódł się po roku. Byłby idealny dla twojej Almy. – Rozgryzł miętówkę i wytarł nos chustką. – Moja żona twierdzi, że to nie sztuka swatać nieboszczyków, ale ja jej odpowiadam, że jeśli ktoś stale pije ocet, to nie ma pojęcia, że są na świecie słodsze rzeczy. – Wstał z krzesła. – Poczekaj tutaj, proszę".

Wrócił, zdyszany. Usiadł. „Jakbym szukał złota, tak trudno było znaleźć tę twoją Almę". „Znalazł ją pan?". „Oczywiście". Jaki byłby ze mnie urzędnik, gdybym nie potrafił znaleźć ładnej dziewczyny? Proszę, Alma Mereminski. W tysiąc dziewięćset czterdziestym pierwszym roku w Brooklynie wyszła za mąż za Mordechaja Moritza. Ceremonię prowadził rabin Greenberg. Są tu także nazwiska rodziców młodej pary". „To naprawdę ona?". „A któżby inny? Alma Mereminski, urodzona w Polsce. On urodził się w Brooklynie, ale jego rodzice pochodzili z Odessy. Tutaj jest napisane, że jego ojciec był właścicielem fabryki ubrań, więc nie trafiła źle. Szczerze mówiąc, poczułem ulgę. Może mieli ładny ślub. W tamtych czasach miażdżyli obcasem żarówkę, bo nikt nie mógł sobie pozwolić na zniszczenie kieliszka".

5.   W ARKTYCE NIE MA AUTOMATÓW
TELEFONICZNYCH

Znalazłam automat i zadzwoniłam do domu. Odebrał wujek Julian. „Czy ktoś do mnie dzwonił?", spytałam. „Chyba nie. Przepraszam, że obudziłem cię w nocy, Al". „Nie ma sprawy". „Cieszę

---

* Jid. – związek, skoligacenie, swaty.

się, że sobie pogadaliśmy". „Tak", powiedziałam w nadziei, że nie wrócimy do tematu mojej kariery malarskiej. „Może pójdziemy dziś wieczór na kolację?. Chyba że masz inne plany". „Nie mam", odparłam.

Zaraz potem zadzwoniłam do informacji. „Jaka dzielnica?". „Brooklyn". „Nazwisko?". „Moritz. Imię Alma". „Telefon służbowy czy domowy?". „Domowy". „Nie mam takiego nazwiska w spisie". „A Mordechaj Moritz?". „Nie". „To może na Manhattanie?". „Mam Mordechaja Moritza przy Pięćdziesiątej Drugicj ulicy". „Naprawdę?", spytałam. Nie mogłam w to uwierzyć. „Podaję numer". „Chwileczkę! – zawołałam. – Potrzebuję adres". „Pięćdziesiąta Druga Wschodnia, numer czterysta pięćdziesiąt", powiedziała kobieta. Zapisałam adres na dłoni i złapałam metro jadące do centrum.

6.   PUKAM, A ONA OTWIERA

Jest stara z długimi siwymi włosami spiętymi szylkretowym grzebieniem. Jej mieszkanie zalane jest słońcem. Ma gadającą papugę. Opowiadam jej, jak mój ojciec, David Singer, znalazł *Historię miłości* na wystawie księgarni w Buenos Aires, kiedy miał dwadzieścia dwa lata. Podróżował samotnie z mapą, kompasem, wojskowym scyzorykiem i słownikiem hiszpańsko-hebrajskim. Opowiadam jej też o mojej matce i całej ścianie słowników, o Emanuelu Chaimie zwanym Ptakiem na cześć wolności i o tym, jak przeżył próbę latania, po której została mu blizna na głowie. Ona pokazuje mi swoje zdjęcie z czasów, kiedy była w moim wieku. Gadająca papuga krzyczy: „Alma!", i obie odwracamy głowę.

7. MAM JUŻ DOŚĆ SŁAWNYCH PISARZY

Śniąc na jawie, przejechałam swoją stację i musiałam się wrócić o dobre dziesięć przecznic. Z każdym mijanym skrzyżowaniem byłam coraz bardziej zdenerwowana i coraz mniej pewna siebie. Co będzie, jeśli Alma – ta prawdziwa – naprawdę otworzy drzwi? Co mam powiedzieć do kogoś, kto zszedł z kartek książki? A jeśli ona nigdy nie słyszała o *Historii miłości*? A jeśli słyszała, ale chciała o niej zapomnieć? Szukanie jej tak mnie pochłonęło, że nie przyszło mi to do głowy, może ona wcale nie chce, by ją odnaleziono?

Nie miałam jednak czasu na zastanawianie się, bo stałam na końcu Pięćdziesiątej Drugiej ulicy przed jej budynkiem. „Czy mogę w czymś pomóc?", spytał mnie portier. „Nazywam się Alma Singer. Szukam pani Almy Moritz. Czy jest w domu?", spytałam. „Pani Moritz?", powiedział. Kiedy wypowiadał jej nazwisko, na jego twarzy pojawił się dziwny wyraz. „Nie", powiedział w końcu. Wyglądał tak, jakby mu było mnie żal, a potem ja pożałowałam samej siebie, bo powiedział, że Alma nie żyje. Zmarła przed pięcioma laty. I tak dowiedziałam się, że wszystkie osoby, których imiona lub nazwisko noszę, nie żyją. Alma Mereminski, mój ojciec David Singer i moja cioteczna babka Dora, która zginęła w warszawskim getcie, a na cześć której otrzymałam moje hebrajskie imię Dewora. Dlaczego zawsze nazywa się ludzi na cześć zmarłych? Jeśli już mają otrzymać imię na cześć czegokolwiek, dlaczego nie może to być jakaś rzecz stała, na przykład niebo lub morze czy nawet idea? Idee przecież nigdy nie umierają, nawet te złe.

Portier coś mówił, lecz nagle zamilkł. „Wszystko w porządku?", zapytał. „Świetniedziękuję", odparłam, choć wcale nie było świetnie. „Chcesz może usiąść?", Pokręciłam głową. Nie wiem dlaczego, ale przypomniał mi się dzień, kiedy tato zabrał mnie do zoo, żeby mi pokazać pingwiny. Wziął mnie na ręce w pachnącej rybami zimnej wilgoci, żebym mogła przycisnąć twarz do szyby i patrzeć, jak je karmią. Jak uczył mnie wymawiać słowo *Antarktyda*. A potem zastanowiłam się, czy to w ogóle się wydarzyło. Temat był wyczerpany, ale powiedziałam do portiera: „Czy słyszał pan kiedyś o książce *Historia miłości?*". Wzruszył ramionami i pokręcił głową. „Jeśli chcesz porozmawiać o książkach, powinnaś spotkać się z synem". „Synem Almy?". „Właśnie. Z Izaakiem. Nadal tu czasem przychodzi". „Moritz?" „Izaak Moritz. Ten sławny pisarz. Nie wiedziałaś, że to ich syn? Zatrzymuje się tutaj, gdy przyjeżdża do miasta. Chcesz zostawić wiadomość?", spytał. „Nie, dziękuję", odparłam, ponieważ nigdy nie słyszałam o żadnym Izaaku Moritzu.

8. WUJEK JULIAN

Tamtego wieczoru wujek Julian zamówił dla siebie piwo, dla mnie mango lassi i powiedział: „Wiem, że czasami trudno ci dogadać się z mamą". „Tęskni za tatą", odparłam, zupełnie jakbym stwierdziła, że drapacz chmur jest wysoki. Wujek skinął głową. „Wiem, że nie znałaś swojego dziadka. Pod wieloma względami był cudownym człowiekiem. Ale był także człowiekiem trudnym. Apodyktycznym – to ładnie brzmi. Miał żelazne zasady w kwestii, jak twoja mama i ja powinniśmy żyć". Nie znałam dziadka zbyt dobrze, ponieważ umarł ze starości podczas wakacji w Bournemouth kilka lat po moim urodzeniu. „Charlotte cierpiała najbardziej, ponieważ była najstarsza i była dziewczyną.

Chyba właśnie dlatego nigdy nie chce mówić tobie ani Ptakowi, co robić ani jak robić". „Wyjąwszy maniery", zauważyłam. „Tak, tu sobie nie żałuje, prawda? Chcę powiedzieć, że zdaję sobie sprawę, iż ona czasami może się wydawać bardzo daleka. Ma własne problemy, z którymi musi się uporać. Jednym z nich jest tęsknota za twoim ojcem. Drugi to spór z własnym ojcem. Ale wiesz, że ona bardzo was kocha, prawda, Al?". Skinęłam głową. Wujek zawsze uśmiechał się trochę krzywo, jeden kącik ust unosił się wyżej niż drugi, jakby jakaś jego cząstka odmawiała współpracy z resztą. „No to wypijmy – powiedział, unosząc szklankę. – Za twoje piętnaste urodziny, i żebym ja wreszcie skończył tę przeklętą książkę".

Stuknęliśmy się szklankami. Potem opowiedział mi, jak mając dwadzieścia pięć lat, zakochał się w Alberto Giacomettim. „A jak zakochałeś się w cioci Frances?", spytałam. „Ach – powiedział, wycierając spocone czoło. Zaczynał trochę łysieć, ale w bardzo atrakcyjny sposób. – Naprawdę chcesz to wiedzieć?". „Tak". „Miała na sobie niebieskie rajstopy". „Co chcesz przez to powiedzieć?". „Zobaczyłem ją po raz pierwszy w zoo przed klatką szympansów. Miała na sobie jasnoniebieskie rajstopy. A ja pomyślałem: To jest dziewczyna, z którą chcę się ożenić". „Z powodu rajstop?". „Tak. Słońce pięknie ją oświetlało. I była zupełnie zauroczona szympansem. Ale gdyby nie te rajstopy, chyba nigdy bym do niej nie podszedł". „Czy myślisz czasem, co by było, gdyby tamtego dnia nie włożyła tych rajstop?". „Cały czas – odparł wujek. – Może byłbym o wiele szczęśliwszym człowiekiem". Przesuwałam widelcem kawałki tikka masala na talerzu. „Ale raczej nie", dodał. „A gdyby jednak tak?", spytałam. Westchnął. „Kiedy zaczynam o tym myśleć, trudno mi sobie

wyobrazić cokolwiek – szczęście czy jego brak – bez niej. Żyję
z Frances już tak długo, że nie potrafię sobie uzmysłowić, jak
wyglądałoby życie z inną osobą". „Na przykład z Flo?", spytałam. Wujek Julian zakrztusił się. „Skąd wiesz o Flo?". „Znalazłam twój niedokończony list w koszu na śmieci". Zarumienił się
gwałtownie. Spojrzałam na mapę Indii wiszącą na ścianie. Każda czternastolatka powinna wiedzieć, gdzie leży Kalkuta. Jak
może chodzić po świecie ktoś, kto nie ma zielonego pojęcia,
gdzie jest Kalkuta. „Rozumiem", powiedział wujek. „No cóż,
Flo jest moją koleżanką z Courtauld. Jest też moją dobrą przyjaciółką i Frances zawsze była o to trochę zazdrosna. Są pewne
rzeczy... Jak ci to wyjaśnić, Al? No dobra. Dam ci pewien przykład. Mogę?". „Proszę". „Jest taki autoportret Rembrandta.
Wisi w Kenwood House, niedaleko naszego domu. Zabraliśmy
cię tam, gdy byłaś bardzo mała. Pamiętasz?". „Nie". „Nieważne. Chodzi o to, że to jeden z moich ulubionych obrazów. Bardzo często go tam oglądam. Czasami wybieram się na długi spacer po Heath i kończę go właśnie tam. To jeden z ostatnich
autoportretów Rembrandta. Namalował go pomiędzy tysiąc
sześćset sześćdziesiątym piątym a sześćdziesiątym dziewiątym
rokiem, kiedy umarł, samotny i w biedzie. Całe fragmenty płót-
na są puste. W pociągnięciach pędzla jest jakaś niezwykła inten-
sywność – widać dokładnie, jak przejeżdża końcem pędzla po
mokrym obrazie. Zupełnie jakby wiedział, że nie zostało mu już
dużo czasu. A jednak w jego twarzy kryje się jakiś spokój, poczucie, że coś przetrwało jego własne unicestwienie". Pomachałam stopą, kopiąc przy tym niechcący wujka. „A co to ma
wspólnego z ciocią Frances i Flo?", spytałam. Przez chwilę wyglądał na zupełnie zagubionego. „Nie wiem", powiedział. Znów

przetarł dłonią czoło i poprosił o rachunek. Siedzieliśmy w milczeniu. Usta wujka wykrzywiły się lekko. Wyjął z portfela banknot dwudziestodolarowy i złożył go w malutki kwadracik, potem w jeszcze mniejszy. Powiedział bardzo szybko: „Fran nic ten obraz nie obchodzi", i podniósł pustą szklankę do ust. „Jeśli chcesz wiedzieć, wcale nie uważam, że jesteś psem", oświadczyłam. Wujek uśmiechnął się. „Czy mogę cię o coś zapytać?", powiedziałam, kiedy kelner poszedł po resztę. „Oczywiście". „Czy moi rodzice się kłócili?". „Chyba tak. Czasem na pewno. Ale nie bardziej niż inni". „Czy sądzisz, że tato chciałby, żeby mama znów się zakochała?". Wujek rzucił mi jeden ze swoich krzywych uśmiechów. „Tak – powiedział. – Myślę, że bardzo by tego pragnął".

9. MERDE

Kiedy wróciliśmy do domu, mama była w ogródku. Przez okno zobaczyłam, jak klęczy w resztkach światła, w zabłoconym dresie, sadząc kwiaty. Pchnęłam bramkę z siatki. Uschnięte liście i chwasty, które przez całe lata zarastały ogród, zostały wyrwane i sprzątnięte, a przy żelaznej ogrodowej ławce, na której nikt nigdy nie siada, stały cztery czarne worki na śmieci. „Co robisz?", zawołałam. „Sadzę astry i chryzantemy". „Po co?". „Akurat miałam nastrój". „Dlaczego?". „Dziś po południu wysłałam kolejne rozdziały tłumaczenia, więc pomyślałam, że się trochę zrelaksuję". *„Co takiego?"*. „Powiedziałam, że wysłałam do Jacoba Marcusa kolejne rozdziały, więc doszłam do wniosku, że przyda mi się trochę relaksu", powtórzyła. Nie mogłam w to uwierzyć. „Wysłałaś rozdziały sama? Przecież zawsze ja chodziłam na pocztę!". „Przepraszam. Nie wiedziałam, że dla ciebie to takie ważne. Poza tym cały dzień nie było cię w domu. A chciałam już mieć to z głowy. Poszłam więc sama". POSZŁAŚ SAMA?, miałam ochotę krzyknąć. Moja matka, jedyny w swoim rodzaju gatunek, włożyła kwiatek do dołka i zaczęła zasypywać go ziemią. Odwróciła się i spojrzała na mnie przez ramię. „Tato kochał ten ogród", powiedziała, jakbym go w ogóle nie znała.

10. WSPOMNIENIA PRZEKAZANE MI PRZEZ MATKĘ

  I Wstawanie do szkoły w ciemnościach.
 II Zabawy w ruinach zbombardowanego budynku w Stamford Hill.
III Zapach starych książek przywiezionych przez jej ojca z Polski.
 IV Dotyk wielkiej dłoni ojca, gdy błogosławił ją w piątkowe wieczory.
  V Turecki statek, którym płynęła z Marsylii do Hajfy i choroba morska.
 VI Wielka cisza i puste pola w Izraelu, buczenie owadów podczas jej pierwszej nocy w kibucu Jawne, które nadawało głębię i wymiar ciszy i pustce.
VII Wyprawa z moim ojcem nad Morze Martwe.
VIII Piasek w kieszeniach.
 IX Niewidomy fotograf.
  X Mój ojciec prowadzący samochód jedną ręką.
 XI Deszcz.
XII Mój ojciec.
XIII Tysiące stron.

11. JAK PRZYWRÓCIĆ BICIE SERCA

Rozdziały od 1 do 28 *Historii miłości* leżały na biurku matki koło komputera. Przeszukałam kosz na śmieci, ale nie znalazłam brudnopisu listu do Marcusa. Była tylko zmięta kartka: *Gdy Alberto, wrócił do Paryża, w jego sercu zrodziły się wątpliwości.*

12. PODDAJĘ SIĘ

Tak zakończyłam poszukiwania osoby, która mogłaby uszczęśliwić moją matkę. Wreszcie zrozumiałam, że choćbym nie wiem co robiła i nie wiem kogo znalazła, ja – on – nikt z nas nie zdoła pokonać wspomnień o ojcu, wspomnień, które przynosiły jej ukojenie, nawet jeśli ją zasmucały, bo zbudowała sobie z nich świat, w którym potrafiła przeżyć, nawet jeśli nikt inny tego nie potrafił.

Tamtej nocy nie mogłam spać. Słuchając oddechu Ptaka, wiedziałam, że też nie śpi. Chciałam go zapytać o to, co budował na pustej posesji, skąd wie, że jest łamed wownikiem, i przeprosić go za to, że nakrzyczałam na niego, kiedy popisał mój pamiętnik. Chciałam mu powiedzieć, że się boję, o niego i o siebie, chciałam mu powiedzieć całą prawdę o kłamstwach, które opowiadałam mu przez wszystkie te lata. Szepnęłam jego imię. „Tak?", odszepnął. Leżałam w ciemnościach i ciszy, nieprzypominających w niczym ciemności i ciszy, w których leżał w dzieciństwie mój ojciec w domu na zakurzonej ulicy w Tel Awiwie, ani ciemności i ciszy, w których leżała moja matka swojej pierwszej nocy w kibucu Jawne, lecz mieszczących też w sobie tamte ciemności i ciszę. Próbowałam sobie przypomnieć, co chciałam powiedzieć. „Nie śpię", rzuciłam w końcu. „Ja też nie", odparł Ptak.

Później, kiedy Ptak w końcu zasnął, włączyłam latarkę i przeczytałam kilka dalszych fragmentów *Historii miłości*. Pomyślałam, że jeśli przeczytam tę książkę bardzo dokładnie i uważnie, to może znajdę w niej jakąś prawdę o ojcu, o tym, co chciałby mi powiedzieć, gdyby nie umarł. Następnego ranka obudziłam się wcześnie. Usłyszałam, jak Ptak porusza się nade mną. Kiedy otworzyłam oczy, zwijał pościel w wielką kulę, a tył piżamy miał mokry.

13. POTEM NADSZEDŁ WRZESIEŃ

Minęło lato. Nadal nie miałam kontaktu z Mishą, nie nadeszły żadne listy od Jacoba Marcusa, a wujek Julian oświadczył, że wraca do Londynu i spróbuje poukładać sprawy z ciocią Frances. Wieczorem w przeddzień wyjazdu i u początku mojej dziesiątej klasy wujek zapukał do moich drzwi. „To, co ci opowiadałem o Frances i Rembrandcie... Czy możemy udawać, że tego nie powiedziałem?". „A mówiłeś coś?". Uśmiechnął się, ukazując przerwę między przednimi zębami, którą oboje odziedziczyliśmy po babci. „Dzięki – powiedział. – Mam coś dla ciebie". Podał mi dużą kopertę. „Co to jest?". „Otwórz". W środku był katalog szkoły plastycznej. Podniosłam wzrok. Gdy otworzyłam katalog, wypadł jakiś papier. Wujek podniósł go i podał mi. Był to formularz zgłoszeniowy na moje nazwisko na zajęcia: „Rysowanie z natury". „Jest też kartka", powiedział wuj. Sięgnęłam do koperty. Była to reprodukcja autoportretu Rembrandta. *Kochana Al*, przeczytałam. *Wittgenstein napisał kiedyś, że kiedy oczy widzą coś pięknego, ręka chce to narysować. Żałuję, że nie potrafię narysować Ciebie. Wszystkiego najlepszego z okazji urodzin. Uściski, wujek Julian.*

OSTATNIA STRONA

Początkowo było bardzo łatwo. Litvinoff udawał, że tylko zabija czas, bazgrząc coś bezmyślnie, gdy słuchał radia, tak jak robili to studenci podczas jego wykładów. Nie usiadł przy stole kreślarskim, na którego blacie syn jego gospodyni wyciął słowa najważniejszej żydowskiej modlitwy, i nie pomyślał: Zamierzam popełnić plagiat i przepisać książkę mojego przyjaciela, który został zamordowany przez hitlerowców. Nie pomyślał też: Jeśli ona dowie się, że ja to napisałem, pokocha mnie. Po prostu przepisał pierwszą stronę, co w sposób naturalny doprowadziło go do przepisania drugiej.

Dopiero kiedy dotarł do trzeciej, pojawiło się imię Almy. Zatrzymał się. Zmienił już Feingolda z Wilna na De Biedmę z Buenos Aires. Czy będzie to aż tak straszne, jeśli zamieni Almę na Rosę? Trzy proste litery – ostatnia „A" przecież zostanie. Posunął się już tak daleko. Przyłożył pióro do papieru. Przecież i tak, tłumaczył sobie, Rosa będzie jedyną osobą, która to przeczyta.

Kiedy jednak Litvinoff zabrał się do pisania dużego „R" w miejscu, gdzie powinno być duże „A", jego ręka zamarła, być może dlatego, że był jedyną osobą poza rzeczywistym autorem książki, która czytała *Historię miłości* i znała prawdziwą Almę. Znał ją przecież od dzieciństwa i chodził z nią do szkoły, zanim wyjechał na studia w jesziwie. Należała do grona dziewcząt, które na jego oczach wyrosły z wątłych chwastów na tropikalne piękności, a powietrze wokół nich było duszne od zapachów i wilgoci. Alma wywarła na nim ogromne i trwałe wrażenie, podobnie jak sześć czy siedem innych dziewcząt, których przeobrażenia był świadkiem i które w okresie jego dojrzewania po kolei stawały się obiektem jego pożądania. Nawet po tych wszystkich latach, siedząc przy swoim biurku w Valparaiso, Litvinoff pamiętał nagie uda, dłonie i karki, które stały się inspiracją dla jego wielu gorączkowych wariacji. To, że Alma w prawdziwym życiu wybrała kogoś innego, nie przeszkadzało wcale, by pojawiała się w marzeniach Litvinoffa (które w ogromnej części opierały się na technice montażu). Jeśli kiedykolwiek zazdrościł jej wybrankowi, to nie dlatego, że sam darzył ją uczuciem, lecz raczej dlatego, że pragnął być podobnie wybrany i kochany.

I jeśli próbując zastąpić jej imię innym, po raz drugi poczuł, że zamiera mu ręka, to prawdopodobnie dlatego, że uświadomił sobie, iż usunięcie jej imienia będzie równoznaczne z usunięciem wszystkich znaków przestankowych, wszystkich samogłosek, przymiotników i rzeczowników. Bo bez Almy po prostu nie będzie książki.

Trzymając pióro nad kartką papieru, Litvinoff przypomniał sobie letni dzień w 1936 roku, kiedy wrócił do Słonima po dwóch latach nauki w jesziwie. Wszystko wydało mu się mniejsze, niż zapamiętał. Szedł ulicą, trzymając ręce w kieszeniach. Na głowie miał nowy kapelusz, który kupił za zaoszczędzone pieniądze i który – jak sądził – nadawał mu aurę światowca. Kiedy skręcił w ulicę prowadzącą od rynku, wydało mu się, że minęło znacznie więcej czasu niż tylko dwa lata. Te same kury znosiły jajka w kojcach, ci sami bezzębni mężczyźni spierali się bez powodu, lecz jakoś wszystko wydało mu się teraz mniejsze i bardziej nędzne. Litvinoff wiedział, że to w nim coś się zmieniło. Stał się kimś innym. Minął drzewo z dziurą w pniu, w której schował kiedyś nieprzyzwoite zdjęcie, skradzione z biurka przyjaciela ojca. Zdążył pokazać je pięciu czy sześciu kolegom, po czym wieść o zdjęciu dotarła do jego brata, który skonfiskował je na własne potrzeby. Litvinoff podszedł do drzewa. I wtedy ich zobaczył. Stali jakieś pięć metrów od niego. Górski opierał się o płot, a Alma przytulała się do niego. Litvinoff patrzył, jak Górski obejmuje jej policzki dłońmi. Alma zawahała się, a potem uniosła ku niemu twarz. Kiedy Litvinoff patrzył, jak się całują, poczuł, że wszystko, co należy do niego, jest pozbawione wartości.

Szesnaście lat później patrzył, jak co noc kolejny rozdział powieści Górskiego pojawia się na nowo przepisany jego własnym charakterem pisma. Przepisywał książkę słowo po słowie z wyjątkiem nazw własnych. Zmienił je wszystkie oprócz jednej.

Rozdział 18 przepisał w osiemnastą noc. *MIŁOŚĆ WŚRÓD ANIOŁÓW*

JAK ŚPIĄ ANIOŁY. Niespokojnie. Rzucają się i przewracają z boku na bok, próbując zrozumieć tajemnicę Żyjących. Nie wiedzą, jak to jest, gdy realizuje się receptę na nowe okulary i nagle znów wyraźnie widzi się świat, z mieszaniną wdzięczności i rozczarowania. Jak to jest, gdy dziewczyna o imieniu – tutaj Litvinoff przerwał pisanie i strzelił knykciami – *Alma po raz pierwszy kładzie ci dłoń tuż poniżej żeber –*

na temat tego uczucia snują tylko teorie, lecz nie mają o nim pojęcia. Je-
śli dacie im szklaną kulę wypełnioną sztucznym śniegiem, nawet nie bę-
dą wiedziały, że należy nią potrząsnąć.

Nic im się też nie śni. *Z tego powodu mają jeden temat do rozmo-*
wy mniej. A wygląda to tak, że kiedy się budzą, mają poczucie, że za-
pomniały o czymś sobie powiedzieć. Nie mogą też dojść do porozumienia,
czy jest to skutek jakichś szczątkowych umiejętności, czy też może empa-
tii, jaką odczuwają w stosunku do Żyjących. Jest ona bowiem tak potęż-
na, że czasami doprowadza je do łez. Ogólnie rzecz biorąc, jeśli chodzi
o sny, anioły dzielą się na dwa główne obozy. Nawet wśród nich docho-
dzi więc do smutnych podziałów.

W tej chwili Litvinoff wstał, by się wysikać. Szybko spuścił
wodę, by sprawdzić, czy zdąży opróżnić pęcherz, zanim spłuczka na
nowo napełni się wodą. Potem spojrzał na siebie w lustrze, wyjął
z szafki pęsetę i wyrwał włos z nosa. Przeszedł do kuchni i poszukał
w kredensie czegoś do jedzenia. Niczego nie znalazłszy, nastawił
wodę w czajniku, usiadł przy biurku i przepisywał dalej.

SPRAWY INTYMNE. *To prawda, że anioły nie mają powonienia,*
lecz w swojej nieskończonej miłości do Żyjących pragną ich naśladować
i wąchają wszystko. Podobnie jak psy, nie wstydzą się obwąchiwać siebie
nawzajem. Czasami, kiedy nie mogą zasnąć, leżą w łóżku z nosem scho-
wanym pod pachą i zastanawiają się, jak pachną.

Litvinoff wydmuchał nos, zmiął chusteczkę i rzucił ją na
podłogę.

SPORY POMIĘDZY ANIOŁAMI. *Są wieczne i nie ma nadziei na*
ich rozwiązanie. Spierają się o to, jak to jest znaleźć się między Żyjący-
mi, a ponieważ nie mają o tym pojęcia, mogą tylko snuć domysły, podob-
nie jak Żyjący rozmyślają o naturze (lub braku natury) — w tym miejscu czajnik zaczął gwizdać – *Boga.*

Litvinoff wstał, żeby zrobić sobie herbatę. Otworzył okno i wyrzucił zepsute jabłko.

SAMOTNOŚĆ. Podobnie jak Żyjący, anioły mają czasem dość siebie nawzajem i chcą pobyć same. Ponieważ domy, w których mieszkają, są zatłoczone, a nie mają dokąd pójść, w takich chwilach anioł może tylko zamknąć oczy i ukryć głowę w ramionach. Kiedy widzą to inne anioły, rozumieją, że jeden z nich stara się właśnie stworzyć sobie złudne poczucie samotności, i omijają go na palcach. Aby mu pomóc, zaczynają o nim rozmawiać, jakby go wśród nich nie było. Jeśli przypadkiem na niego wpadną, szepczą: „To nie ja".

Litvinoff potrząsnął ręką, która zaczęła mu cierpnąć, po czym pisał dalej:

NA DOBRE I NA ZŁE. Anioły nie zawierają małżeństw. Po pierwsze są na to zbyt zajęte, a po drugie nie zakochują się w sobie. (Jeśli nie wiecie, jak to jest, gdy ukochana osoba po raz pierwszy kładzie wam dłoń poniżej żeber, jaką macie szansę na miłość?).

Litvinoff przestał pisać, by wyobrazić sobie gładką dłoń Rosy na swoich żebrach, i z radością poczuł dreszcz przebiegający jego ciało.

Ich wspólne życie przypomina nowo narodzone szczenięta: jak one są ślepe, pełne wdzięku i obnażone. Nie oznacza to wcale, że nie czują miłości, ponieważ czują; czasami uczucie jest tak gwałtowne, że biorą je za atak lęku. W takich chwilach doznają silnych mdłości, a ich serca biją jak szalone. Lecz miłość, którą odczuwają, nie jest miłością w stosunku do własnego gatunku, lecz w stosunku do Żyjących, których nie potrafią zrozumieć, poczuć ani dotknąć. Ta miłość ma charakter ogólny (choć to wcale nie umniejsza jej mocy). Tylko czasami zdarza się, że jakiś anioł odkrywa w sobie pewien defekt, który sprawia, że zakochuje się nie ogólnie, lecz konkretnie.

Kiedy Litvinoff dotarł do ostatniej strony, zgarnął rękopis swojego przyjaciela, przemieszał strony i wrzucił je do kosza na śmieci pod zlewem. Lecz Rosa często do niego przychodziła, i uświadomił sobie, że może je tam znaleźć. Wyjął je więc i wrzucił do metalowego kontenera za domem, ukrywając pod kilkoma workami. Potem zaczął szykować się do spania. Po półgodzinie, ogarnięty strachem, że ktoś może jednak znaleźć kartki w kontenerze, wstał i przekopując śmieci, wyjął je. Wsunął pod łóżko i próbował zasnąć, lecz smród śmieci był zbyt silny, wstał więc znowu, znalazł latarkę, wyjął z szopy gospodyni szpadel, wykopał dziurę obok krzewu białej hortensji, wrzucił do niej kartki i zasypał ziemią. Kiedy położył się do łóżka w zabłoconej piżamie, świtało.

Cała sprawa mogłaby się tak zakończyć, gdyby nie okoliczność, że zawsze, kiedy Litvinoff patrzył przez okno na białą hortensję gospodyni, przypominał sobie to, o czym chciał zapomnieć. Kiedy nadeszła wiosna, zaczął obsesyjnie obserwować krzew, niemal oczekując, że wśród kwiatów pojawi się jego tajemnica. Pewnego popołudnia z rosnącą podejrzliwością przyglądał się, jak gospodyni sadzi tulipany wokół hortensji. Kiedy zamykał oczy do snu, zaraz pojawiał się przed nimi niepokojący widok ogromnych białych kwiatów. Sumienie dręczyło go coraz bardziej, aż wreszcie nocą przed ślubem z Rosą i przeprowadzką do domu na klifie, zlany zimnym potem, wstał, wymknął się z domu i ostatecznie wykopał swój wyrzut. Od tamtej pory trzymał kartki w nowym domu w szufladzie biurka, zamkniętej na klucz, który – jak mu się zdawało – dobrze schował.

Zawsze budziliśmy się o piątej lub szóstej rano, napisała Rosa w ostatnim akapicie swojego wstępu do drugiego i ostatniego wydania

Historii miłości. Umarł w upalnym styczniu. Przysunęłam jego łóżko do okna w pokoju na górze. Słońce świeciło na nas, a on odrzucał pościel i opalał się nago aż do ósmej, kiedy przychodziła pielęgniarka i dzień stawał się okropny. Pełen medycznych pytań, które nas oboje niewiele interesowały. Zvi nie cierpiał. Zapytałam go: „Boli cię?", a on odparł: „Nigdy w życiu nie było mi tak dobrze". Tamtego ranka patrzyliśmy na bezchmurne, piękne niebo. Zvi otworzył książkę z chińskimi wierszami, które czytał, i pokazał mi wiersz jego zdaniem napisany specjalnie dla mnie. Nosił tytuł Nie stawiaj żagli. *Jest bardzo krótki, a zaczyna się tak:* Nie stawiaj żagli! / Jutro wiatr ucichnie; / I wtedy możesz odejść, / A ja nie będę się o ciebie martwił. *Rankiem w dniu jego śmierci wiał straszliwy wiatr, całą noc w ogrodzie szalała burza, ale kiedy otworzyłam okno, zobaczyłam czyste niebo. Wiatr ucichł zupełnie. Odwróciłam się i zawołałam do niego: „Kochanie, wiatr ucichł!". A on odparł: „To mogę już odejść, a ty nie będziesz się o mnie martwić?". Myślałam, że serce mi pęknie. Ale to była prawda. Tak właśnie było.*

Ale niezupełnie tak było. W noc przed swoją śmiercią, kiedy deszcz walił w dach i szumiał w rynnach, Litvinoff zawołał Rosę. Myła właśnie naczynia, lecz szybko podeszła do niego. „Co się stało, kochanie?", spytała, kładąc mu rękę na czole. Zaczął kaszleć tak straszliwie, że bała się, iż zacznie pluć krwią. Kiedy atak minął, Litvinoff powiedział: „Jest coś, o czym chcę ci powiedzieć". Czekała. „Ja...", zaczął, lecz kaszel wrócił, wstrząsając całym jego ciałem. „Cii – powiedziała Rosa, kładąc mu palce na ustach. – Nic nie mów". Litvinoff wziął ją za rękę i mocno ścisnął. „Muszę – powiedział i tym razem ciało było mu posłuszne. – Nie wiesz?", spytał. „O czym?". Zamknął i otworzył oczy. Rosa nadal siedziała przy nim, patrząc na niego z troską i czułością. Poklepała go po dłoni. „Zrobię ci herbaty", powiedziała, wstając. „Rosa!", zawołał za nią. Odwróciła się. „Chciałem, żebyś mnie kochała", szepnął. Rosa spojrzała na niego. W tej chwili wydało jej się, że jest dzieckiem, którego nigdy nie mieli. „I kochałam cię", powiedziała, poprawiając abażur. Potem wyszła, cicho zamykając za sobą drzwi. I tak zakończyła się ich rozmowa.

Wygodnie byłoby wyobrażać sobie, że to były ostatnie słowa Litvinoffa. Ale nie. Tamtej nocy rozmawiali jeszcze z Rosą o deszczu, o siostrzeńcu Rosy i o tym, czy powinna kupić nowy toster, gdyż stary już dwa razy się zapalił. Ale nie było już wzmianki o *Historii miłości* ani o jej autorze.

Przed laty, gdy niewielkie wydawnictwo w Santiago przyjęło do druku *Historię miłości*, redaktor wysunął kilka sugestii, a Litvinoff, pragnąc okazać się chętnym do współpracy, starał się je uwzględnić. Czasami udało mu się niemal przekonać samego siebie, że to, co robi, nie jest takie straszne: Górski nie żył, książka zostanie w końcu wydana i przeczytana, czy to nic nie znaczy? Na to retoryczne pytanie jego sumienie odpowiadało bardzo chłodno. Zdesperowany, nie wiedząc, co jeszcze mógłby zrobić, w nocy Litvinoff wprowadził zmianę, której redaktor nie postulował. Zamknąwszy drzwi gabinetu, sięgnął do kieszeni na piersi i rozłożył kartkę papieru, którą nosił przy sobie od lat. Z szuflady biurka wyjął czystą kartkę. Na samej górze napisał: ROZDZIAŁ 39: ŚMIERĆ LEOPOLDA GÓRSKIEGO. Potem przepisał słowo po słowie i najlepiej jak umiał przetłumaczył na hiszpański.

Kiedy redaktor otrzymał rękopis, natychmiast napisał do Litvinoffa. *Jaka myśl Panu przyświecała, kiedy dodawał Pan ten nowy rozdział? Muszę go wyrzucić — nie ma nic wspólnego z całością.* Był właśnie odpływ i Litvinoff podniósł wzrok, by spojrzeć na mewy walczące o coś, co znalazły na skałach. *Jeśli Pan to wyrzuci,* odpisał, *wycofam książkę*. Dzień milczenia. *Na miłość boską!*, napisał w odpowiedzi redaktor. *Niech Pan nie będzie taki drażliwy*. Litvinoff wyjął pióro z kieszeni. *To nie podlega dyskusji*, odpisał. Dlatego też kiedy rano deszcz nareszcie przestał padać i Litvinoff umarł spokojnie w zalanym słońcem łóżku, nie zabrał swej tajemnicy do grobu. Albo zabrał niecałą. Wystarczyło otworzyć książkę na ostatniej stronie, a tam czarno na białym widniało nazwisko prawdziwego autora *Historii miłości*.

Rosa o wiele lepiej niż mąż radziła sobie z dotrzymywaniem tajemnic. Nigdy na przykład nie powiedziała nikomu o tym, że widziała, jak jej matka całowała się z portugalskim ambasadorem na garden party wydanym przez wuja. Ani też że widziała, jak służąca wsuwa do kieszeni fartucha złoty łańcuszek należący do siostry. Nie powiedziała też nikomu, że jej kuzyn Alfonso, niezwykle popularny wśród dziewcząt dzięki swoim zielonym oczom i pełnym ustom, wolał chłopców ani że jej ojciec cierpiał na straszliwe bóle głowy, które doprowadzały go do łez. Nic więc dziwnego, że nigdy nie powiedziała nikomu o liście zaadresowanym do Litvinoffa, który nadszedł kilka miesięcy po ukazaniu się *Historii miłości*. Nadano go w Ameryce i Rosa uznała, że jest to spóźniona odmowa od jednego z wydawców w Nowym Jorku. Nie chcąc sprawiać mężowi dodatkowych przykrości, schowała list do szuflady i szybko o nim zapomniała. Kilka miesięcy później, szukając jakiegoś adresu, natrafiła na niego i otworzyła. Ku jej zdumieniu list był napisany w jidysz. *Drogi Zvi*, przeczytała. *Nie chcę, żebyś dostał zawału serca, więc od razu piszę, że to twój stary przyjaciel Leo Gursky. Pewnie się zdziwisz, że żyję, bo ja też się czasem dziwię. Piszę do Ciebie z Nowego Jorku, gdzie teraz mieszkam. Nie wiem, czy ten list do Ciebie dotrze. Kilka lat te-*

mu napisałem do Ciebie pod jedyny adres, jaki miałem, lecz list wrócił. Długo musiałbym opowiadać, jak zdobyłem ten adres. W każdym razie, mam Ci dużo do powiedzenia, ale trudno to zrobić w liście. Mam nadzieję, że jesteś zdrowy i szczęśliwy i dobrze ci się wiedzie. Rzecz jasna, ciągle się zastanawiam, czy przechowałeś paczkę, którą Ci dałem, kiedy widzieliśmy się ostatni raz. Była w niej książka, którą pisałem, gdy znaliśmy się w Mińsku. Czy mógłbyś mi ją odesłać, jeśli ją jeszcze masz? Teraz ma wartość wyłącznie dla mnie. Ściskam Cię serdecznie, L. G.

Powoli do Rosy dotarła cała prawda: stało się coś strasznego. To było naprawdę groteskowe; na myśl o tym czuła ucisk w żołądku. I sama była po części winna. Przypomniała sobie dzień, kiedy znalazła klucz do jego szuflady, otworzyła ją, odkryła plik brudnych kartek, zapisanych nieznanym charakterem pisma, i postanowiła o nic nie pytać. Litvinoff okłamał ją, to prawda. Ale ogarnięta przerażeniem, uprzytomniła sobie, że to ona nalegała, by opublikował książkę. Kłócił się z nią, twierdząc, że to zbyt osobista sprawa, ale ona nie ustępowała, krusząc jego opór, aż wreszcie uległ. Czyż nie tak powinny postępować żony artystów? Prezentować światu pracę mężów, która bez nich na zawsze odeszłaby w niepamięć?

Kiedy minął pierwszy szok, Rosa podarła list na drobne kawałki i wrzuciła do toalety. Zaczęła się zastanawiać, co teraz powinna zrobić. Usiadła przy stoliku w kuchni, wyjęła kartkę papieru i napisała: *Szanowny Panie Gursky! Bardzo mi przykro, ale mój mąż, Zvi Litvinoff, jest zbyt chory, by odpowiedzieć na Pański list osobiście. List sprawił mu jednak ogromną radość i cieszył się bardzo, że udało się Panu przeżyć. Niestety, Pański rękopis uległ zniszczeniu, gdy woda zalała nasz dom. Mam nadzieję, że zdoła nam Pan to wybaczyć.*

Następnego dnia spakowała kosz piknikowy i oświadczyła mężowi, że pojadą na wycieczkę w góry. Powiedziała, że Zvi musi wypocząć po podnieceniu związanym z niedawną publikacją książki. Starannie zapakowała wszystkie produkty do samochodu. Kiedy Litvinoff włączył silnik, nagle uderzyła się w czoło. „Zapomniałam o truskawkach", wykrzyknęła i pobiegła do domu.

Poszła prosto do gabinetu męża, wzięła klucz przyklejony pod blatem biurka, otworzyła szufladę i wyjęła plik brudnych, pachnących pleśnią kartek. Położyła je na podłodze. Potem, pragnąc się dodatkowo zabezpieczyć, zdjęła z półki rękopis w jidysz przepisany przez Litvinoffa i położyła go niżej. Wychodząc, odkręciła kurek nad umywalką i włożyła korek do odpływu. Patrzyła, jak woda napełnia umywalkę i powoli zaczyna się przelewać. Zamknęła drzwi do gabinetu męża, chwyciła koszyk z truskawkami ze stolika w holu i pobiegła do samochodu.

MOJE ŻYCIE POD WODĄ

1. TĘSKNOTA MIĘDZYGATUNKOWA

Po wyjeździe wujka Juliana moja matka jeszcze bardziej zamknęła się w sobie. Choć może lepiej byłoby powiedzieć, że stawała się coraz mniej wyrazista, jakby omdlała, mglista, odległa. Otaczały ją puste filiżanki po herbacie, a u jej stóp leżały kartki ze słownika. Zrezygnowała z pracy w ogrodzie, a chryzantemy i astry, które z ufnością czekały, że doprowadzi je do pierwszych mrozów, opuściły smutne główki. Nadeszły listy od wydawców z pytaniami, czy byłaby zainteresowana tłumaczeniem tej czy owej książki. Nie odpisała. Odbierała tylko telefony od wujka Juliana, a kiedy z nim rozmawiała, zamykała drzwi do pokoju.

Coraz bardziej omdlałe, mgliste i odległe stają się też z każdym rokiem moje wspomnienia o ojcu. Niegdyś żywe i prawdziwe, potem zaczęły przypominać fotografie, a teraz przypominają fotografie fotografii. Czasami jednak, w rzadkich chwilach, jakieś wspomnienie o nim powraca do mnie z taką nagłością i wyrazistością, że wszystkie uczucia, które odsuwałam od siebie przez te lata, wyskakują jak diabeł z pudełka. Wtedy zastanawiam się, czy tak też czuje moja matka.

2. AUTOPORTRET Z PIERSIAMI

Co wtorek wieczór jechałam metrem do miasta i uczestniczyłam w kursie „Rysowania z natury". Podczas pierwszych zajęć dowiedziałam się, co to oznacza. A oznaczało szkicowanie goluteńkich ludzi, których wynajmowano, by stali nieruchomo na podwyższeniu ustawionym w środku kręgu z naszych krzeseł. Jak dotąd, byłam najmłodszą uczestniczką kursu. Starałam się podchodzić do tego obojętnie, jakbym od lat szkicowała nagich ludzi. Pierwszą modelką była kobieta z obwisłymi piersiami, kręconymi włosami i czerwonymi kolanami. Nie wiedziałam, gdzie podziać oczy. Wokół mnie inni uczestnicy kursu pochylali się nad swoimi kartkami i zawzięcie szkicowali. Zrobiłam kilka niepewnych linii na papierze. „Pamiętajcie o sutkach", zawołała nauczycielka, spacerując wśród krzeseł. Dodałam sutki. Kiedy dotarła do mnie, spytała: „Mogę?", i podniosła moje dzieło, by inni mogli je zobaczyć. Odwróciła się nawet modelka. „Wiecie, co to jest?", spytała nauczycielka, pokazując palcem na rysunek. Kilka osób pokręciło głowami. „Frisbee z sutkiem", powiedziała. „Przepraszam", mruknęłam. „Nie przepraszaj", odparła nauczycielka, kładąc mi dłoń na ramieniu. _„Cieniuj"._ A potem, zademonstrowała wszystkim, jak zamienić moje frisbee w wielką pierś.

Na drugich zajęciach modelka była bardzo podobna jak na pierwszych. Kiedy zbliżała się nauczycielka, pochylałam się nad szkicownikiem i cieniowałam zawzięcie.

3.   JAK ZAIMPREGNOWAĆ BRATA

Pod koniec września, kilka dni przed moimi urodzinami, zaczął padać deszcz. Padał przez cały tydzień i kiedy już wydawało się, że wyjdzie słońce, znów przyszły chmury i zaczęło lać od nowa. Przez kilka dni padało tak mocno, że Ptak musiał zrezygnować z pracy nad stosem śmieci, mimo że zawiesił płachtę brezentu nad małą kabiną, która na górze zaczynała nabierać kształtów. Może budował miejsce spotkań dla łamed wowników. Dwie ściany tworzyły stare deski, a pozostałe dwie były zrobione z kartonowych pudeł. Nie było jeszcze dachu, tylko brezent. Pewnego popołudnia zatrzymałam się, by popatrzeć, jak Ptak wspina się na drabinę opartą o stos. Trzymał w ręce wielki kawał metalu. Chciałam mu pomóc, ale nie miałam pojęcia jak.

4.   IM WIĘCEJ O TYM MYŚLAŁAM, TYM BARDZIEJ BOLAŁ MNIE BRZUCH

Rankiem w dzień moich piętnastych urodzin obudził mnie krzyk Ptaka: „DO BOJU!", a po nim piosenka *For She's a Jolly Good Fellow*, którą matka śpiewała nam na urodziny, gdy byliśmy mali. Potem obowiązek jej odśpiewywania przejął Ptak. Po chwili do pokoju weszła matka i położyła na łóżku swoje prezenty. Panował bardzo radosny nastrój dopóki, nie otworzyłam prezentu od Ptaka, była to pomarańczowa kamizelka ratunkowa. Patrzyliśmy na nią w milczeniu.

„Kamizelka ratunkowa! – zawołała w końcu matka. – Co za wspaniały pomysł. Gdzie ją znalazłeś?", zapytała, głaszcząc paski ze szczerym podziwem. – Bardzo się przyda", powiedziała.

Przyda się?, miałam ochotę krzyknąć. *PRZYDA?*
Zaczęłam się poważnie martwić. Co będzie, jeśli religijność
Ptaka nie jest tylko fazą przejściową, lecz permanentnym fanaty-
zmem? Matka uważała, że Ptak w ten sposób usiłuje uporać się
z problemem utraty ojca i że kiedyś z tego wyrośnie. Ale co będzie, jeśli na przekór wszystkiemu z wiekiem jego przekonania
jeszcze się umocnią? Jeśli się z nikim nie zaprzyjaźni? Jeśli jak
wielu będzie się włóczył po mieście obszarpany, rozdając na prawo i lewo kamizelki ratunkowe, odrzucając świat, ponieważ nie
sprostał jego marzeniom?
Próbowałam znaleźć jego dziennik, ale zabrał go spod łóżka. W kłębowisku brudnych ubrań znalazłam natomiast *Ulicę
krokodyli* Brunona Schulza, którą powinnam była zwrócić do biblioteki przed dwoma tygodniami.

5. RAZ

Niby przypadkiem zapytałam matkę, czy słyszała o Izaaku Moritzu, pisarzu, który zdaniem portiera z domu numer 450 przy
Pięćdziesiątej Drugiej Wschodniej był synem Almy. Matka siedziała na ławce w ogrodzie, wpatrując się w wielki krzew pigwy,
jakby miał coś do niej powiedzieć. Początkowo nie usłyszała mojego pytania. „Mamo?", powtórzyłam. Odwróciła się zaskoczona.
„Pytałam, czy słyszałaś kiedyś o pisarzu Izaaku Moritzu?". Skinęła głową. „Czytałaś jakieś jego książki?". „Nie". „Myślisz, że za-
sługuje na Nobla?". „Nie". „Skąd wiesz, jeśli nie czytałaś żadnej
jego książki?". „Tak tylko powiedziałam", odparła, gdyż za nic by
się nie przyznała, że nagradza Noblem tylko nieżyjących autorów.
Potem znów zaczęła się wpatrywać w krzew.

W bibliotece wpisałam do komputera „Isaac Moritz". Na ekranie pojawiło się sześć książek. Tytułem, którego egzemplarzy mieli najwięcej, było *Remedium*. Zapisałam numery katalogowe i gdy znalazłam książki, zdjęłam *Remedium* z półki. Na tylnej stronie okładki znajdowało się zdjęcie autora. Dziwnie było na niego patrzeć, wiedząc, że osoba, na której cześć otrzymałam imię, musiała być bardzo do niego podobna. Miał kręcone włosy, lekko łysiał i miał brązowe oczy, które za okularami w metalowej oprawce wydawały się dużo mniejsze. Otworzyłam książkę. *ROZDZIAŁ PIERWSZY*, przeczytałam. *Jacob Marcus czekał na matkę na rogu Broadwayu i Graham.*

6. PRZECZYTAŁAM JESZCZE RAZ

Jacob Marcus czekał na matkę na rogu Broadwayu i Graham.

7. I JESZCZE RAZ

Jacob Marcus czekał na matkę

8. I JESZCZE RAZ

Jacob Marcus

9. O CHOLERA

Spojrzałam na zdjęcie. Potem przeczytałam całą pierwszą stronę. Raz jeszcze spojrzałam na zdjęcie, przeczytałam kolejną stronę, potem znów wróciłam do zdjęcia. Jacob Marcus był postacią z książki! Mężczyzna, który pisał listy do mojej matki przez cały czas był pisarzem Izaakiem Moritzem. *Synem* Almy. Podpisywał listy nazwiskiem postaci ze swojej najpopularniejszej książki! Przypomniałam sobie zdanie z jego listu: *Czasami nawet udaję, że piszę, ale nikogo nie nabiorę.* Przed zamknięciem biblioteki doczytałam książkę do pięćdziesiątej ósmej strony. Kiedy wyszłam, było już ciemno. Stałam przed wejściem z książką pod pachą, patrząc (jak pada deszcz) i próbując zrozumieć sytuację.

10. SYTUACJA

Tamtego wieczoru matka siedziała na górze, tłumacząc *Historię miłości* dla człowieka, którego uważała za Jacoba Marcusa, ja kończyłam książkę *Remedium* opowiadającą o Jacobie Marcusie, napisaną przez Izaaka Moritza, syna postaci z książki, Almy Mereminski, która jednak była także postacią rzeczywistą.

11. CZEKANIE.

Kiedy skończyłam czytać ostatnią stronę, zadzwoniłam do Mishy i odczekałam dwa dzwonki, zanim odłożyłam słuchawkę. Takiego kodu używaliśmy, gdy chcieliśmy porozmawiać późno w nocy. Minął już ponad miesiąc od naszej ostatniej rozmowy. W zeszycie zapisałam, czego mi w związku z tym brakuje. Na przykład sposobu, w jaki Misha marszczy w zamyśleniu nos. I jak trzyma różne przedmioty. Teraz jednak musiałam z nim porozmawiać naprawdę i żaden zapis nie mógł tego zastąpić. Stałam przy telefonie, a mój żołądek wykonywał jedno salto po drugim. Kiedy tak czekałam, mógł wyginąć cały gatunek motyli albo duży ssak, który ma uczucia podobne do moich. Misha nie zadzwonił. Prawdopodobnie znaczy to, że nie chce ze mną rozmawiać.

12. WSZYSCY MOI PRZYJACIELE

Mój brat spał w swoim pokoju na końcu korytarza. Jego kipa leżała na podłodze. Na podszewce widniał złoty napis: *Ślub Marshy i Joego, 13 czerwca 1987,* i choć Ptak twierdził, że znalazł ją w szafce w jadalni i uważał, że należała do taty, nikt z nas nie słyszał nigdy o Marshy ani o Joem. Usiadłam obok niego. Jego ciało było bardzo ciepłe, niemal gorące. Pomyślałam, że gdybym nie wymyśliła tyle niestworzonych rzeczy o tacie, może Ptak nie otaczałby go tak wielką czcią i nie wierzył, że sam też musi być niezwykły.

Deszcz uderzał o szyby. „Obudź się", szepnęłam. Otworzył oczy i jęknął. Z korytarza wpadało światło. „Ptak", powiedziałam, kładąc mu dłoń na ramieniu. Spojrzał na mnie i potarł oczy. „Musisz przestać opowiadać o Bogu, rozumiesz?". Nic nie powiedział, ale byłam pewna, że obudził się na dobre. – Niedługo skończysz dwanaście lat. Musisz przestać wydawać z siebie dziwne dźwięki, zeskakiwać z wysokości i robić sobie krzywdę. – Wiedziałam, że wpadam w ton błagalny, ale trudno. – I musisz przestać moczyć się w nocy – szepnęłam. W przyćmionym świetle dostrzegłam, że go uraziłam. – Musisz zachowywać swoje uczucia dla siebie i starać się być normalny. Bo jeśli nie... – Zacisnął usta, ale nic nie powiedział. – Musisz mieć jakichś przyjaciół", powiedziałam. „Ale ja mam przyjaciela", szepnął. „Kogo? – „Pana Goldsteina". „Musisz mieć więcej przyjaciół, nie jednego". „Ty nie masz więcej – powiedział. – Jedyną osobą, która do ciebie dzwoni, jest Misha". „Ależ mam. Mam mnóstwo przyjaciół", powiedziałam. Dopiero gdy wypowiedziałam te słowa, uświadomiłam sobie, że mają niewiele wspólnego z prawdą.

13. W INNYM POKOJU MOJA MATKA SPAŁA SKULONA OBOK CIEPŁEGO STOSU KSIĄŻEK

14. STARAM SIĘ NIE MYŚLEĆ O

a) Mishy Shklovskym
b) Lubie Wielkiej
c) Ptaku
d) Mojej matce
e) Izaaku Moritzu

15. POWINNAM

Częściej wychodzić z domu, zapisać się do kilku klubów. Powinnam kupić sobie nowe ubrania, ufarbować włosy na niebiesko, żeby Herman Cooper zabrał mnie na przejażdżkę samochodem swojego ojca, pocałował mnie i może nawet pomacał moje niewidzialne piersi. Powinnam nauczyć się kilku pożytecznych rzeczy, na przykład przemawiać publicznie, grać na elektrycznej wiolonczeli lub spawać, iść do doktora z moim bolącym brzuchem, znaleźć sobie idola, który nie jest autorem książki dla dzieci i który nie rozbił swojego samolotu, przestać rozbijać namiot ojca w rekordowym czasie, wyrzucić wszystkie zeszyty z notatkami, trzymać się prosto i przestać odpowiadać na pytanie o moje samopoczucie jak uczennica z angielskiej szkoły, która uważa, że życie jest jedynie długim przygotowaniem do zjedzenia kilku kanapek z królową.

16. WIELE RZECZY MOŻE ZMIENIĆ TWOJE ŻYCIE

Otworzyłam szufladę biurka i wywróciłam ją do góry nogami, szukając kartki, na której zapisałam adres Jacoba Marcusa, który tak naprawdę był Izaakiem Moritzem. Pod kartką z wykazem ocen znalazłam stary list od Mishy, jeden z jego pierwszych. *Droga Almo!*, pisał. *Jak to się dzieje, że znasz mnie tak dobrze? Chyba jesteśmy bardzo do siebie podobni. To prawda, że lubię Johna bardziej od Paula. Ale mam też wielki szacunek dla Ringa.*

W sobotni ranek wydrukowałam mapę z internetu i powiedziałam matce, że jadę na cały dzień do Mishy. Potem wyszłam z domu i zapukałam do drzwi Coopera. Herman wyszedł z nastroszonymi włosami, w T-shircie z Sex Pistols. „Nooo!", wykrzyknął na mój widok i cofnął się o krok. „Chcesz się wybrać na przejażdżkę?", spytałam. „Czy to żart?". „Nie". „Dobra – powiedział. – Poczekaj chwilę". Poszedł na górę, by poprosić ojca o kluczyki, a kiedy wrócił, miał przyczesane włosy i czysty niebieski T-shirt.

17. SPÓJRZ NA MNIE.

„Dokąd jedziemy, do Kanady?", spytał Herman, kiedy zobaczył mapę. Na ręce, w miejscu, gdzie przez całe lato nosił zegarek, miał biały pasek. „Do Connecticut", odparłam. „Ale tylko jeśli zdejmiesz ten kaptur", powiedział. „Dlaczego?". „Nie widzę twojej twarzy". Zsunęłam kaptur. Uśmiechnął się. Widać było, że jest jeszcze trochę zaspany. Po czole spływała mu kropelka deszczu. Powiedziałam mu, dokąd ma jechać, a potem rozmawialiśmy o college'ach, do których chce wysłać podania w przyszłym roku. Powiedział, że rozważa możliwość studiowania oceanografii, bo chce żyć jak Jacques Cousteau. Pomyślałam, że być może mamy ze sobą więcej wspólnego, niż początkowo sądziłam. Zapytał, kim ja chcę być, i powiedziałam mu, że zastanawiałam się kiedyś, czy nie zostać paleontologiem. Poprosił, żebym mu wyjaśniła, czym zajmuje się paleontolog, więc powiedziałam, że jeśli weźmie ilustrowany przewodnik po Metropolitan Museum of Art, podrze go na kawałeczki, rzuci je w powietrze ze schodów muzeum itd. Spytał, dlaczego zmieniłam zdanie, a ja odparłam, że chyba nie bardzo się do tego nadaję. Zapytał więc, do czego moim zdaniem się nadaję, a ja powiedziałam, że to długa historia. „Mamy sporo czasu", powiedział. „Naprawdę chcesz wiedzieć?". „Tak". Opowiedziałam mu więc wszystko, zaczynając od wojskowego scyzoryka ojca i książki *Rośliny jadalne i kwiaty Ameryki Północnej*, a kończąc na planach przemierzenia Arktyki tylko z tym, co będę mogła unieść w plecaku. „Wolałbym, żebyś tego nie robiła", powiedział. Zjechaliśmy z autostrady w złym miejscu, więc zatrzymaliśmy się na stacji benzynowej, żeby zapytać o drogę i kupić batoniki. „Ja płacę", powiedział, kiedy wyjęłam portfel. Kiedy podawał w kasie banknot pięciodolarowy, zauważyłam, że drżą mu ręce.

18. OPOWIEDZIAŁAM MU WSZYSTKO
O *HISTORII MIŁOŚCI*

Deszcz zacinał tak mocno, że musieliśmy zjechać na pobocze. Zdjęłam trampki i oparłam stopy o deskę rozdzielczą. Herman napisał moje imię na zaparowanej szybie. Potem wspominaliśmy, jak przed laty oblewaliśmy się wodą, i nagle ogarnął mnie smutek na myśl, że za rok Herman wyjedzie, by zacząć nowe życie.

19. PO PROSTU WIEM

Po długich poszukiwaniach znaleźliśmy wreszcie polną drogę prowadzącą do domu Izaaka Moritza. Musieliśmy ją minąć chyba ze trzy razy i nie zauważyliśmy jej. Ja już byłam skłonna się poddać, ale Herman nie chciał nawet o tym słyszeć. Kiedy jechaliśmy błotnistym podjazdem, spociły mi się dłonie, bo jeszcze nigdy nie spotkałam sławnego pisarza, a już na pewno nie takiego, do którego wysłałam sfałszowany list. Numer domu był przybity do dużego klonu. „Skąd wiesz, że to klon?", spytał Herman. „Po prostu wiem", odparłam, oszczędzając mu szczegółów. Potem zobaczyłam jezioro. Herman zatrzymał się przed domem i wyłączył silnik. Nagle zapadła cisza. Pochyliłam się, żeby zawiązać trampki. Kiedy usiadłam, patrzył na mnie. Na jego twarzy malowała się nadzieja, niedowierzanie i odrobina smutku. Zastanawiałam się, czy przed laty tak właśnie ojciec patrzył na moją matkę nad Morzem Martwym, rozpoczynając cały ciąg wydarzeń, które doprowadziły mnie tutaj, na to pustkowie, z chłopcem, z którym dorastałam, a którego prawie w ogóle nie znałam.

20. SZALA, SZALBIERZ, SZALOTKA, SZALOM

Wysiadłam i wzięłam głęboki oddech.

Pomyślałam: Nazywam się Alma Singer. Nie zna mnie pan, ale otrzymałam imię na cześć pańskiej matki.

21. SZAMAN, SZANIEC, SZANKIER, SZANTAŻ

Zapukałam do drzwi. Nikt nie odpowiedział. Nacisnęłam dzwonek, ale też nie doczekałam się odpowiedzi. Obeszłam więc dom i zajrzałam przez okno. W środku było ciemno. Kiedy wróciłam na podjazd, Herman stał oparty o samochód, z rękami splecionymi na piersiach.

22. DOSZŁAM DO WNIOSKU, ŻE NIE MAM NIC DO STRACENIA

Siedzieliśmy na ławce na werandzie domu Moritza i patrzyliśmy, jak pada. Zapytałam Hermana, czy słyszał kiedyś o Antoinie de Saint-Exupérym, a kiedy powiedział, że nie, spytałam, czy słyszał o *Małym Księciu*. Odparł, że chyba tak. Opowiedziałam mu więc o katastrofie Saint-Exa na libijskiej pustyni, jak pił rosę ze skrzydeł samolotu, którą zbierał zaplamioną olejem szmatą, i jak przeszedł setki kilometrów, odwodniony i osłabiony z powodu gorąca i zimna. Kiedy dotarłam do tego, jak znaleźli go Beduini, Herman wsunął swoją dłoń w moją, a ja pomyślałam, że co dnia giną średnio siedemdziesiąt cztery gatunki, co jest wystarczającym, choć nie jedynym powodem, by trzymać kogoś za rękę. Po chwili pocałowaliśmy się, a ja nagle przekonałam się, że potrafię. Poczułam jednocześnie radość i smutek, bo wiedziałam, że się zakochuję, ale nie w nim.

Czekaliśmy bardzo długo, ale Moritz nie wrócił. Nie wiedziałam, co robić, więc zostawiłam w drzwiach kartkę z moim numerem telefonu.

Półtora tygodnia później – pamiętam tę datę dokładnie: 5 października – moja matka czytała gazetę. „Pamiętasz tego pi-

sarza, Izaaka Moritza, o którego mnie pytałaś?", spytała. „Tak".
„W gazecie jest jego nekrolog".

Tamtego wieczoru poszłam do niej do gabinetu. Zostało jej jeszcze do przetłumaczenia pięć rozdziałów *Historii miłości*, a nie wiedziała, że teraz tłumaczy je już tylko dla mnie.

„Mamo? – powiedziałam. Odwróciła się. – Czy mogę z tobą o czymś porozmawiać?".

„Oczywiście, kochanie. Chodź do mnie".

Zrobiłam kilka kroków. Chciałam jej powiedzieć tyle rzeczy.

„Chcę, żebyś...", zaczęłam i rozpłakałam się.

„Żebym co?", powiedziała, rozkładając ramiona.

„Żebyś nie była smutna", dokończyłam.

BYŁOBY DOBRZE

28 września

יהוה

Dzisiaj pada dziesiąty dzień z rzędu. Doktor Vishnubakat powiedział, że byłoby dobrze, gdybym zapisywał w dzienniku moje myśli i uczucia. Powiedział, że jeśli będę chciał, by się dowiedział czegoś o moich uczuciach, a nie będę chciał o tym mówić, mogę mu dać do przeczytania dziennik. Nie zapytałem go, czy słyszał kiedyś o słowie PRYWATNY. Jedną z moich myśli jest ta, że podróż samolotem do Izraela jest bardzo droga. Wiem, bo próbowałem kupić bilet na lotnisku, i powiedzieli mi, że kosztuje 1200 dolarów. Kiedy powiedziałem tej kobiecie, że moja mama kupiła kiedyś bilet za 700 dolarów, wyjaśniła mi, że takich już nie ma. Pomyślałem, że może mówi tak, gdyż sądzi, że nie mam pieniędzy, więc wyjąłem pudełko po butach i pokazałem jej 741 dolarów i 50 centów. Zapytała, skąd mam tyle pieniędzy, więc powiedziałem jej, że sprzedałem 1500 kubków lemoniady, co nie było całkiem zgodne z prawdą. Potem zapytała mnie, dlaczego tak bardzo chcę jechać do Izraela, więc spytałem, czy potrafi dochować tajemnicy. Gdy powiedziała, że tak, wyjaśniłem jej, że jestem łamed wownikiem, a może nawet Mesjaszem. Kiedy to usłyszała, zabrała mnie do specjalnego pokoju przeznaczonego tylko dla personelu i dała mi znaczek linii El Al. Potem przyjechała policja i odwiozła mnie do domu. Moim odczuciem była złość.

29 września

יהוה

Pada już od jedenastu dni. Jak można być łamed wownikiem, jeśli bilet do Izraela kosztuje najpierw 700 dolarów, a potem trzeba za niego zapłacić 1200? Powinni utrzymywać stałe ceny, żeby ludzie wiedzieli, ile lemoniady muszą sprzedać, jeśli chcą pojechać do Jerozolimy.

Dzisiaj doktor Vishnubakat poprosił mnie, żebym wyjaśnił mu znaczenie listu, który zostawiłem dla Almy i mamy, gdy myślałem, że wyjeżdżam do Izraela. Położył go przede mną, żeby odświeżyć mi pamięć. Ale nie musiałem wcale odświeżać sobie pamięci, bo doskonale wiedziałem, co w nim jest. Pisałem go dziewięć razy, bo chciałem napisać na maszynie, by wyglądał oficjalnie, i stale robiłem błędy. Napisałem w nim: „Droga Mamo, Almo i Wszyscy! Muszę wyjechać i może mnie nie być bardzo długo. Proszę, nie próbujcie mnie szukać. Powodem mojego wyjazdu jest to, że jestem łamed wownikiem i mam do zrobienia bardzo dużo rzeczy. Będzie potop, ale nie musicie się martwić, bo zbudowałem wam arkę. Alma wie, gdzie ona jest. Ucałowania, Ptak".

Doktor Vishnubakat zapytał mnie, skąd wzięło się imię Ptak. Odparłem, że tak po prostu. Jeśli chcecie wiedzieć, dlaczego doktor Vishnubakat nazywa się Vishnubakat, to jest tak dlatego, że pochodzi z Indii. Jeśli chcecie zapamiętać, jak to się wymawia, pomyślcie sobie doktor Fishinabucket*.

30 września

יהוה

Dziś przestało padać i strażacy rozebrali moją arkę, bo stwierdzili, że stanowi zagrożenie pożarowe. Moim odczuciem był smutek. Starałem się nie płakać, bo pan Goldstein mówi, że B-g robi wszystko dla naszego dobra, a także dlatego, że Alma powiedziała mi, że powinienem zachowywać swoje uczucia dla siebie, a wtedy będę mieć przyjaciół. Pan Goldstein mówi też: Czego oczy nie widzą, tego sercu nie żal, ale ja musiałem zobaczyć, co się stało z arką, bo przypomniałem sobie, że wymalowałem z tyłu napis יהוה, którego nikomu nie wolno wyrzucić. Poprosiłem mamę, żeby zadzwoniła do straży pożarnej i zapytała, gdzie złożyli arkę. Powiedziała mi, że złożyli jej części na chodniku, żeby mogli je zabrać śmieciarze. Poprosiłem, żeby mnie tam zawiozła, ale śmieciarze już byli i wszystko zniknęło. Rozpłakałem się i kopnąłem kamień. Mama próbowała mnie przytulić, ale jej nie pozwoliłem, bo nie powinna była pozwolić strażakom rozebrać arki i powinna też była zapytać mnie o zdanie, zanim wyrzuciła wszystkie rzeczy taty.

---

* *Fish in a bucket* – ryba w wiaderku (przyp. tłum.).

1 października

יהוה

Dzisiaj po raz pierwszy od próby wyjazdu do Izraela widziałem się z panem Goldsteinem. Mama zawiozła mnie do szkoły żydowskiej i czekała na zewnątrz. Pana Goldsteina nie było w jego biurze w piwnicy ani w świętym miejscu i w końcu znalazłem go na tyłach budynku, jak kopał dołek na kilka sidurów ze złamanymi grzbietami. Powiedziałem „Dzień dobry, panie Goldstein", a on długo milczał i nawet na mnie nie patrzył. Powiedziałem więc, że jutro pewnie znów zacznie padać, a on odparł, że głupcy i chwasty rosną bez deszczu, i dalej kopał. Jego głos był smutny, więc starałem się zrozumieć, co chciał mi powiedzieć. Stałem obok niego i patrzyłem, jak dołek staje się coraz głębszy. Miał brudne buty i przypomniałem sobie, jak pewnego razu jeden z uczniów przykleił mu na plecach kartkę z napisem KOPNIJ MNIE. Nikt mu o tym nie powiedział, nawet ja, bo nie chciałem, żeby się dowiedział o jej istnieniu. Teraz patrzyłem, jak zawija trzy sidury w kawałek materiału, a potem je całuje. Cienie pod jego oczami były jeszcze ciemniejsze niż zwykle. Pomyślałem, że może „głupcy i chwasty rosną bez deszczu" oznacza, że jest rozczarowany, więc próbowałem się domyślić dlaczego, a kiedy włożył zawinięte w materiał modlitewniki do dołka, powiedziałem *Jisgadol wejiskadasz szemej rabaw*, Niech Jego wielkie Imię wzrasta wychwalane i uświęcone w świecie, który On stworzył według Swojej woli. Niech on sprawuje rządy nad Swoim królestwem w waszych czasach i za waszych dni, i zobaczyłem, że z oczu pana Goldsteina płyną łzy. Zaczął zasypywać dołek ziemią i zobaczyłem, że porusza ustami, ale nic nie słyszałem, co mówi, więc przysunąłem ucho do jego warg, a on powiedział, Chaim, bo tak mnie nazywa, łamed wownik jest pełen pokory i działa w tajemnicy, a potem się odwrócił, a ja zrozumiałem, że płacze nade mną.

2 października

יהוה

Dziś znów zaczęło padać, ale niewiele mnie to obchodzi, bo arka zniknęła, a ja rozczarowałem pana Goldsteina. Być łamed wownikiem to znaczy nigdy nikomu nie mówić, że jest się jednym z 36 ludzi, od których zależy los świata; to znaczy spełniać dobre uczynki i pomagać ludziom tak, by nikt tego nie zauważył. A ja powiedziałem Almie, że jestem łamed wownikiem, powiedziałem mamie, kobiecie w biurze El Al, Louisowi, panu Hintzowi, mojemu nauczycielowi WF-u, bo kazał mi zdjąć kipę i włożyć szorty, i jeszcze kilku innym osobom. Musiała po mnie przyjechać policja, a potem strażacy rozebrali arkę. Na myśl o tym czuję, że chce mi się płakać. Rozczarowałem pana Goldsteina i B-ga. Nie wiem, czy to znaczy, że już nie jestem łamed wownikiem.

3 października

יהוה

Dziś doktor Vishnubakat zapytał, czy jestem w depresji, a ja zapytałem, co to znaczy, więc spytał, czy jestem bardzo smutny. Nie zapytałem go, czy jest totalnym nieukiem, bo łamed wownik na pewno by tego nie zrobił. Zamiast tego powiedziałem Gdyby koń wiedział, jak mały w porównaniu z nim jest człowiek, toby go zdeptał, bo czasami mówi tak pan Goldstein, a doktor Vishnubakat stwierdził, że to interesujące i czy mógłbym to trochę rozwinąć, a ja powiedziałem, że nie. Potem przez kilka minut siedzieliśmy w milczeniu, co czasami robimy, ale w końcu mi się znudziło, więc powiedziałem Zboże rośnie na łajnie, bo pan Goldstein też to czasem mówi, a doktora Vishnubakata widocznie bardzo to zainteresowało, bo zapisał moje słowa w notesie, więc powiedziałem jeszcze Duma leży na kupie gnoju. Potem doktor Vishnubakat zapytał, czy może mi zadać pytanie, a ja odparłem, że to zależy, więc spytał Czy tęsknisz za tatą, a ja powiedziałem, że właściwie go nie pamiętam, a on na to, że utrata taty była dla mnie na pewno bardzo trudna, ale ja nic nie odpowiedziałem. Jeśli chcecie wiedzieć, dlaczego nie odpowiedziałem, to dlatego że nie lubię, gdy o tacie mówią ludzie, którzy go nie znali.

Postanowiłem, że od tej pory, zanim zrobię cokolwiek, zadam sobie pytanie CZY ZROBIŁBY TO ŁAMED WOWNIK? Na przykład dziś Misha zadzwonił do Almy, a ja nie zapytałem go, czy chce się z nią całować z języczkiem, bo kiedy zadałem sobie pytanie, CZY ZROBIŁBY TO ŁAMED WOWNIK?, odpowiedź brzmiała NIE. Potem Misha zapytał, jak ona się miewa, a ja odparłem, że w porządku. Potem powiedział Powiedz jej, że dzwoniłem, żeby się dowiedzieć, czy znalazła tę osobę, której szukała, a ja nie zrozumiałem, o czym on mówi, więc powiedziałem Słucham?, na co on, że To już nieważne, nie mów jej, że dzwoniłem, a ja powiedziałem Dobra i nic jej nie powiedziałem, bo łamed wownik naprawdę potrafi dotrzymać tajemnicy. Nie wiedziałem, że Alma kogoś szuka, i próbowałem wymyślić, kto to może być, ale nic nie przychodziło mi do głowy.

4 października

יהוה

Dziś stało się coś strasznego. Pan Goldstein zachorował, zemdlał, leżał tak trzy godziny, a teraz jest w szpitalu. Kiedy mama powiedziała mi o tym, zamknąłem się w łazience i prosiłem B-ga, by pan Goldstein wyzdrowiał. Kiedy byłem niemal na 100 procent pewny, że jestem łamed wownikiem, myślałem, że B-g mnie słyszy. Ale teraz już nie jestem pewny. Potem przyszła mi do głowy straszna myśl, że być może pan Goldstein zachorował dlatego, że go rozczarowałem. Nagle zrobiło mi się bardzo, bardzo smutno. Zacisnąłem powieki, żeby mi nie pociekły łzy, i zacząłem się zastanawiać, co zrobić. Potem wpadłem na pomysł. Jeśli zrobię jedną dobrą rzecz, pomogę komuś i nikomu o tym nie powiem, to może pan Goldstein wyzdrowieje, a ja będę prawdziwym łamed wownikiem!

Czasami jeśli muszę coś wiedzieć, pytam B-ga. Na przykład mówię tak Jeśli chcesz, żebym ukradł 50 dolarów z portfela mamy na bilet do Izraela, nawet jeśli kradzież jest bardzo zła, to pozwól mi znaleźć jutro trzy niebieskie garbusy z rzędu i jeśli je znajdę, to odpowiedź brzmi tak. Ale wiedziałem, że tym razem nie mogę prosić B-ga o pomoc, bo muszę sam to wymyślić. Próbowałem więc znaleźć kogoś, kto potrzebuje pomocy, i nagle znalazłem odpowiedź.

KIEDY WIDZIAŁEM CIĘ OSTATNI RAZ

Leżałem w łóżku, śniąc sen, który dział się w byłej Jugosławii, a może to była Bratysława. O ile wiem, równie dobrze mogła to być Białoruś. Im dłużej się nad tym zastanawiam, tym mniej byłem pewny. *Obudź się!*, wrzasnął Bruno. A raczej powinienem przypuścić, że wrzasnął, zanim uciekł się do kubka zimnej wody, który wylał mi na twarz. Może chciał się odegrać za to, że uratowałem mu życie. Odrzucił pościel. Ubolewam nad tym, co zobaczył. A jednak. Najlepszy dowód. Co rano domaga się uwagi niczym główny świadek obrony.

Spójrz!, krzyknął Bruno. *Napisali o tobie w gazecie.*

Nie byłem w nastroju do żartów. Pozostawiony sam sobie, lubię się budzić z pierdnięciem. Rzuciłem więc mokrą poduszkę na podłogę i schowałem się z głową pod kołdrę. Bruno trzasnął mnie gazetą. *Wstawaj i patrz*, powiedział. Odgrywałem rolę głuchoniemego, w której przez wszystkie te lata doszedłem do perfekcji. Słyszałem oddalające się kroki Brunona. W okolicach szafy w przedpokoju rozległ się huk. Zebrałem się w sobie.

Usłyszałem donośny głos. *NAPISALI O TOBIE W GAZECIE*, powiedział Bruno przez megafon, który udało mu się wygrzebać w moich rzeczach. Choć leżałem schowany pod kołdrą, bez trudu odnalazł moje ucho. *POWTARZAM*, zadźwięczał znów megafon. *TY W GAZECIE.* Odrzuciłem kołdrę i wyrwałem mu megafon. *Kiedy stałeś się takim durniem?*, spytałem. *A ty?*, odparł Bruno. *Posłuchaj, Gimpel*, powiedziałem. *Zamknę oczy i policzę do dziesięciu. Kiedy otworzę oczy, ma cię tu nie być.* Bruno wyglądał na urażonego. *Nie mówisz poważnie*, rzucił. *Owszem mówię*, powiedziałem i zamknąłem oczy. *Raz, dwa. Powiedz, że nie mówiłeś poważnie.*

Z zamkniętymi oczami przypomniałem sobie dzień, w którym po raz pierwszy zobaczyłem Brunona. Chudy, rudowłosy chłopak, którego rodzina przeniosła się właśnie do Słonima, kopał piłkę w kurzu. Podszedłem do niego. Podniósł głowę i spojrzał na mnie. Bez słowa kopnął do mnie piłkę. A ja do niego. *Trzy, cztery, pięć*, powiedziałem. Poczułem spadającą na kolana gazetę i usłyszałem oddalające się kroki Brunona w korytarzu. Zatrzymał się na chwilę. Próbowałem wyobrazić sobie moje życie bez niego. To było niemożliwe. A jednak. *SIEDEM!*, krzyknąłem. *OSIEM!* Na dziewięć usłyszałem trzaśnięcie drzwi. *Dziesięć*, powiedziałem, już do nikogo. Otworzyłem oczy i spojrzałem w dół.

Na stronie jedynej gazety, jaką prenumeruję, widniało moje nazwisko.

Pomyślałem: Co za zbieg okoliczności, jeszcze jeden Leo Gursky! Poczułem oczywiście podniecenie, nawet jeśli chodziło o kogoś innego. Nie jest to jakieś niezwykłe nazwisko. A jednak. Nie jest też zbyt częste.

Przeczytałem jedno zdanie. I już wiedziałem, że nie może to być nikt inny, tylko ja. Wiedziałem, bo to ja napisałem to zdanie. W mojej książce, powieści mojego życia. W tej, którą zacząłem pisać po zawale serca i rankiem po sesji pozowania wysłałem Izaakowi. Którego nazwisko, teraz to zauważyłem, zostało wypisane dużymi literami na górze strony. *KAŻDEJ RZECZY SŁOWO*, przeczytałem tytuł, na który się wreszcie zdecydowałem, a pod nim: *ISAAC MORITZ*.

Spojrzałem na sufit.

Spuściłem wzrok. Jak już wspominałem, niektóre fragmenty znałem na pamięć. I zdanie, które znałem na pamięć, nadal tam było. Podobnie jak setka innych, tyle tylko, że niektóre trochę podredagowane, w taki sposób, że odrobinę mnie to zasmuciło. W notatce obok napisano, że Izaak zmarł w tym miesiącu, a publikowany fragment stanowi część jego ostatniej książki.

Wstałem z łóżka i wyjąłem książkę telefoniczną spod *Sławnych cytatów* i *Historii nauki,* na których Bruno lubi siedzieć przy stole w kuchni. Znalazłem numer redakcji magazynu. *Dzień dobry*, powiedziałem, kiedy zgłosiła się recepcjonistka. *Z Działem Prozy, proszę.*

Telefon zadzwonił trzy razy.

Dział Prozy, powiedział mężczyzna w słuchawce. Głos miał młody.

Skąd macie tę historię?, spytałem.

Słucham?

Skąd macie tę historię?

Którą, proszę pana?

Każdej rzeczy słowo.

To fragment powieści zmarłego Izaaka Moritza, powiedział.

Ha, ha.

Słucham?

Nieprawda, powiedziałem.

Ależ tak.

Nie.

Zapewniam pana, że tak.

A ja zapewniam, że nie.

Ależ tak, proszę pana. Naprawdę.

Dobra, powiedziałem. *Niech panu będzie.*

Czy mogę zapytać, z kim rozmawiam?

Z Leo Gurskym, powiedziałem.

Zapadła niezręczna cisza. Kiedy mężczyzna znów się odezwał, jego głos nie brzmiał już tak pewnie.

Czy to jakiś żart?

Skąd, powiedziałem.

Ale tak nazywa się jeden z bohaterów powieści.

No właśnie.

Muszę to wyjaśnić w Dziale Weryfikacji Faktów, powiedział. *Zazwyczaj informują nas, że istnieje osoba o takim samym nazwisku.*

To ci niespodzianka!, wykrzyknąłem.

Proszę poczekać, powiedział.

Odłożyłem słuchawkę.

W ciągu całego swojego życia człowiek wpada na dwa, trzy dobre pomysły. Na stronach tego magazynu wydrukowano jeden z moich. Przeczytałem fragment jeszcze raz. W niektórych miejscach śmiałem się i podziwiałem własną błyskotliwość. A jednak. Znacznie częściej krzywiłem się.

Raz jeszcze wykręciłem numer redakcji i poprosiłem o połączenie z Działem Prozy.

Zgadnij kto?, zacząłem.

Leo Gursky?, spytał mężczyzna. W jego głosie słyszałem strach.

Bingo, powiedziałem, po czym dodałem: *A ta książka?*

Tak?

Kiedy się ukaże?

Proszę poczekać, powiedział.

Poczekałem.

W styczniu, powiedział po chwili.

W styczniu!, wykrzyknąłem. *Tak szybko!* Wiszący w kuchni kalendarz pokazywał datę 17 października. Nie mogłem się powstrzymać i spytałem: *Czy jest dobra?*

Niektórzy uważają, że to jedna z najlepszych jego książek.

Jedna z najlepszych! Mój głos uniósł się o oktawę i załamał.

Tak, proszę pana.

Chciałbym dostać egzemplarz próbny, powiedziałem. *Może nie dożyję do stycznia, żeby poczytać o sobie.*

Po drugiej stronie zapadła cisza.

Zobaczę, co się da zrobić. Jaki jest pana adres?

Taki sam jak adres Leo Gursky'ego w książce, powiedziałem i odłożyłem słuchawkę. Biedny dzieciak. Może będzie próbował rozwiązać tę zagadkę przez wiele lat.

Ale ja miałem do rozwiązania własną zagadkę. Jeśli mój rękopis znaleziono w domu Izaaka i wzięto za jego książkę, czy to znaczy, że ją przeczytał, nim zmarł, a przynajmniej zaczął czytać? Bo jeśli tak, to zmieniałoby wszystko. Znaczyłoby, że...

A jednak.

Chodziłem po mieszkaniu tam i z powrotem, o ile było to możliwe wśród walających się po podłodze przedmiotów; rakietka do badmintona, stosy „National Geographic" i komplet kul do gry w boule, o której nie mam pojęcia.

To było proste: Jeśli przeczytał moją książkę, znał prawdę.

Byłem jego ojcem.

On był moim synem.

I teraz dotarło do mnie, że być może istniało małe okienko w czasie, w którym żyliśmy razem z Izaakiem, każdy z nas świadomy istnienia drugiego.

Poszedłem do łazienki, umyłem twarz zimną wodą i zszedłem na dół, by sprawdzić pocztę. Pomyślałem, że jest jeszcze pewna szansa, że może dostanę list od mojego syna, wysłany tuż przed jego śmiercią. Wsunąłem kluczyk do zamka i przekręciłem.

A jednak. Kupa śmieci, to wszystko. Program telewizyjny, katalog Bloomingdale'a, list z World Wildlife Federation, która towarzyszy mi wiernie od 1979 roku, kiedy wysłałem na jej rzecz dziesięć dolarów. Wziąłem pocztę na górę, by wyrzucić ją do śmieci. Trzymałem stopę na pedale kosza, gdy ją zauważyłem: niewielką kopertę z moim nazwiskiem wypisanym na maszynie. Siedemdziesiąt pięć procent mojego serca, które nadal żyło, zaczęło walić jak szalone. Rozerwałem kopertę.

Szanowny Panie Leopoldzie Gursky, przeczytałem. *Proszę spotkać się ze mną o 16.00 w sobotę na ławkach przed wejściem do zoo w Central Parku. Myślę, że wie Pan, kim jestem.*

Wiem!, wykrzyknąłem wzruszony.

Z poważaniem, przeczytałem.

Alma.

Wiedziałem już, że mój czas nadszedł. Dłonie drżały mi tak mocno, że zaszeleścił papier. Poczułem, że kolana uginają się pode mną. Głowa mi płonęła. A więc tak spływa anioł. Z imieniem dziewczyny, którą zawsze kochałeś.

Zastukałem w kaloryfer, by wezwać Brunona. Nie odpowiedział. Po minucie i po dwóch nadal nie było żadnej odpowiedzi, choć waliłem z całych sił. Trzy uderzenia znaczą ŻYJESZ?, dwa – TAK, jedno – NIE. Nasłuchiwałem odpowiedzi, ale bez skutku. Może nie powinienem był nazywać go głupcem, bo teraz, kiedy najbardziej go potrzebowałem, zostałem sam.

 ## CZY ZROBIŁBY TO ŁAMED WOWNIK?

5 października

יהוה

Dziś rano zakradłem się do pokoju Almy, kiedy brała prysznic, i wyjąłem z jej plecaka trzeci tom Jak przetrwać w dziczy. Potem wróciłem do łóżka i schowałem go pod kołdrę. Kiedy do pokoju weszła mama, udałem, że jestem chory. Położyła mi rękę na czole i spytała, co mnie boli. Powiedziałem, że chyba mam powiększone węzły chłonne, na co oświadczyła, że to może być początek jakiejś choroby. Powiedziałem, że przecież muszę iść do szkoły, ale ona odparła, że nic się nie stanie, jeśli opuszczę jeden dzień, więc się zgodziłem. Przyniosła mi potem herbatę rumiankową z miodem. Wypiłem ją z zamkniętymi oczami, żeby pokazać, jak bardzo jestem chory. Słyszałem, jak Alma wychodzi do szkoły, a mama poszła pracować na górę. Kiedy usłyszałem, jak trzeszczy jej krzesło, wyjąłem trzeci tom Jak przetrwać w dziczy i zacząłem go czytać, by sprawdzić, czy nie ma tam jakichś wskazówek dotyczących osoby, której Alma szuka.

Większość stron wypełniały informacje w stylu, jak zrobić posłanie na skale, jak zbudować szałas i jak sprawić, żeby woda nadawała się do picia. Nie bardzo to rozumiałem, bo jeszcze nigdy nie widziałem wody, która nie dawałaby się pić. (Chyba tylko gdyby to był lód). Już zacząłem się zastanawiać, czy znajdę tam jakieś rozwiązanie zagadki, kiedy dotarłem do strony z napisem JAK PRZEŻYĆ, GDY NIE OTWORZY CI SIĘ SPADOCHRON. Pod spodem znajdowało się dziesięć punktów, ale żaden z nich nie miał sensu. Jeśli lecisz w dół i nie otwiera ci się spadochron, chyba niewiele pomógłby ci na przykład przygarbiony ogrodnik. Przeczytałem też, że trzeba szukać kamienia, ale skąd by się wzięły w powietrzu kamienie? No, chyba że ktoś nim w ciebie rzuci albo nosisz go w kieszeni, czego większość normalnych ludzi nie robi. Ostatni punkt to było nazwisko: Alma Mereminski.

Pomyślałem. Że Alma zakochała się w jakimś panu Mereminskim i chce wyjść za niego za mąż. Potem jednak odwróciłem kartkę i znalazłem: ALMA MEREMINSKI = ALMA MORITZ. Pomyślałem więc, że może Alma zakochała się w panu Mereminskim i panu Moritzu. Potem znów przewróciłem kartkę i znalazłem napis M. I CZEGO NAJBARDZIEJ MI BRAKUJE, a pod nim 15 punktów, z których pierwszy brzmiał: SPOSOBU, W JAKI TRZYMA RÓŻNE PRZEDMIOTY. Nie rozumiem, jak może komuś brakować sposobu, w jaki ktoś trzyma przedmioty.

Starałem się myśleć, ale to było trudne. Jeśli Alma zakochała się w panu Mereminskim albo w panu Moritzu, dlaczego nigdy żadnego z nich nie spotkałem i dlaczego nigdy do niej nie dzwonili, jak Herman albo i Misha? Dlaczego tęskniła za Mishą, jeśli kochała się w panu Mereminskim albo pana Moritzu? Dalsze kartki były puste.

Jedyną osobą, za którą naprawdę tęsknię, jest tato. Czasami zazdroszczę Almie, że znała go dłużej niż ja i tyle o nim pamięta. Dziwne jednak, że kiedy w ubiegłym roku czytałem drugi jej zeszyt, było tam zapisane: JEST MI SMUTNO, BO NIGDY TAK NAPRAWDĘ NIE ZNAŁAM TATY.

Myślałem o tym, co napisała, kiedy nagle nawiedziła mnie dziwna myśl. A jeśli mama była zakochana w panu Mereminskim albo w panu Moritzu i to ON był ojcem Almy? Może umarł albo wyjechał i dlatego Alma nigdy go nie znała? A potem mama spotkała Davida Singera i mieli mnie. A potem ON umarł i dlatego mama jest taka smutna. To by tłumaczyło, dlaczego napisała ALMA MEREMINSKI i ALMA MORITZ, ale nie ALMA SINGER. Może stara się odnaleźć swojego prawdziwego tatę!

Usłyszałem, że mama wstaje z krzesła, więc udałem najlepiej jak tylko umiałem, że śpię. Przećwiczyłem to przed lustrem chyba ze sto razy. Mama weszła do mojego pokoju, usiadła na brzegu łóżka i długo milczała. Nagle zachciało mi się kichnąć, więc otworzyłem oczy, kichnąłem, a mama powiedziała Biedactwo. Potem zrobiłem coś bardzo ryzykownego. Najbardziej zaspanym głosem, na jaki potrafiłem się zdobyć, zapytałem Mamo, czy kochałaś kogoś przed tatą? Byłem niemal w 100 procentach pewny, że powie nie. Tymczasem na jej twarzy pojawił się zabawny wyraz i powiedziała Chyba tak! Zapytałem więc Czy on umarł? a ona zaśmiała się i powiedziała Nie! Aż kipiałem w środku, ale nie chciałem, żeby nabrała podejrzeń, więc znów udałem, że zasypiam.

Teraz chyba już wiem, kogo szuka Alma. Wiem też, że
jeśli jestem prawdziwym łamed wownikiem, będę mógł jej
pomóc.

6 października

יהוה

Drugi dzień z rzędu udawałem, że jestem chory, żeby nie musieć
iść do szkoły i spotykać się z doktorem Vishnubakatem. Kiedy
mama poszła na górę, ustawiłem budzik w zegarku i co dziesięć
minut kaszlałem przez pięć sekund bez przerwy. Po półgodzinie
wstałem z łóżka, żeby poszukać w plecaku Almy więcej wskazówek. Nie znalazłem nic poza rzeczami, które zawsze tam są: ap-
teczką i scyzorykiem, ale kiedy wyjąłem sweter i rozłożyłem go,
wypadło kilka kartek. Spojrzałem na nie tylko przez ułamek sekundy i od razu wiedziałem, że to fragmenty książki, którą mama tłumaczy, zatytułowanej Historia miłości, bo zawsze wyrzuca
brudnopisy do kosza na śmieci i wiem, jak wyglądają. Wiem też,
że Alma trzyma w plecaku tylko bardzo ważne rzeczy, których
mogłaby potrzebować w trudnej sytuacji, więc starałem się zrozumieć, dlaczego Historia miłości jest dla niej tak ważna.

A potem coś przyszło mi do głowy. Mama zawsze mówi, że
dostała Historię miłości od taty. A jeśli przez cały czas miała na
myśli tatę Almy, a nie mojego? I jeśli w tej książce ukryte jest rozwiązanie zagadki, kim on jest?

Mama zeszła na dół, a ja musiałem pobiec do łazienki i udawać przez 18 minut, że mam zaparcie, żeby nie nabrała podejrzeń. Kiedy wyszedłem, dała mi numer do pana Goldsteina do
szpitala i powiedziała, że mogę do niego zadzwonić, jeśli mam

ochotę. Miał bardzo zmęczony głos, a kiedy spytałem go, jak się czuje, powiedział W nocy wszystkie krowy są czarne. Chciałem mu opowiedzieć o dobrym uczynku, jaki zamierzam spełnić, ale wiedziałem, że nie mogę o tym powiedzieć nikomu, nawet jemu. Wróciłem do łóżka i zacząłem mówić do siebie, by zrozumieć, dlaczego tożsamość prawdziwego ojca Almy musiała pozostać tajemnicą. Do głowy przychodziło mi tylko jedno wytłumaczenie: był szpiegiem jak ta blondynka w ulubionym filmie Almy, która pracowała dla FBI i nie mogła powiedzieć, kim jest, Rogerowi Thornhillowi, mimo że była w nim zakochana. Może ojciec Almy też nie mógł powiedzieć, kim jest naprawdę, nawet mamie. Może właśnie dlatego miał dwa nazwiska! A może nawet więcej niż dwa. Przez chwilę byłem zazdrosny, że mój tato nie był szpiegiem, ale potem przypomniałem sobie, że może jestem łamed wownikiem, a to coś więcej niż szpieg.

Mama zeszła na dół, żeby sprawdzić, co ze mną. Powiedziała, że musi wyjść na godzinę, i zapytała, czy nie będę się czuł źle, jeśli zostanę sam. Kiedy usłyszałem, że zamyka drzwi i przekręca klucz w zamku, poszedłem do łazienki, żeby porozmawiać z B-giem. Potem poszedłem do kuchni, żeby zrobić sobie kanapkę z masłem orzechowym i galaretką. I wtedy zadzwonił telefon. Nie przypuszczałem, że to coś szczególnego, ale kiedy odebrałem, głos po drugiej stronie powiedział Dzień dobry, mówi Bernard Moritz, czy mogę rozmawiać z Almą Singer?

W ten sposób przekonałem się, że B-g jednak mnie słyszy.

Serce waliło mi jak szalone. Musiałem myśleć bardzo szybko. Powiedziałem, że nie ma jej w domu, ale mogę przekazać wiadomość. Mężczyzna powiedział, że to długa historia, a ja odparłem, że mogę jej przekazać długą wiadomość.

Powiedział, że znalazł kartkę, którą zostawiła w drzwiach jego brata. To musiało być co najmniej przed tygodniem, kiedy brat był w szpitalu. Napisała, że wie, kim on jest, i że chciałaby z nim porozmawiać o Historii miłości. Zostawiła ten numer. Nie wykrzyknąłem Wiedziałem! ani Czy wiedział pan, że był szpiegiem? Milczałem, żeby nie powiedzieć czegoś niewłaściwego.

Potem mężczyzna powiedział. Jednakże mój brat umarł, chorował od dawna i nie dzwoniłbym, gdyby przed śmiercią nie powiedział mi, że w szufladzie u naszej matki znalazł listy. Nie odpowiedziałem, więc mężczyzna mówił dalej.

Powiedział Brat przeczytał listy i zrozumiał, że mężczyzna, który był jego prawdziwym ojcem, był też autorem Historii miłości. Nie wierzyłem w to, dopóki nie zobaczyłem kartki Almy. Wspomina w niej o tej książce, a nasza matka też miała na imię Alma. Pomyślałem, że powinienem z nią porozmawiać, a przynajmniej powiedzieć jej, że mój brat nie żyje, żeby nie była rozczarowana brakiem odpowiedzi.

Znów wszystko mi się pomieszało, bo myślałem, że pan Moritz jest ojcem Almy. Przyszło mi do głowy jedno wyjaśnienie, że ojciec Almy miał dużo dzieci, które go nie znały. Może jednym z nich był brat tego mężczyzny, a drugim Alma i oboje jednocześnie szukali swojego ojca.

Spytałem więc Pański brat myślał, że jego prawdziwym ojcem jest autor Historii miłości?

Mężczyzna powiedział Tak.

Ja na to Czy sądził, że jego ojciec nazywa się Zvi Litvinoff?

Teraz mężczyzna przy telefonie stropił się. Powiedział Nie, myślał, że to Leopold Gursky.

Starałem się, by mój głos zabrzmiał bardzo spokojnie, i poprosiłem Czy może pan to przeliterować? Powiedział G-U-R-S-K-Y.
Dlaczego sądził, że jego ojciec nazywa się Leopold Gursky?, spytałem. A mężczyzna odparł Dlatego, że to on przysyłał naszej
matce listy z fragmentami powieści, którą pisał, a która nosiła tytuł Historia miłości.

Wariowałem w środku, bo choć nie rozumiałem wszystkiego, byłem pewny, że jestem bardzo blisko rozwiązania zagadki ojca Almy i że jeśli uda mi się ją rozwiązać, spełnię dobry uczynek,
a jeśli spełnię jakiś dobry uczynek w tajemnicy, mogę nadal być
łamed wownikiem i wszystko będzie w porządku.

Mężczyzna powiedział Myślę, że byłoby lepiej, gdybym po-
rozmawiał z panną Singer osobiście. Nie chciałem budzić w nim
żadnych podejrzeń, więc powiedziałem, że przekażę jej wiadomość, i odłożyłem słuchawkę.

Siedziałem przy stole w kuchni i próbowałem to wszystko
przemyśleć. Teraz już wiedziałem, że kiedy mama mówiła, że tato dał jej Historię miłości, miała na myśli ojca Almy, bo to on napisał tę książkę.

Zacisnąłem powieki i powiedziałem sobie w duchu Jeśli jestem łamed wownikiem, to jak mam znaleźć ojca Almy, który nazywał się Leopold Gursky, a także Zvi Litvinoff, a także pan Mereminski, a także pan Moritz?

Otworzyłem oczy. Patrzyłem na notes, na którym napisałem G-U-R-S-K-Y. Potem spojrzałem na książkę telefoniczną leżącą na lodówce. Wziąłem drabinkę i zdjąłem książkę. Była cała za-
kurzona, więc wytarłem ją i otworzyłem na literze G. Naprawdę
nie sądziłem, że go znajdę. Zobaczyłem nazwisko GURLAND
John. Przesunąłem palec po kolumnie, GUROL, GUROV, GURO-

VICH, GURRERA, GURRIN, GURSHON, a po GURSHUMOV zobaczyłem jego nazwisko. GURSKY Leopold. Było tam przez cały
czas. Zapisałem jego numer telefonu i adres, 504 Grand Street,
zamknąłem książkę i odstawiłem drabinkę.

7 października

יהוה

Dziś była sobota, więc nie musiałem już udawać, że jestem chory.
Alma wstała wcześnie i powiedziała, że wychodzi, a kiedy mama
zapytała, jak się czuję, odparłem O wiele lepiej. Potem zapytała
czy chcę, żebyśmy gdzieś razem poszli, na przykład do zoo, bo
doktor Vishnubakat powiedział, że byłoby dobrze, gdybyśmy częściej robili różne rzeczy razem, jak rodzina. Choć bardzo chciałem
pójść, wiedziałem, że jest coś, co muszę zrobić. Powiedziałem więc
Może jutro. Potem poszedłem do jej gabinetu, włączyłem kompu-
ter i wydrukowałem Historię miłości. Włożyłem wydruk do sza-
rej koperty i napisałem DLA LEOPOLDA GURSKY'EGO. Powiedziałem mamie, że idę się pobawić, a kiedy spytała gdzie,
powiedziałem, że do Louisa, choć nie jest już moim przyjacielem.
Mama zgodziła się, ale kazała mi potem do siebie zadzwonić.
Wziąłem 100 dolarów z pieniędzy zarobionych na lemoniadzie
i wsunąłem je do kieszeni. Schowałem kopertę z Historią miłości
pod kurtkę i wyszedłem z domu. Nie wiedziałem, gdzie jest
Grand Street, ale mam prawie dwanaście lat i byłem pewien, że
ją znajdę.

A + L

List przyszedł bez adresu zwrotnego. Na kopercie widniało wypisane na maszynie moje nazwisko, Alma Singer. Do tej pory dostawałam tylko listy od Mishy, ale on nigdy nie pisał na maszynie. Otworzyłam kopertę. W środku były tylko dwie linijki. *Droga Almo! Spotkaj się ze mną proszę o 16.00 w sobotę na ławkach przy wejściu do zoo w Central Parku. Chyba wiesz, kim jestem. Z poważaniem, Leopold Gursky.*

Nie wiem, jak długo już siedzę na tej ławce. Powoli zapada zmrok, ale kiedy jeszcze było jasno, mogłem podziwiać rzeźby ogrodowe. Niedźwiedzia, hipopotama, coś z kopytami, co uznałem za kozę. Po drodze minąłem fontannę. Była nieczynna. Zajrzałem, by sprawdzić, czy na dnie zbiornika nie leżą jakieś drobniaki. Ale zauważyłem tylko uschnięte liście. Wszędzie ich teraz pełno, spadają i spadają, zmieniając świat z powrotem w ziemię. Czasami zapominam, że świat nie działa według tego samego planu co ja. Że wszystko nie umiera, a jeśli nawet umiera, to znów się odrodzi, przy odrobinie słońca i zachęty. Czasami myślę sobie: Jestem starszy od tego drzewa, od tej ławki, starszy od deszczu. A jednak. Nie jestem starszy od deszczu. Pada od lat i kiedy ja odejdę, będzie dalej padał.

Przeczytałam list jeszcze raz. *Chyba wiesz kim jestem*. Ale nie znałam nikogo o nazwisku Leopold Gursky.

Postanowiłem siedzieć tutaj i czekać. Nie mam przecież nic innego do roboty. Może ścierpną mi pośladki, ale oby to było najgorsze. Jeśli zachce mi się pić, nie popełnię przestępstwa, jeśli uklęknę i poliżę trawę. Lubię sobie wyobrażać, że moje stopy zapuszczają korzenie, a ręce porasta mech. Może zdejmę buty, żeby przyśpieszyć ten proces. Wilgotna ziemia między palcami stóp, zupełnie jakbym znów był chłopcem. Liście zaczną wyrastać mi z palców. Może jakieś dziecko zechce się na mnie wspiąć. Mały chłopiec, którego obserwowałem, jak wrzucał kamyki do pustej fontanny, nie jest jeszcze za duży na wspinanie się na drzewa. Widać od razu, że jest zbyt dojrzały jak na swój wiek. Być może wierzy, że nie został stworzony dla tego świata. Chciałem powiedzieć do niego: *Jeśli nie ty, to kto?*

Może naprawdę list jest od Mishy. On mógłby zrobić coś takiego. Pójdę tam w sobotę, a on będzie na ławce. Od tamtego popołudnia u niego w pokoju, kiedy jego rodzice wrzeszczeli na siebie za ścianą, minęły już dwa miesiące. Powiem mu, jak bardzo mi go brakowało.

Gursky – brzmi z rosyjska.

Może list jest od Mishy.

Ale chyba raczej nie.

Czasami nie myślałem o niczym, a czasami myślałem o moim życiu. Jedno jest pewne, żyłem. Jakie to było życie? Zwyczajne. Żyłem. Nie było łatwo. A jednak. Przekonałem się, że prawie wszystko można znieść.

Jeśli list nie był od Mishy, to może od mężczyzny w okularach, który pracował w Archiwum Miejskim przy Chambers Street 31 i nazwał mnie miss Rabbit Meat. Nigdy nie spytałam go o nazwisko, ale on znał moje i mój adres, bo musiałam wypełnić formularz. Może coś znalazł – teczkę albo jakieś świadectwo. A może pomyślał, że mam więcej niż piętnaście lat.

Był taki czas, kiedy żyłem w lesie, a raczej w lasach, w liczbie mnogiej. Jadłem robaki. I owady. Jadłem wszystko, co tylko mogłem włożyć do ust. Czasami chorowałem. Mój żołądek był w strasznym stanie, ale musiałem coś żuć. Piłem wodę z kałuż. Jadłem śnieg. Wszystko, co wpadło mi w ręce. Czasami zakradałem się do kopców z kartoflami na obrzeżach wsi. Stanowiły dobrą kryjówkę, bo w zimie było tam trochę cieplej. Ale było pełno gryzoni. Tak, jadłem surowe szczury. Najwyraźniej bardzo chciałem żyć. A był tylko jeden powód: ona.

Prawda, powiedziała mi, że nie może mnie kochać. Kiedy się ze mną żegnała, żegnała się na zawsze.

A jednak.

Zmusiłem się, by zapomnieć. Nie wiem dlaczego. Stale zadawałem sobie to pytanie. Ale zapomniałem.

A może od tego starego Żyda, który pracował w Biurze Urzędnika Miejskiego przy Centre Street 1. Wyglądał, jakby mógł być Leopoldem Gurskym. Może dowiedział się czegoś o Almie Moritz albo o Izaaku, albo o *Historii miłości*.

Pamiętam ten pierwszy raz, kiedy zdałem sobie sprawę, że widzę coś, czego nie ma. Miałem dziesięć lat i wracałem do domu ze szkoły. Kilku chłopców z mojej klasy przebiegło obok mnie z głośnym śmiechem. Bardzo chciałem być tacy jak oni. A jednak. Nie wiedziałem jak. Zawsze czułem się inny od wszystkich, a ta inność bolała. Potem skręciłem za róg i zobaczyłem go. Ogromnego słonia stojącego samotnie na rynku. Wiedziałem, że tylko go sobie wyobrażam. A jednak. Chciałem uwierzyć.

Więc spróbowałem.

I przekonałem się, że potrafię.

A może list przysłał portier spod numeru 450 przy Pięćdziesiątej Drugiej Wschodniej. Może zapytał Moritza o *Historię miłości*. Może Moritz zapytał go o moje nazwisko. Może zanim umarł, dowiedział się, kim jestem, i przekazał portierowi coś dla mnie.

Po dniu, w którym zobaczyłem słonia, pozwalałem sobie widzieć więcej i w więcej wierzyć. Była to gra, w którą grałem sam z sobą. Kiedy opowiadałem Almie o tym, co widzę, śmiała się i mówiła, że uwielbia moją wyobraźnię. Dla niej zmieniałem kamyki w diamenty, buty w lustra, zmieniałem szkło w wodę, dawałem jej skrzydła, wyciągałem ptaki z jej uszu, a w kieszeniach znajdowałem pióra. Prosiłem gruszkę, by stała się ananasem, ananas żarówką, żarówka księżycem, księżyc monetą, którą rzucałem o jej miłość, obie strony były reszkami: wiedziałem, że nie mogę przegrać.

A teraz, u kresu życia, z trudem dostrzegam różnicę pomiędzy tym, co prawdziwe, a tym, w co wierzę. Na przykład ten list, który trzymam w ręce – czuję go w palcach. Papier jest gładki, z wyjątkiem załamań w miejscu, gdzie był złożony. Mogę go złożyć i znów rozłożyć. Ten list istnieje, jest tak prawdziwy jak to, że tutaj siedzę.

A jednak.

W głębi serca wiem, że moja dłoń jest pusta.

A może napisał go sam Moritz, jeszcze przed śmiercią. Może Leopold Gursky to kolejna postać z jego książki. Może chciał mi coś powiedzieć. A teraz jest już za późno — kiedy pójdę tam jutro, ławka będzie pusta.

Żyć można na wiele sposobów, ale umrzeć tylko na jeden. Pomyślałem: Tutaj przynajmniej znajdą mnie, zanim zacznę śmierdzieć na cały dom. Kiedy umarła pani Freid i znalcziono ją dopiero po trzech dniach, wsunęli nam pod drzwi ulotki: PROSZĘ DZIŚ OTWORZYĆ OKNA NA CAŁY DZIEŃ. ADMINISTRATOR. Cieszyliśmy się świeżym powietrzem dzięki pani Freid; miała za sobą długie życie, pełne dziwnych zdarzeń, których na pewno sobie nie wyobrażała jako dziecko, a u jego kresu była wyprawa do sklepu po pudełko ciastek, których nie zdążyła otworzyć, bo położyła się, by odpocząć, i serce przestało jej bić.

Pomyślałem: Lepiej czekać na świeżym powietrzu. Pogoda pogorszyła się, czuło się przenikliwy chłód, liście spadały z drzew. Czasami myślałem o swoim życiu, a czasami nie myślałem o niczym. Od czasu do czasu, kiedy czułem taką potrzebę, przeprowadzałem szybkie badanie: Czy czujesz nogi? Nie. Pośladki? Nie. Czy twoje serce bije? Tak.

A jednak.

Byłem cierpliwy. Bez wątpienia byli inni, na innych ławkach w parku. Śmierć jest zajęta. Musi obsłużyć tyle osób. Żeby więc nie pomyślała, że podnoszę fałszywy alarm, wyjąłem z portfela kartę identyfikacyjną i przypiąłem ją agrafką do kurtki.

Wiele rzeczy może zmienić twoje życie. I przez kilka dni między chwilą, gdy otrzymałam list, a chwilą, gdy przyszłam na spotkanie, z kimś, kto go napisał, wszystko było możliwe.

Obok mnie przeszedł policjant. Przeczytał kartkę, którą przypiąłem sobie do piersi i spojrzał na mnie. Pomyślałem, że podsunie mi lusterko pod nos, ale spytał tylko, czy wszystko w porządku. Powiedziałem, że tak, bo co miałem powiedzieć? Czekałem na nią przez całe życie, była przeciwieństwem śmierci – i teraz wciąż czekam?

Wreszcie nadeszła sobota. Jedyna moja sukienka – ta, którą miałam na sobie przy Ścianie Płaczu – była za mała. Włożyłam więc spódnicę i wsunęłam list do kieszeni. I wyszłam.

Teraz, gdy stoję prawie u kresu życia, mogę powiedzieć, że tym, co najbardziej mnie w nim uderzyło, jest zdolność do zmian. Jednego dnia jesteś osobą, a następnego dnia mówią ci, że jesteś psem. Początkowo trudno to znieść, ale po jakimś czasie uczysz się nie traktować tego, jak jakiejś wielkiej straty. Chwilami wręcz zabawnie jest uświadamiać sobie, jak niewiele wystarczy w sobie zachować, by wytrwać w tym, co z braku lepszego słowa nazywamy człowieczeństwem.

Wyszłam ze stacji metra i ruszyłam w stronę Central Parku. Minęłam hotel Plaza. Była już jesień; liście brązowiały i opadały. Weszłam do parku przy Pięćdziesiątej Dziewiątej ulicy i ruszyłam ścieżką w stronę zoo. Kiedy dotarłam do wejścia, serce mi zamarło. Stało tam jakieś dwadzieścia pięć ławek. Na siedmiu z nich siedzieli ludzie.

Skąd mam wiedzieć, kto to?

Przeszłam tam i z powrotem wzdłuż rzędu ławek. Nikt nie obdarzył mnie nawet spojrzeniem. Wreszcie usiadłam obok jakiegoś mężczyzny. Nie zwrócił na mnie uwagi.

Mój zegarek wskazywał 16.02. Może się spóźnia.

Pewnego dnia ukrywałem się w dole po kartoflach, gdy nadeszli esesmani. Otwór był przykryty cienką warstwą słomy. Ich kroki zbliżały się, słyszałem, co mówią, jakby stali tuż obok mnie. Było ich dwóch. Jeden powiedział, *Moja żona sypia z innym mężczyzną*, a drugi zapytał, *Skąd wiesz?* Pierwszy odparł, *Nie wiem, tylko podejrzewam*, a drugi spytał, *Dlaczego?*, podczas gdy ja o mało co nie dostałem zawału. *To tylko przeczucie*, powiedział pierwszy, a ja wyobraziłem sobie kulę, która przeszywa mi mózg. *Nie potrafię nawet logicznie myśleć*, powiedział. *I zupełnie straciłem apetyt.*

Minęło piętnaście minut, dwadzieścia. Mężczyzna siedzący obok mnie wstał i odszedł. Na jego miejscu usiadła kobieta i otworzyła książkę. Z ławki obok podniosła się inna kobieta. Dwie ławki dalej, obok starszego mężczyzny siedziała matka i kołysała dziecko w wózku. Trzy ławki dalej jakaś para śmiała się i trzymała za ręce. Matka wstała i popychając przed sobą wózek, odeszła. Zostaliśmy tylko ja, kobieta z książką i starszy mężczyzna. Minęło kolejne dwadzieścia minut. Robiło się późno. Doszłam do wniosku, że ktokolwiek miał przyjść, nie przyszedł. Kobieta zamknęła książkę i odeszła. Zostałam tylko ja i starszy mężczyzna. Wstałam, zamierzając odejść. Byłam bardzo rozczarowana. Nie wiem, czego się spodziewałam. Ruszyłam. Minęłam starszego mężczyznę. Do piersi miał przypiętą kartkę, a na niej napis: NAZYWAM SIĘ LEOPOLD GURSKY NIE MAM RODZINY PROSZĘ ZADZWONIĆ NA CMENTARZ PINELAWN MAM TAM WYKUPIONE MIEJSCE W CZĘŚCI ŻYDOWSKIEJ DZIĘKUJĘ ZA TROSKĘ.

Dzięki żonie, która miała dość czekania na swojego żołnierza, przeżyłem. A gdyby tylko dźgnął w słomę, przekonałby się, że nic pod nią nie ma; gdyby inne sprawy nie zaprzątały mu głowy, na pewno by mnie znaleźli. Czasami zastanawiam się, co się z nią stało. Lubię sobie wyobrażać ten pierwszy raz, gdy się pochyliła, by pocałować nieznajomego, jak musiała się czuć, ulegając mu, a może po prostu uciekała przed samotnością; to tak, jakby nic nieznaczące zdarzenie wywołało klęskę żywiołową po drugiej stronie globu, tylko że to było przeciwieństwo klęski, tym nieświadomym aktem łaski uratowała mi życie i nigdy się nie dowiedziała, że to także jest częścią historii miłości.

Stanęłam przed nim.

Zdawało się, że mnie nie zauważa.

„Mam na imię Alma", powiedziałam.

I wtedy ją zobaczyłem. Dziwne, do czego zdolny jest umysł, gdy wskazówek udziela serce. Wyglądała inaczej, niż ją zapamiętałem. A jednak. Tak samo. Te oczy: po nich ją poznałem. Pomyślałem, A więc tak spływa anioł. Uwięziony w czasie, kiedy kochała cię najbardziej.

No proszę, powiedziałem. *Moje ulubione imię.*

Powiedziałam, „Nazwano mnie tak na cześć dziewczyny, każdej dziewczyny z książki zatytułowanej *Historia miłości*".

Odparłem, *To ja napisałem tę książkę.*

„Och – powiedziałam. – Mówię poważnie. Naprawdę jest taka książka".

Grałem dalej. Powiedziałem: *Nie mogę mówić poważniej.*

Nie wiedziałam, co powiedzieć. Był taki stary. Może żartował, a może był zażenowany. Spytałam: „Jest pan pisarzem?".

„W pewnym sensie", odparł.

Zapytałam, jakie książki napisał. Powiedział, że pierwszą była *Historia miłości*, a drugą *Każdej rzeczy słowo*.

„To dziwne – powiedziałam. – Może są dwie książki zatytułowane *Historia miłości*". Nie odezwał się, lecz oczy mu lśniły.

„Autorem tej, o której mówię, jest Zvi Litvinoff – mówiłam dalej. – Napisał ją po hiszpańsku. Mój ojciec dał ją mojej matce, kiedy się poznali. Potem ojciec umarł, a matka schowała książkę, aż osiem miesięcy temu ktoś ją poprosił, żeby ją przetłumaczyła. Zostało jej już tylko kilka rozdziałów. W tej *Historii miłości* jest rozdział zatytułowany *Epoka ciszy*, inny nosi tytuł *Narodziny uczucia*, a jeszcze inny...

Najstarszy człowiek na świecie roześmiał się.

Powiedział: „Chcesz mi powiedzieć, że byłaś zakochana także i w Zvim? Nie dość, że kochałaś najpierw mnie, potem mnie i Brunona, potem tylko Brunona, a potem nie kochałaś ani Brunona, ani mnie?".

Może on był szalony. Albo tylko samotny. Zapadał zmrok.

Powiedziałam: „Przepraszam. Nic nie rozumiem".

Wystraszyłem ją. Wiedziałem, że nie czas na kłótnie. Minęło sześćdziesiąt lat.

Powiedziałem, *Wybacz mi. Powiedz, które fragmenty ci się podobały. Co powiesz o* Epoce szkła? *Chciałem cię rozśmieszyć.*

Otworzyła szeroko oczy.

I wzruszyć.

Teraz robiła wrażenie przerażonej i zaskoczonej.

I wtedy mnie oświeciło.

Wydawało się, że to niemożliwe.

A jednak.

A jeśli to, co w mojej wierze było możliwe, naprawdę było niemożliwe, a to, co w mojej wierze było niemożliwe, było możliwe?

Na przykład.

Jeśli siedząca obok mnie na ławce dziewczyna jest prawdziwa?

Jeśli nazwano ją na cześć Almy, mojej Almy?

Jeśli moja książka nie uległa zniszczeniu podczas powodzi?

Jeśli...

Obok nas przeszedł mężczyzna.

Przepraszam, zawołałem do niego.

Tak?, spytał.

Czy obok mnie ktoś siedzi?

Mężczyzna wydawał się stropiony.

Nie rozumiem, powiedział.

Ja też nie, odparłem. *Czy mógłby pan odpowiedzieć na moje pytanie?*

Czy obok pana ktoś siedzi?, powtórzył.

O to właśnie pytałem.

Tak, powiedział.

Zapytałem więc, *Czy to dziewczyna, piętnasto-, może szesnastoletnia, która mogłaby też być dojrzałą czternastolatką?*

Roześmiał się i powiedział, *Tak.*

Tak, czyli przeciwieństwo nie?

Czyli przeciwieństwo nie, powiedział.

Dziękuję.

Odszedł.

Odwróciłem się do niej.

To była prawda. Wyglądała znajomo. A jednak. Teraz, gdy się jej dokładnie przyjrzałem, nie była zbyt podobna do mojej Almy. Była o wiele wyższa. I miała czarne włosy. I przerwę między zębami.

Kto to jest Bruno?, spytała.

Patrzyłem badawczo na jej twarz. Próbowałem wymyślić jakąś odpowiedź.

Powiedzmy, że jest niewidzialny, powiedziałem.

Na jej twarzy oprócz strachu i zaskoczenia teraz malowała się jeszcze konsternacja.

Ale kim on jest?

Przyjacielem, którego nie miałem.

Patrzyła na mnie wyczekująco.

To najwspanialsza postać, jaką stworzyłem.

Milczała. Bałem się, że wstanie i zostawi mnie. Nie wiedziałem, co jeszcze mogę jej powiedzieć. Powiedziałem więc prawdę.

On nie żyje.

Wypowiedzenie tych słów sprawiło mi ból. A jednak. Było jeszcze tyle do powiedzenia.

Umarł w lipcowy dzień w 1941 roku.

Czekałem, że wstanie i odejdzie. Ale. Została, wzrok miała nieruchomy.

Posunąłem się już tak daleko.

Pomyślałem, Dlaczego nie posunąć się jeszcze dalej?

I jeszcze coś.

Przykułem jej uwagę. Co za radość. Czekała, słuchała.

Miałem syna, który nie wiedział o moim istnieniu.

W niebo wzleciał gołąb. Powiedziałem,

Miał na imię Izaak.

Wtedy uświadomiłam sobie, że szukałam niewłaściwej osoby.

W oczach najstarszego człowieka na świecie szukałam chłopca, który zakochał się, mając dziesięć lat.

„Czy był pan kiedyś zakochany w dziewczynie o imieniu Alma?", spytałam.

Milczał. Wargi mu drżały. Pomyślałam, że nie zrozumiał, więc spytałam raz jeszcze. „Czy był pan kiedyś zakochany w Almie Mereminski?".

Wyciągnął rękę. Poklepał mnie dwa razy w ramię. Wiedziałam, że chce mi coś powiedzieć, ale nie wiedziałam co.

„Czy był pan kiedyś zakochany w Almie Mereminski, która wyjechała do Ameryki?".

Jego oczy wypełniły się łzami, poklepał mnie dwa razy w ramię i potem znów dwa razy.

„Czy syn, który jak pan sądzi, nie wiedział o pańskim istnieniu, nazywał się Izaak Moritz?"

Poczułem, że serce bije mi jak szalone. Pomyślałem: Żyłem tak długo. Proszę. Jeszcze chwila nie zaszkodzi. Chciałem wypowiedzieć jej imię na głos, przyniosłoby mi to ogromną radość, bo wiedziałem, że w jakiś nikły sposób zawdzięcza je mojej miłości. A jednak. Nie mogłem wydobyć słowa. Bałem się, że wybiorę niewłaściwe zdanie. Powiedziała, *Syn, który jak pan sądzi, nie wiedział...* Poklepałem ją dwa razy. Potem znów dwa. Ujęła moją rękę. Drugą poklepałem ją dwa razy. Ścisnęła moje palce. Poklepałem ją dwa razy. Położyła mi głowę na ramieniu. Poklepałem ją dwa razy. Objęła mnie ramieniem. Poklepałem ją dwa razy. Objęła mnie ramionami i mocno przytuliła. Przestałem klepać.

Alma, powiedziałem.

Tak, odparła.

Alma, powtórzyłem.

Tak.

Alma, powiedziałem.

Poklepała mnie dwa razy.

ŚMIERĆ LEOPOLDA GÓRSKIEGO

Leopold Górski zaczął umierać 18 sierpnia 1920 roku.
Umarł, ucząc się chodzić.
Umarł, stojąc przy tablicy.
A raz także niosąc ciężką tacę.
Umarł, ćwicząc swój nowy podpis.
Otwierając okno.
Myjąc genitalia w wannie.

Umarł sam, bo za bardzo się wstydził, by do kogoś zadzwonić.
Albo umarł, myśląc o Almie.
Albo kiedy nie chciał.

Naprawdę niewiele jest do powiedzenia.
Był wielkim pisarzem.
Zakochał się.
To było jego życiem.